Quelqu'un comme toi

L'auteur

Sarah Dessen est née aux États-Unis en 1970. Elle a baigné très jeune dans la littérature puisque ses parents, professeurs de lettres, lui offraient des livres en guise de jouets. Enfant, elle reçoit une machine à écrire et se lance dans l'écriture. Après son diplôme de lettres, elle décide de travailler comme serveuse et d'écrire le reste du temps. Son premier roman est publié au bout de trois ans. Elle enseigne aujourd'hui l'écriture et vit avec son mari et ses deux chiens.

Du même auteur

Cette chanson-là
Écoute-la
Pour toujours… jusqu'à demain
Toi qui as la clé…
En route pour l'avenir

Sarah Dessen

Quelqu'un comme toi

Traduction de l'anglais (américain)
par Véronique Minder

POCKET JEUNESSE

Directeur de collection : Xavier d'Almeida

Titre original :
Someone Like You
Publié pour la première fois en 1998
par Viking, Penguin Young Readers Group, New York.

Loi n° 49 956 du 16 juillet 1949 sur les publications
destinées à la jeunesse : février 2011.

ISBN 978-2-266-21278-6

Je dédie ce roman à Bianca.

Je remercie chaleureusement mon agent, Leigh Feldman, et mon éditeur, Sharyn November, pour leur aide, leur humour et leur détermination à publier ce roman.
Merci à vous.

PREMIÈRE PARTIE
LE GRAND CANYON

Chapitre 1

Scarlett Thomas a toujours été ma meilleure amie et voilà pourquoi, lorsqu'elle m'a téléphoné au « camp des Sisters », où je passais la pire semaine de mon existence, j'ai tout de suite compris que quelque chose de grave était arrivé. Ne me demandez pas pourquoi ou comment, c'est une question de feeling.

— C'est Michael, murmura-t-elle d'une drôle de voix. Michael Sherwood, tu sais bien.

— Michael ?

À côté de moi, Ruth, la directrice du camp, une vraie cheftaine avec sa coupe au bol et ses sandales orthopédiques, trépignait d'impatience.

C'est qu'au camp des Sisters, les filles étaient censées être « isolées des pressions de la société » pour mieux développer leur moi intime et devenir des « femmes dignes de ce nom ». Par conséquent, *exit* les coups de téléphone. Surtout un mardi à presque minuit.

Ruth m'avait arrachée de mon lit tout pourri, traînée jusque dans son bureau, où la lumière m'avait éblouie, pour enfin me coller entre les mains un téléphone.

Scarlett a soupiré. Un malheur était arrivé.

— Scarlett ? Qu'est-ce qu'il a, Michael ?

Ruth la cheftaine semblait maintenant sur le point d'imploser : à coup sûr, elle pensait que c'était une histoire de cœur brisé.

— Il est mort, annonça Scarlett d'une voix sans expression, comme si elle m'avait récité ses tables de multiplication.

J'entendis des « bing » et des « splash » derrière elle. Des bruits d'eau, sans doute.

— Il est mort ?

Ruth me regarda aussitôt avec inquiétude, mais je lui tournai le dos.

— Comment ?

— Un accident de moto. Cet après-midi. Il a été renversé sur Shortcrest.

Nouveaux « splash » en fond sonore : Scarlett faisait la vaisselle. Ma Scarlett, toujours prête et vaillante, aurait fait le ménage même en pleine apocalypse nucléaire.

— Michael est mort…, répétai-je.

J'ai eu l'impression que le bureau se rétrécissait autour de moi. Je manquais d'air et d'espace. La directrice du camp a passé son bras autour de mes épaules, mais je me suis dégagée avant de m'éloigner. J'imaginais Scarlett devant l'évier de sa cuisine, téléphone calé entre l'oreille et l'épaule, en short en jean, T-shirt, et avec son éternelle queue-de-cheval.

— Oh, mon Dieu, Scarlett…

— Je sais.

J'entendis un gros glouglou d'évier qui se vide. Rien d'autre. Scarlett ne pleurait pas.

Long silence. Plus qu'un « zzz » sur la ligne. Combien j'aurais voulu m'introduire dans le fil du téléphone et ramper jusque dans la cuisine de Scarlett pour être à ses côtés !

Michael Sherwood était mort. C'était un garçon de notre quartier. Un garçon que l'une de nous deux aimait.

— Halley ? souffla soudain Scarlett.

— Oui ?

— J'aimerais que tu rentres. Tu pourrais ?

Je regardai la nuit par la fenêtre, le lac où la lune semblait prendre un bain de minuit. C'était la fin du mois d'août, la fin de l'été. Dans une semaine, on reprendrait les cours. Cette année, Scarlett et moi, on entrait en première.

— Halley ? reprit-elle.

Je savais que ça lui coûtait de demander de l'aide. Parce que Scarlett n'avait jamais eu besoin de moi comme moi j'avais eu, si souvent, besoin d'elle.

— Tiens bon, j'arrive, lui répondis-je dans cette lumière trop vive, au cours de cette nuit où tout a commencé.

Michael Alex Sherwood est mort à 20 h 55 le mardi 13 août. Il arrivait de Shortcrest Drive et tournait à gauche sur Morrisville Avenue lorsqu'un homme d'affaires en BMW l'a éjecté de la moto qu'il possédait depuis un mois seulement, le projetant sept bons mètres plus loin. Dans le journal, on lisait qu'il était mort sur le coup et que la moto était foutue. Ça n'était pas la faute de Michael. Michael Sherwood avait seize ans.

C'était le seul garçon que Scarlett avait vraiment aimé. Toutes les deux, on connaissait Michael Sherwood du plus loin qu'on se souvienne, depuis aussi longtemps, ou presque, qu'on se connaissait, Scarlett et moi.

Notre quartier, qui s'appelait Lakeview, était quadrillé de long en large par des rues, des allées et des impasses. Partout on voyait des panneaux où on lisait ce message écrit en lettres jaunes : « Bienvenue à Lakeview, le quartier de tous vos amis ! » Une année, les grands du lycée étaient passés par là, avaient tagué les panneaux, gribouillé le « a » et ajouté « enne » pour former « ennemis ». Depuis, Lakeview était devenu « le quartier de tous vos ennemis ! ». Ce que mon père trouvait absolument tordant. Ça l'éclatait à un tel point que maman se demandait parfois si ça n'était pas lui, l'auteur de cette blague débile.

Lakeview se trouvait également à cinq kilomètres du nouvel aéroport : on entendait les avions atterrir et décoller toute la sainte journée. Mon père raffolait de ce « son et lumière » aéronautique. Il passait les trois quarts de ses soirées dans la véranda, à contempler le ciel avec enthousiasme tandis que le grondement au loin se rapprochait. Puis un avion pointait son nez blanc au-dessus de notre quartier et de nos têtes, le survolait avec bruit et fracas, avec ses voyants qui clignotaient. La vérité, on aurait dit un raz-de-marée prêt à tout balayer sur son passage. Si les avions et leur boucan faisaient augmenter la tension artérielle de M. Kramer, notre voisin, papa était aux anges. Moi, j'avais l'habitude. J'entendais à peine les avions, même quand je dormais et que, dans ma chambre, les vitres des fenêtres tremblaient avec la maison tout entière.

La première fois que j'ai vu Scarlett, c'est le jour où elle a emménagé dans notre quartier avec Marion, sa mère. J'avais onze ans. Je regardais les déménageurs par la fenêtre lorsque j'aperçus une rouquine de mon âge avec des tennis bleues. Elle était assise sur la marche du haut de sa véranda et observait aussi les gars au boulot, coudes sur les genoux, menton dans la main et lunettes de soleil à monture blanche en forme de cœur sur le nez. Elle n'a pas fait attention à moi, lorsque j'ai remonté l'allée de son jardin pour m'arrêter devant son perron, juste sous le store de sa véranda, où là, j'ai attendu qu'elle prenne la parole la première. C'est que je n'avais jamais su me lier et nouer de vraies amitiés. J'étais atrocement timide et en plus si empotée que je me débrouillais toujours pour copiner avec des chipies qui me tyrannisaient jusqu'à ce que je décampe à toutes jambes en pleurnichant et en hurlant : « Mamaannn ! » Lakeview, le quartier de tous vos ennemis, fourmillait de « nainemies » à vélo rose bonbon, qui baladaient leurs Barbie et leurs vanity-cases gros comme des dés à coudre dans leurs paniers ornés de stickers. Total, je n'avais jamais eu de meilleure amie.

Je m'étais donc approchée de la nouvelle du quartier. Je voyais maintenant mon reflet dans les verres de ses lunettes de soleil : T-shirt blanc, short bleu, tennis usées et socquettes roses. Je m'attendais à ce que cette petite nana se moque de moi, me demande de dégager ou m'ignore comme m'ignoraient les filles plus grandes et plus âgées que moi.

Derrière la porte moustiquaire, j'ai soudain entendu la voix lasse et un peu stressée d'une femme.

— Dis-moi, Scarlett, tu ne saurais pas où est mon carnet de chèques, par hasard ?

La fille tourna la tête et répondit sans hésiter :

— Sur la table de la cuisine. Dans le carton avec les papiers de l'agent immobilier.

La femme reprit la parole. Sa voix fluctuait, comme si elle passait d'une pièce à une autre.

— Le carton avec... les papiers de l'agent immobilier... Mmm... Chérie ? Je ne crois pas... Oh, attends ! Si, si, si ! Le voilà ! s'exclama-t-elle, ravie.

Tout à coup, on aurait dit qu'elle venait de découvrir le passage du Nord-Ouest (qui relie directement l'océan Atlantique à l'océan Pacifique par le nord du Canada. C'était pas rien : les explorateurs avaient mis des siècles à tomber dessus. Je venais de l'apprendre en géo).

Enfin, la gamine m'a observée avec une grande attention. Je me souviens avoir pensé qu'elle faisait plus que son âge, en tout cas qu'elle était plus âgée que moi. Là-dessus, j'ai eu les premiers symptômes d'une attaque de nainemies : sensation de rétrécir et, en même temps, de peur qui monte, monte...

— Salut, je m'appelle Scarlett, dit-elle au moment où j'allais prudemment me carapater.

— Et moi, Halley, répondis-je, la jouant comme elle super cool.

Je n'avais jamais eu de copine avec un prénom original. Les filles de ma classe s'appelaient Lisa, Katherine, Caroline ou Anna.

— J'habite là, ajoutai-je, lui montrant la maison d'en face, et la fenêtre de ma chambre.

Elle a hoché la tête, poussé son sac pour me faire de la place et balayé la marche du plat de la main. Et, comme elle me souriait de façon trop gentille, j'ai franchi les derniers centimètres du carré de pelouse pour m'asseoir à côté d'elle.

On n'a pas parlé tout de suite, mais ça ne faisait rien parce qu'on avait la vie entière devant nous. J'observais en silence ma maison et mon garage, mon père qui passait la tondeuse entre les rosiers... toutes ces choses qui habitaient mon quotidien, que je connaissais par cœur. Mais, maintenant, j'avais Scarlett. Et, à partir de ce jour-là, rien n'a plus jamais été pareil.

Dès que Scarlett a raccroché, j'ai téléphoné à maman. Maman était psychologue, spécialiste du comportement des adolescents. Malheureusement, même avec deux bouquins sur le sujet, des douzaines de séminaires et des interventions dans des talk-shows où elle conseillait les parents sur la meilleure façon de gérer la crise d'adolescence, maman n'avait pas encore trouvé la solution clés en main pour gérer la mienne.

Il était 1 heure du matin et des poussières lorsque maman a décroché.

— Allô ?

Même en pleine nuit, maman avait une voix claire et bien réveillée. Sa façon de vous dire : « Je suis toujours prête, compétente et solide. » Maman cultivait sa psy attitude avec autant de soin que ses chrysanthèmes.

— Maman ?

— C'est toi, Halley ? Que se passe-t-il ?

J'entendis des marmonnements et des froissements dans l'appareil : mon père qui se levait.

— C'est Michael Sherwood, maman.

15

— Qui ?

— Il est mort.

— Mais qui est mort ?

Nouveaux murmures, cette fois plus audibles. Mon père demandait : « Hein, qui est mort ? Mais qui ? »

— Michael Sherwood, répétai-je. Un de mes amis.

— Mon Dieu ! Halley...

Maman poussa un petit soupir, posa la main sur le combiné, mais je l'entendis qui disait à mon père de se rendormir.

— Écoute, chérie, je sais que c'est terrible, mais il est très tard, me dit-elle ensuite. D'où appelles-tu ?

— Je suis dans le bureau de la directrice. Je veux que tu viennes me chercher.

— Venir te chercher ? répéta-t-elle, surprise. Mais il te reste encore une semaine à passer au camp, Halley.

— Je sais, mais je veux rentrer à la maison.

— Allons, ma grande, tu es fatiguée, il est tard et...

Après la psy attitude, la voix de psy. Je la connaissais à fond, je savais l'identifier : normal, j'étais sa fille.

— Rappelle-moi demain, quand tu seras plus calme, d'accord ? Je suis convaincue que tu n'as pas la moindre envie d'interrompre ton séjour.

— Maman, il est mort.

Chaque fois que je disais « mort », Ruth, toujours à mes côtés, me fixait d'un regard triste et compatissant.

— Je sais, chérie, et c'est terrible. Mais rentrer à la maison n'y changera rien. Au contraire, tu auras gâché la fin de ton été et il n'y a aucune...

— Je veux rentrer à la maison, coupai-je. Scarlett vient de me téléphoner. Elle a besoin de moi.

Ma gorge s'était nouée. Maman ne comprenait donc

16

pas ? Non, malheureusement, maman ne comprenait plus rien.

— Scarlett n'est pas seule, sa mère est là. Ne te fais donc pas tant de souci. Écoute, tu as vu l'heure, ma minette. Tu ne restes pas seule, au moins ? La directrice du camp est près de toi ?

J'inspirai de toutes mes forces. Je ne pensais qu'à Michael, que je connaissais à peine, mais dont la mort subite avait soudain plus de sens que *tout* le reste au monde. Je pensais à Scarlett qui m'attendait, seule dans la lumière trop vive de sa cuisine. Il fallait absolument que je rentre.

— S'il te plaît, maman, soufflai-je, tournant le dos à Ruth.

Parce que sa compassion, elle pouvait se la garder.

— S'il te plaît, viens me chercher...

— Écoute, Halley, va te coucher. Je te rappelle demain. On en reparlera.

Maman semblait lasse et bien près de s'énerver.

— Avant, promets que tu vas venir me chercher, insistai-je à toute vitesse, de peur qu'elle raccroche. Promets, rien que cela. C'était notre ami, tu comprends ?

Silence.

J'imaginais maman assise dans le lit à côté de mon père endormi, et sans doute dans sa chemise de nuit bleue. Il suffisait qu'elle tourne les yeux vers la fenêtre pour remarquer qu'il y avait de la lumière dans la cuisine de Scarlett.

— Oh, Halley... Bon, c'est d'accord, dit-elle avec la voix résignée d'une femme de devoir.

Comme si j'étais pathologiquement insupportable et

capricieuse. Comme si mes amis mouraient d'un coup tous les jours.

— C'est sûr et certain ?

— Qu'est-ce que je viens de te dire ?

Je compris que ma victoire au finish n'allait pas arranger nos relations, très tendues ces derniers temps.

— Tu me passes la directrice ?

— D'accord.

Je tournai les yeux vers Ruth, qui semblait sur le point de s'endormir sur place.

— Maman ? ajoutai-je.

— Oui ?

— Merci.

Silence.

Traduction : j'allais le payer très cher.

— Je veux parler à ta directrice, maintenant.

Je tendis le combiné à Ruth et l'écoutai rassurer ma mère.

— Oh, il n'y a aucun problème, madame Cooke. Halley fera son sac demain à la première heure et sera fin prête à votre arrivée. Mon Dieu, quelle tristesse de mourir si jeune…

Là-dessus, je retournai me coucher dans mon bungalow, à tâtons, car il faisait nuit noire.

Je mis un temps fou à retrouver le sommeil. Le visage de Michael avait envahi le champ de mes pensées. Son visage en *live* que j'avais regardé en douce pendant les années de collège. Son visage sur les portraits que Scarlett et moi, on admirait pendant des heures dans l'album du lycée. Je revoyais aussi une autre photo, celle que Scarlett avait coincée au coin du miroir de sa coiffeuse et que j'avais prise il y a une ou deux semaines : Scarlett et Michael au bord du lac dont l'eau scintillait pour tout décor. Je revoyais aussi la confiance avec laquelle elle avait posé la tête sur son épaule. Et puis la douceur de la main de Michael sur son genou. Et, enfin, la tendresse avec laquelle il la contemplait au moment où le flash avait jailli.

Le lendemain, maman était de mauvais poil lorsqu'elle est passée me prendre. En clair et en quelques mots : mon expérience au camp des Sisters avait été un échec total et absolu. Ah, c'est ce que j'avais prophétisé, quand j'avais été parachutée, contre ma volonté, dans ces montagnes au milieu de nulle part pour y passer les deux dernières semaines de mon été avec des filles qui, comme moi, n'avaient eu qu'un droit : celui de la boucler.

Maman avait entendu parler du camp des Sisters – qui s'appelait en réalité le camp « Foi en soi » (c'est papa qui l'avait surnommé le « camp des Sisters ») – dans l'un de ses fameux séminaires psy et Cie. Un beau soir, maman était rentrée avec une brochure que le lendemain matin elle avait glissé sous le bol de mon petit déjeuner avec un Post-it jaune fluo, où elle avait écrit : « Qu'en penses-tu ? » Ma première réaction avait été : « Rien, merci » dès que j'avais vu une photo gnangnan qui représentait deux nanas d'à peu près mon âge courant dans un champ de fleurs, sourire aux lèvres et main dans la main. Grosso modo, c'était une colo avec les incontournables clubs de natation, d'équitation et ateliers de travaux manuels, genre « Exerçons notre créativité : tressons de jolis paniers ! ». En revanche, l'après-midi, c'était séminaires et groupes de parole sur les thèmes suivants : « Telle mère, telle fille ? Suis-je comme maman ? » ou « *Tous les autres le font.* Comportements de recherche d'identité : indépendance et conformité ». Dans la brochure, il y avait aussi un affreux baratin sur l'estime de soi à l'adolescence, la psychologie du développement cognitif, social et affectif et d'autres mots à coucher dehors que je connaissais seulement pour les avoir lus sur les quatrièmes de couverture des bouquins de maman.

Moi, tout ce que je savais, c'est que j'avais presque seize ans et que j'allais passer mon permis de conduire dans trois mois : je n'avais plus l'âge de partir en colo pour réfléchir à ma crise des valeurs et, surtout, tresser d'horribles paniers.

— Ce sera une expérience tellement positive ! déclara maman le soir même, au cours du dîner. Beaucoup plus enrichissante, je dois dire, que des séances de bronzette autour de la piscine de Scarlett, à parler de garçons !

— Mais ce sont les grandes vacances ! Et en plus, dans deux semaines, c'est la rentrée.

— Tu seras de retour à temps, répondit maman, qui feuilletait la brochure avec intérêt.

— Tu oublies que j'ai un petit boulot, précisai-je avec l'énergie du désespoir.

Scarlett et moi, on était caissières chez Milton, le supermarché de notre quartier.

— Je ne peux tout de même pas laisser M. Averby en rade !

— Justement, M. Averby affirme que les affaires sont calmes, en ce moment, et que ça ne l'ennuie pas.

— Maman !? Tu as téléphoné à M. Averby ?

J'en lâchai ma fourchette. Et papa, qui jusque-là mangeait tranquillement en évitant de se mêler à la conversation, jeta un regard en coin à maman. Oui, même lui, il savait que ça n'était pas cool d'appeler le patron de sa fille derrière son dos.

— Je voulais juste savoir si une absence de deux semaines poserait problème, se justifia ma mère en regardant papa.

Mais papa se contenta de hocher la tête de quelques millimètres avant de se remettre à manger.

— J'étais certaine que Halley trouverait mille raisons pour ne pas aller à ce camp ! poursuivit maman.

— Zut, je n'ai pas envie de gâcher mes deux dernières semaines de vacances avec des nanas que je ne connais même pas ! Et puis, d'ailleurs, Scarlett et moi, on a des tonnes de projets ! On fait même des heures sup pour gagner plus d'argent pour aller à la mer et...

— Halley !

Maman s'énervait.

— Scarlett ne va pas se volatiliser pendant ton absence ! Je ne te demande tout de même pas la lune ! Je veux vraiment que tu ailles à ce camp. Pour moi, et aussi pour toi. Je suis convaincue que cette expérience te sera profitable. Deux semaines, écoute ! Ça passera vite !

— Non ! Je te dis que je ne veux pas y aller ! répétai-je en regardant mon père pour obtenir son soutien, mais papa me fit un minuscule sourire d'excuse et reprit du pain.

Désormais, papa ne se mêlait plus de nos disputes. Son boulot, c'était de calmer les esprits et d'arrondir les angles quand ça avait bien chauffé. Si j'étais punie et privée de sortie, papa montait dans ma chambre pour me servir sa spécialité, le Milkshake Choco Keep Cool, qui, à son avis, calmait les passions.

Après l'orage – une fois que je m'étais repliée dans

ma chambre –, ça ne ratait pas : j'entendais le mixeur
se mettre en marche dans la cuisine. Peu après, papa
venait me tendre un milk-shake bétonné en chocolat,
bien froid, façon colombe et rameau de la paix. Mais,
cette fois, j'étais tellement en colère que tous les milk-
shakes du monde ne suffiraient pas à faire passer la
pilule.

Voilà donc comment la fin de mon été a été sabotée.
Dimanche dernier, mon sac avait été bouclé, je m'étais
vu trimballer trois heures en voiture jusque dans les
montagnes, pendant que maman évoquait ses belles
années de colo et me promettait que je la remercierais,
à la fin du séjour. Puis elle m'avait déposée devant le
bureau, embrassée sur le front, m'assurant que j'étais
sa « grande fille », et était repartie dans le couchant
en me faisant des petits coucous gracieux. J'étais restée
immobile, raide de colère rentrée, mon sac en toile à
mes pieds, entourée de filles pas plus tentées que moi
de passer deux semaines à socialiser dans la joie et la
bonne humeur.

Au camp des Sisters, j'étais boursière : en gros,
j'étais là tous frais payés, comme quatre autres filles
dont les parents étaient psys. Je m'étais plus ou moins
liée avec les nanas qui partageaient mon bungalow.
On n'arrêtait pas de se plaindre. On se moquait aussi
des responsables des séminaires psy et on soignait surtout notre bronzage en parlant des garçons.

Aujourd'hui, j'interrompais mon séjour pour rentrer à la maison, à cause d'un garçon que je n'avais
pas bien connu mais qui avait compté comme aucun
autre dans ma vie et celle de Scarlett. Je déposai mon
sac dans le coffre de la voiture et montai devant.
Maman me dit bonjour, et resta bouche cousue pen-

dant les premiers kilomètres. Tant pis. Je me disais qu'on était quittes : je n'avais pas voulu venir au camp, elle n'avait pas voulu que j'abrège mon séjour. Égalité. Mais je savais que maman ne voyait pas les choses à ma façon. Et d'ailleurs, depuis quelque temps, on ne voyait plus grand-chose pareil.

— Alors ? Raconte ! Comment c'était ? me demanda maman une fois qu'on fut sur l'autoroute.

Elle mit le régulateur de vitesse, régla la clim et semblait prête à faire une trêve.

— Du moins, les quelques jours que tu as passés ?

— Bof. Les séminaires étaient vraiment très, très chiants.

OK, j'exagérais. Mais seulement par anticipation. Parce que je connaissais maman : elle allait contre-attaquer.

— Peut-être que si tu étais restée jusqu'à la fin, tu en aurais davantage profité ?

— Ouais, possible.

Dans le rétroviseur arrière, je voyais les montagnes qui s'éloignaient.

Je devinais que maman avait beaucoup à dire, mais elle se mura dans le silence. Peut-être aurait-elle voulu me demander pourquoi la mort de Michael Sherwood, dont je n'avais jamais parlé à la maison, me mettait dans tous mes états. Ou pourquoi, d'entrée de jeu, j'avais eu la rage au cœur et refusé de partir au camp des Sisters ? À moins qu'elle n'ait eu envie de me poser une question de fond : pourquoi est-ce que je ne pouvais plus la voir en peinture depuis un ou deux mois, pourquoi notre belle amitié complice d'autrefois était-elle devenue un drôle de je-ne-sais-quoi ?

— Maman ?

Elle tourna les yeux vers moi. Je l'entendis suspendre son souffle, comme si elle prévoyait une nouvelle attaque et préparait sa riposte.

— Oui ?

— Merci d'être venue.

Elle reporta son attention sur la route.

— Le sujet est clos, Halley, murmura-t-elle, alors que je m'adossais à mon siège.

Avant cet été-là, maman et moi, on était comme les doigts de la main. Elle savait tout de ma vie : les garçons que j'aimais en secret, les filles que j'enviais, en secret aussi. Après l'école, je préparais mon goûter à la cuisine, puis je commençais mes devoirs en guettant son retour avec impatience. J'avais toujours quelque chose à lui raconter. Après mon premier bal au lycée, on avait dévoré une glace à même le pot, pendant que je lui expliquais en détail ce qui s'était passé, de la première à la dernière chanson.

Le samedi, quand papa animait sa matinale à la radio, on avait notre déjeuner de filles, indispensable pour échanger nos derniers scoops. Maman aimait les restaus italiens chics, et moi, les hamburgers et les pizzas, alors on alternait. Maman me faisait manger des escargots et je la regardais avaler des Big Mac (qu'elle adorait, même si elle essayait de le cacher !). On avait une tradition : on commandait toujours deux desserts, qu'on se partageait. L'après-midi, on partait en virée au centre commercial. Pendant les soldes, on jouait à qui trouverait la meilleure affaire. En général, c'est maman qui gagnait.

Maman écrivait dans de nombreux journaux et magazines : elle y décrivait la réussite de notre relation mère-fille pour montrer comment on avait surmonté, ensemble, la préadolescence et mon entrée en sixième. Au lycée et lors des réunions d'information destinées aux parents, maman parlait de l'importance de « maintenir le dialogue avec son ado ». Lorsque ses copines venaient boire le café, elles se plaignaient de leur ado maison, qui se rebellait ou fumait du shit. Et, quand ces pauvres femmes lui demandaient pourquoi nous deux, ça passait sans casser, maman hochait la tête avec une formidable modestie.

— Je n'en sais rien. Ce que je peux dire, c'est que Halley et moi, nous sommes vraiment proches. Nous parlons de *tout*.

Mais, au début de cet été, quelque chose a changé. Quand ? Je ne le sais pas exactement, mais je suis presque certaine que c'est arrivé après nos vacances au Grand Canyon.

Tous les étés, papa, maman et moi, on s'offrait un beau voyage. C'était notre plaisir de l'année : on choisissait une destination cool, comme le Mexique ou l'Europe. Cette année, on a traversé les États-Unis d'est en ouest jusqu'en Californie et au Grand Canyon. En route, on mêlait les pauses tourisme et les visites à la famille. Maman et moi, on s'est trop bien amusées. Papa, au volant les trois quarts du temps, était un peu notre chauffeur. Et nous, installées comme des reines sur la banquette arrière, on papotait, on s'échangeait des fringues, au son de la radio, on inventait des chansons et des blagues tandis qu'on découvrait les États les uns après les autres, et toujours de nouveaux paysages. Papa et moi, on forçait maman à manger des hamburgers presque tous les jours : c'était notre façon de lui faire payer un an de salade de mesclun et de tortellini frais au jambon de Parme. Pendant ces deux semaines-là, on s'est bien un peu chamaillés, tous les trois, mais, globalement, on a été heureux.

Dès qu'on est rentrés à la maison, trois événements ont eu lieu. D'abord, j'ai obtenu un petit boulot chez Milton. Scarlett et moi, on avait passé la fin de l'année scolaire à remplir des formulaires d'embauche, et le supermarché Milton était le seul endroit qui proposait deux postes de caissière. Lorsque je suis rentrée de vacances, Scarlett y travaillait déjà depuis deux semaines, donc elle m'a mise au parfum.

Ensuite, Scarlett m'a présentée à Ginny Tabor, qu'elle avait rencontrée à la piscine pendant mon absence. Ginny était pom-pom girl, super danseuse et super gymnaste. Elle avait une réputation d'enfer parmi l'équipe de football, qui n'était pas tout à fait fondée sur ses acrobaties et ses cris de joie pendant les matchs de foot. Ginny habitait non loin de Lakeview, dans les Arbors, un quartier chic : maisons de style Tudor, country-club, piscine et terrain de golf. Le père de Ginny était dentiste. Quant à sa mère, qui devait peser dans les quarante kilos toute mouillée, elle fumait des Benson and Hedges non-stop et avait une peau aussi tannée que le cuir du canapé de notre salon. Elle filait des tonnes de fric à Ginny, puis nous laissait nous débrouiller comme des grandes pour faire le trajet des Arbors jusqu'à la piscine. Elle se fichait bien qu'on file en douce sur le terrain de golf, le soir, pour rencontrer les garçons.

Ce qui a provoqué le troisième événement de cet été : deux semaines après mon retour de vacances, j'ai rompu une petite amourette monotone qui durait depuis près d'un an avec Noah Vaughn.

Noah était mon premier petit ami, enfin... on se téléphonait et, de temps en temps, on se faisait de gentils bisous. Noah était grand et maigre, avec d'épais cheveux noirs et un peu d'acné. Ses parents et les miens étaient amis depuis la nuit des temps, et d'ailleurs on passait tous nos vendredis soir ensemble, chez les Vaughn ou chez nous. Noah avait été un premier petit copain idéal et tout, mais, après avoir connu le monde fou, fou, fou de cette allumée de Ginny Tabor, je l'ai très vite éjecté de mon orbite.

Malheureusement, Noah a mal vécu la rupture. Il venait toujours le vendredi soir avec ses parents et sa sœur, mais il tirait la gueule, me jetait des regards assassins et restait le cul sur le canapé avec un visage de pierre, tandis que je filais en criant : « Bonsoir, tout le monde, à plus ! » Je disais que j'allais chez Scarlett, mais c'était faux : on avait rendez-vous avec des mecs à la piscine ou on zonait grave avec Ginny. En définitive, c'est maman qui a été la plus triste de ma rupture avec Noah. À mon humble avis, elle avait plus ou moins espéré que je l'épouse un jour. Tant pis ! Cet été-là, j'avais un nouveau moi qui évoluait au fil des nuits estivales trop chaudes, trop moites. J'ai fumé mes premières cigarettes, bu ma première bière ; je me suis offert un super beau bronzage et me suis fait deux fois percer les oreilles. En même temps, je commençais peu à peu à m'éloigner de maman.

Une photo, sur notre cheminée, me rappelait le duo génial qu'on avait formé toutes les deux. C'est papa qui l'avait prise au Grand Canyon : on y voyait l'un de ces paysages immenses et fabuleux qui évoquent un décor de ciné. Ce jour-là, maman et moi, on portait le même T-shirt et des lunettes de soleil. On avait pris la pose, comme des stars, bras dessus bras dessous, et on souriait à l'objectif. Jamais on ne s'était autant ressemblées. Même nez, même attitude, même sourire conquérant. On avait l'air si heureuses, sous ce beau soleil, sous ce ciel bleu et infini... À notre retour, maman avait fait encadrer la photo, puis l'avait placée en évidence, sur la cheminée. Comme si elle avait su que, quelques mois plus tard, ce cliché deviendrait une relique, la preuve qu'une autre époque – que ni l'une ni l'autre ne pouvions désormais concevoir – avait existé. Il était une fois nous deux, ensemble et amies au Grand Canyon.

Quand on est arrivées à la maison, Scarlett était assise sur les marches de sa véranda. La nuit tombait à peine. Les lumières s'allumaient. Les gens se promenaient avec leurs chiens, leurs enfants. Un voisin devait faire un barbecue, quelques rues plus loin, car des odeurs de viande grillée se mêlaient à des senteurs d'herbe fraîchement tondue et de pluie récente.

Je descendis de la voiture, posai mon sac sur le trottoir et regardai en face, du côté de Scarlett. Seule la lumière de la cuisine était allumée, qui éclairait faiblement la véranda vide.

Scarlett me fit signe.

— Maman ? Je vais chez Scarlett.

— Bien.

Maman m'en voulait toujours, mais il était tard, elle était fatiguée, et, ces derniers temps, on choisissait seulement les batailles qui en valaient la peine. Heureusement, sinon on aurait toujours été en guerre.

Je connaissais le chemin qui menait de chez moi à la maison de Scarlett par cœur. J'aurais pu le faire les yeux bandés, de nuit et à reculons. À mi-chemin, par exemple, il y avait une lézarde dans le béton et, au début de l'allée qui partait du trottoir et traversait le jardin jusqu'à sa véranda, deux épineux qu'il valait mieux éviter si on ne voulait pas se faire griffer. Il fallait faire dix-huit pas jusqu'aux marches du perron. On les avait comptés en sixième, à l'époque où on avait la passion des faits et détails tangibles. Pendant des mois, on avait calculé et mesuré des distances en pas : ça avait été notre façon de maîtriser le monde et de le mettre à notre portée en le réduisant à des petits chiffres rassurants.

Je m'approchai dans la pénombre. Je n'entendais que le bruit de mes chaussures et le souffle de la clim.

— Salut, dis-je à Scarlett, tandis qu'elle se poussait pour me faire de la place. Ça va ?

C'était une question complètement débile. Mais, quand on y pense, il n'y a pas de mots, ou il y en a trop, pour des situations pareilles.

Alors je me tus et j'observai Scarlett. Elle était pieds nus. Sa queue-de-cheval était défaite. Je remarquai qu'elle avait pleuré.

Je n'avais pas l'habitude de la voir dans cet état : elle avait toujours été la plus forte, la plus battante et la plus courageuse de nous deux. Lors de son premier été à Lakeview, elle avait balancé une gigantesque claque à Missy Lassiter, la pire des nainemies : son gang à vélo rose Barbie nous avait encerclées et enquiquinées dans l'espoir de nous arracher des larmes bouillantes. Scarlett maternait sa propre mère de trente-cinq ans et gérait la maisonnée à égalité avec elle au moins depuis l'âge de cinq ans. Je croyais dur comme fer que c'était grâce à Scarlett que les nainemies de Lakeview ne m'avaient pas bouffée toute crue.

— Scarlett ?

Elle a tourné les yeux sur moi. Son visage était couvert de larmes.

Oh, mon Dieu, je ne savais pas quoi faire. Puis j'ai de nouveau pensé à la photo d'elle et de Michael, qu'elle avait coincée dans son miroir et que j'avais prise, quelques semaines plus tôt, avec, en arrière-plan, le lac si ensoleillé qu'il éclatait de lumière. J'ai aussi pensé à sa façon de me consoler les fois où je pleurais, effondrée à cause d'un bleu, d'un bobo au genou, à l'âme ou au cœur.

J'ai donc pris ma meilleure amie dans mes bras et je l'ai serrée très fort, pour lui rendre d'un seul coup le réconfort qu'elle m'avait si souvent offert. Longtemps, on est restées immobiles dans les bras l'une de l'autre. Derrière nous, sa maison semblait nous dominer, tandis que la mienne, en face, avec ses fenêtres allumées, avait l'air de nous regarder fixement.

C'était la fin de l'été. La fin d'une époque. Je ne bougeais pas, je sentais les épaules de Scarlett, qui s'était remise à pleurer, trembler sous mes mains. Qu'allait-il se passer, maintenant ? Tout ce que je savais, c'est que Scarlett avait besoin de moi et que j'étais là. Je ne pouvais rien faire de plus pour le moment, mais, au moins, je ne l'abandonnais pas.

Chapitre 2

Scarlett était rousse, pas carotte mais plutôt auburn, avec des acajou et châtain profonds et chauds qui rendaient plus lumineux ses yeux verts. Sa peau était très blanche et, les premières années de notre amitié, on lui voyait plein de taches de rousseur. Au fil des années, les taches ont disparu et seules celles sur le nez sont restées. C'était drôle comme tout, on aurait dit qu'elles avaient été semées là à la va-vite ! Scarlett était plus petite que moi, très précisément de quatre centimètres virgule trois. Elle avait une taille de chaussure supérieure à la mienne et une cicatrice comme un sourire sur le ventre (souvenir de son opération de l'appendicite). Elle était superbe parce qu'elle était simple, nature, vraie, pas comme moi. J'étais jalouse d'elle, et plus que je ne voulais me l'avouer. Je trouvais Scarlett fascinante et tellement originale... Le plus rigolo, dans l'histoire, c'est que, de son côté, Scarlett affirmait qu'elle aurait *tout* donné pour avoir mes longs cheveux, mon teint mat qui dorait l'été, ainsi que mes sourcils et cils bruns bien dessinés. Et pour avoir un papa comme le mien, évidemment, ainsi que ma famille conventionnelle, si différente de la sienne, monoparentale dominée par Marion, ses lubies et excentricités. S'envier nous mettait à égalité. Ça équilibrait l'amitié.

On a toujours cru que nos vies avaient une évolution parallèle, parce qu'on était en phase au même moment. On aimait les films d'horreur et les films kitsch à l'eau de rose. On connaissait les paroles de toutes les chansons des vieux disques de mes parents. De nous deux, c'était Scarlett la plus dégourdie, et, à vrai dire, elle se faisait des amis en un éclair. Moi, j'étais réservée, timide et toujours en retrait. Pour les autres, au lycée, j'étais « Halley, la copine de Scarlett ». Et alors ? Sans Scarlett, j'aurais sûrement passé mes plus belles années à zoner dans le parking des bus avec des nazes et Noah Vaughn. Tel aurait été mon destin si Scarlett n'avait pas levé sur moi ses yeux, cachés derrière ses lunettes de soleil à monture blanche en forme de cœur, si elle ne m'avait pas fait une petite place à côté d'elle pour le restant de ma vie. C'était cadeau. Parce que la vie est moche et dégueulasse sans une meilleure amie.

Je m'imagine souvent comme les silhouettes des albums de coloriage : avec les contours noirs et l'intérieur blanc. La base existait, d'accord, mais les couleurs et les motifs, tous les petits trucs qui me feraient devenir moi, rien que *moi*, n'y étaient pas encore. Les rouges et les ors vibrants de Scarlett donnaient peut-être le ton, mais j'attendais toujours de trouver mes propres coloris. De trouver qui j'étais.

Michael Sherwood habitait notre quartier. On allait au lycée ensemble, mais on ne le connaissait pas bien parce que, après le CM2, il avait déménagé en Californie. Quelques années plus tard, il en était revenu, transformé : grand, mince et craquant. Il était devenu le boy-friend de tous nos rêves.

Michael était sorti avec Ginny Tabor pendant quinze minutes environ, puis avec Élisabeth Gunderson, le capitaine de l'équipe des *cheerleaders*, pendant plusieurs mois. Mais Michael s'était visiblement senti trop loin de son biotope au milieu des capitaines de l'équipe de football lookés sport et des pom-pom girls sexy glam. Il était donc revenu à ses vieux potes de Lakeview, dont Tristan Faulkner, son meilleur ami. On les voyait parfois descendre notre rue en fumant et en riant au milieu de la nuit. Ils étaient différents des autres garçons. Ils nous fascinaient.

Dès qu'il quitta le cercle des stars du lycée, Michael Sherwood devint une véritable énigme. Personne ne savait plus à quelle tribu il appartenait. Il était sympa avec tout le monde : une sorte de grand rassembleur. Les farces qu'il jouait aux profs remplaçants étaient connues de tout le lycée. De plus, il était toujours prêt à vous raconter une histoire bizarre pour justifier le dollar qu'il voulait absolument vous emprunter. Il racontait des trucs incroyables, à moitié vrais dans le meilleur des cas, mais c'était si marrant que ça valait bien dix billets ! Un jour, il m'avait raconté une histoire abracadabrante de petites jeannettes psychotiques qui lui avaient sauté dessus, genre pour le violer ! Je ne l'avais pas cru, mais je lui avais filé deux dollars. Du coup, je n'avais plus eu un sou pour mon déjeuner, mais sans regret tellement j'avais rigolé.

Chacun de nous avait une anecdote sur Michael Sherwood. Sur ce qu'il avait dit, fait, transmis et donné. Mais ce qui le rendait si mystérieux à nos yeux, c'était son indépendance. Il semblait loin, très loin devant nous. Libre. Et, comme il n'appartenait à aucun clan, il s'adaptait en définitive à tous.

À la fin de l'année scolaire, il y avait invariablement une projection de diapos, rien que des portraits sur le vif et rigolos, donc jamais retenus pour figurer dans le très sérieux album du lycée. On se retrouvait dans l'auditorium pour les regarder comme au ciné. On entendait siffler, huer ou applaudir, selon qu'on voyait sur l'écran un pote ou non... On n'avait vu qu'une diapo de Michael Sherwood, mais sacrément réussie. Il était assis sur un muret, avec son éternelle casquette de base-ball noire, et il riait en regardant un truc hors champ. En fond, on voyait le vert de la pelouse et le bleu clair du ciel. Quand la diapo est passée, on a tous applaudi, on s'est tous tournés pour regarder Michael, assis en haut avec Tristan Faulkner, et qui avait l'air bien embêté d'être la vedette. Au lycée, Michael Sherwood était le seul qui faisait l'unanimité.

L'enterrement eut lieu le lendemain, un jeudi. Après le petit déjeuner, je suis allée chez Scarlett pieds nus et dans mon vieux jean coupé, avec deux robes noires sur un bras. Je ne savais pas laquelle choisir. Auparavant, je n'étais allée qu'à un seul enterrement, celui de mon grand-père, à Buffalo. J'avais six ans à l'époque. Autant dire qu'on m'avait habillée sans me demander mon avis. Aujourd'hui, c'était autre chose.

J'allais frapper quand j'entendis la voix de Marion.

— Entre, Halley.

J'entrai. Marion, à la cuisine, feuilletait *Vogue* en buvant son café. Elle me sourit.

— Bonjour, Marion. Scarlett est réveillée ?

— Elle l'a été toute la nuit ou presque.

Là-dessus, elle se remit à feuilleter son magazine et à boire son café.

— Elle somnolait sur le canapé quand je me suis levée. Elle a vraiment besoin de repos, sinon elle va s'effondrer, poursuivit-elle.

Je me retins de sourire. C'était tout juste les mots de Scarlett quand elle parlait de Marion. Dans la famille Thomas, les rôles mère-fille étaient inversés au moins depuis que je connaissais Scarlett. Quelques années plus tôt, lorsque Marion avait touché le fond de la dépression puis sombré dans l'alcool, Scarlett était venue chez nous en chemise de nuit vers 2 heures du matin : sa mère, complètement bourrée, s'était écroulée dans leur allée et la marque des fissures dans le béton s'était décalquée sur ses joues.

Mon père l'avait portée dans sa chambre pour la déposer sur son lit, pendant que maman déballait ses meilleures astuces de psy à Scarlett, muette, pelotonnée dans un fauteuil au chevet de sa mère, qu'elle avait couvée des yeux jusqu'au matin. Mon père disait que Scarlett était stoïque, maman disait qu'elle était, je cite : « dans le déni de réalité ».

— Salut.

Scarlett entra, les cheveux tout emmêlés, en T-shirt rouge et caleçons longs. Elle pointa l'index vers mes robes.

— Tu vas porter laquelle ?

— Je ne sais pas.

Elle s'approcha, me les prit des mains, puis les tendit devant moi en clignant des yeux.

— La courte, dit-elle de sa voix calme, en reposant l'autre sur la table de la cuisine, à côté de la coupe de fruits. Quand tu mets celle avec le col rond, tu as l'air d'avoir douze ans.

J'observai la robe au col rond. Mmm... Quand l'avais-je portée pour la dernière fois ? Le blanc total. Normal, c'était toujours Scarlett qui retenait les dates, les souvenirs comme nos expériences, bonnes ou mauvaises. Moi, ma mémoire était une vraie passoire : j'arrivais à peine à me souvenir de ce qui s'était passé d'une semaine à l'autre. Mais Scarlett se rappelait ce qu'elle portait la première fois qu'elle avait embrassé un garçon, et même le nom de la sœur d'un mec que j'avais rencontré sur la plage, l'été dernier. Elle était l'oracle de notre mémoire, un vrai disque dur.

Scarlett ouvrit le réfrigérateur et en sortit le lait, traversa la cuisine avec une boîte de Rice Krispies sous le bras et, en chemin, sortit un bol propre du lave-vaisselle grand ouvert. Puis elle s'assit au bout de la table, avec Marion à sa gauche. Je m'installai à la droite de Scarlett. Même dans leur minifamille à deux, élargie à trois avec moi, qui en étais membre honoraire, il y avait de solides traditions.

Scarlett remplit son bol de céréales et les saupoudra de sucre.

— Tu en veux ?

— Non, dis-je, j'ai déjà mangé.

Ma mère m'avait préparé du pain perdu, après avoir passé le début de la matinée à blablater dans notre jardin de derrière avec Irma Trilby, notre voisine et sa meilleure amie. Celle-là, elle était aussi célèbre dans le quartier pour ses azalées que pour sa langue bien pendue – qui était très en forme, d'après ce que j'avais entendu de la fenêtre de ma chambre.

Irma Trilby connaissait Mme Sherwood par l'association des parents d'élèves et elle était déjà passée chez elle avec du poulet en cocotte par amitié, afin de lui présenter ses condoléances. Elle avait poursuivi, racontant qu'elle m'avait souvent vue rentrer de chez Milton avec Michael et Scarlett. Et un soir, avait-elle précisé, elle avait même surpris ma meilleure amie et Michael qui s'embrassaient sur le trottoir devant chez Scarlett ! « Ça oui, Michael Sherwood était un gentil garçon », avait-elle affirmé de son horrible voix nasillarde. Il avait tondu son gazon, après l'infarctus d'Arthur (son mari), et il lui trouvait toujours les meilleures bananes, chez Milton, parce qu'il allait les chercher en douce dans l'entrepôt. « Oui, vraiment, c'était un brave gosse... », avait-elle conclu.

Maman était rentrée, bien informée et saoulée de compassion. Elle m'avait préparé un méga petit déj que j'avais dévoré tandis que, assise en face de moi avec sa tasse de café, elle me souriait tendrement, tout à coup complice et pleine de sympathie. Comme si, maintenant qu'elle savait qu'il tondait si bien le gazon et trouvait les plus belles bananes de chez Milton pour sa copine Irma, elle comprenait mon chagrin et désirait pleurer Michael Sherwood avec moi.

— À quelle heure est l'enterrement ? demanda Marion en prenant ses Marlboro Light sur le plateau tournant au centre de la table.

— À 11 heures.

Elle alluma une cigarette.

37

— On a des rendez-vous jusque-là, aujourd'hui, mais je vais essayer de venir, d'accord ?

— D'accord, répondit Scarlett.

Marion travaillait à Fabulous You, un studio de photo glamour qui se trouvait au centre commercial de Lakeview. C'était une vraie caverne d'Ali Baba, avec robes de princesse et maquillage à gogo. On vous y transformait n'importe quel laideron en une reine de beauté, puis on faisait de vous de belles photos que vous pouviez offrir à votre chéri, fiancé ou mari. Marion passait donc quarante heures par semaine à relooker des bonnes femmes au foyer et des ados boutonneuses avec des robes de soirée (toujours les mêmes), et à les tartiner de rouge à lèvres. Elle leur demandait ensuite de prendre la pose avec une coupe de champagne (vide), puis d'adresser leur sourire le plus sexy glam à l'objectif. C'était un boulot ingrat, vu la qualité de la matière première : tout le monde n'est pas glamour, même relooké façon star. Marion répétait d'ailleurs que le vrai miracle, c'était l'invention de l'anticernes, ainsi qu'un éclairage créatif.

Marion se leva et passa une main distraite dans ses cheveux. Elle avait le visage rond comme Scarlett, les mêmes grands yeux verts et d'épais cheveux qu'elle blondissait tous les mois. Elle avait les ongles vernis en rouge vif, fumait comme une caserne de pompiers et possédait plus de lingerie fine que tout Victoria's Secret. La première fois que je l'avais vue, le jour du déménagement, elle flirtait avec les déménageurs, vêtue d'un jean moulant, d'un top en macramé qui dévoilait son nombril, et en équilibre sur des talons d'au moins dix centimètres. Marion n'était pas du tout comme ma mère. En réalité, elle n'était pas comme les autres mères. Je trouvais qu'elle ressemblait à Barbie, elle me fascinait.

— Bon, déclara-t-elle avec lassitude, en se levant et en ébouriffant les cheveux de Scarlett lorsqu'elle passa derrière elle, il faut que j'aille me préparer pour aller au turbin. Appelez si vous avez besoin de moi.

— D'accord, dit Scarlett en avalant une cuillerée de céréales.

— Bye, dis-je.

— Tu parles, je suis sûre qu'elle ne viendra pas, fit Scarlett une fois que le parquet se mit à craquer à l'étage, signe que Marion ne pouvait plus nous entendre.

— Pourquoi ?

— Parce que les enterrements, ça la fait flipper.

Elle lâcha sa cuillère dans son bol vide.

— Marion a des excuses pratiques pour tout, dans la vie.

Après, nous sommes montées dans la chambre de Scarlett pour nous préparer. Je me suis assise sur son lit, un vrai fouillis de couvertures et de draps coordonnés au petit bonheur, recouvert de magazines et de vêtements. Là-dessus, Scarlett ouvrit son armoire et, immobile, mains sur les hanches, contempla ses fringues. D'en bas, Marion nous hurla au revoir, puis la porte d'entrée claqua. Très vite, on l'entendit démarrer puis reculer. Par la fenêtre près du lit de Scarlett, je vis maman dans la balancelle sous la véranda, qui buvait son café en lisant le journal. Quand Marion sur le départ passa devant chez nous, maman lui adressa son « sourire de voisine », comme je l'appelais, et se remit à lire.

Scarlett sortit une robe bleu marine avec un col blanc de son armoire.

— Et zut ! Je n'ai rien à me mettre !

— Tu peux toujours porter ma robe de première communiante.

Elle fit la grimace.

— Je suis certaine que Marion a quelque chose de mettable, dit-elle soudain en sortant de sa chambre.

Marion était une *fashion victim* : le contenu de son armoire était fabuleux et légendaire.

En attendant, j'allumai la radio sur la table de nuit et je fermai mes yeux. J'avais dû passer la moitié de ma vie dans la chambre à coucher de Scarlett, vautrée en travers de son lit avec une pile de *Seventeen* entre nous. On y choisissait nos futures robes pour les bals de fin d'année, on lisait les bons conseils pour gérer nos problèmes de peau et de garçon. Près de la fenêtre se trouvait une étagère avec les photos préférées de Scarlett. Il y en avait une de nous deux au bord de la mer, deux ans plus tôt : on portait des casquettes de marin assorties et on adressait un salut militaire pour rire à papa (qui nous photographiait). Il y avait aussi une vieille photo du lycée, un peu pâlie et craquelée, de Marion à dix-huit ans. Et enfin, tout au bout, la photo que j'avais prise de Scarlett et de Michael, au bord du lac. Scarlett ne l'avait pas encadrée. Depuis mon départ au camp des Sisters, elle l'avait rapprochée de son lit pour l'avoir à portée de main.

Je sentis tout à coup un truc dur contre mon dos et je tâtonnai pour m'en débarrasser. C'était une grosse chaussure de bûcheron en nubuck Timberland avec une semelle épaisse qui, bizarrement, résista quand je tirai dessus. Je me redressai donc pour tirer plus fort.

Mais enfin, quand est-ce que Scarlett avait acheté des pompes pareilles ? J'allais le lui demander quand la chaussure s'anima soudain et m'échappa des mains. Puis ce fut tout le lit qui s'ébranla comme un gros chien et je vis deux bras, deux jambes s'agiter, pendant que couvertures, draps, magazines étaient projetés dans tous les sens et dégringolaient. Après cela, je me suis retrouvée nez à nez avec Tristan Faulkner.

Il a regardé autour de lui comme s'il se demandait où il était. Ses cheveux blonds et coupés court faisaient des petits épis. Il avait trois anneaux en argent à une oreille.

— Qu'est-ce... ?

Il se redressa, cligna des yeux. Il avait un bras emberlificoté dans un drap.

— Où est Scarlett ?

— Là-bas, répondis-je en montrant la porte, comme si « là-bas », c'était la porte.

Tristan secoua la tête, semblant finir de se réveiller. J'aurais halluciné pareil si j'avais vu le mahatma Gandhi ou Elvis Presley dans le lit de Scarlett. Je ne savais pas qu'elle connaissait Tristan Faulkner ! Enfin, je veux dire, on connaissait Tristan Faulkner. Comme tout le monde dans le quartier : Tristan Faulkner était connu tel le loup blanc parce que c'était un *bad boy*, un mauvais garçon, comme on dit.

Mais qu'est-ce qu'il fichait dans le lit de Scarlett ? Elle ne... Avec lui ? Non ! Impossible. Marion m'avait bien dit que Scarlett avait dormi sur le canapé du salon.

— J'ai enfin trouvé ce que j'allais mettre ! déclara Scarlett, qui revenait avec une robe noire.

Elle regarda Tristan, me regarda et se posta devant

son armoire, comme si elle trouvait normal qu'un inconnu sorte de son lit un mardi matin à près de 10 heures.

Tristan se recoucha, bras en travers du visage. Son pied avait atterri sur mes genoux et y était resté.

Le *pied* de Tristan Faulkner était sur mes genoux...

— Tristan, tu connais Halley ? fit Scarlett, qui suspendait la robe noire à la porte de son armoire. Bref... Halley, c'est Tristan. Tristan, Halley.

— Salut, dis-je d'une voix hélas trop aiguë.

— Salut.

Il retira son pied de mon genou en toute simplicité, se leva et s'étira.

— Oh, la vache, je suis ensuqué grave.

— Ça, tu peux : tu étais bien bourré, hier, déclara Scarlett d'un ton de reproche.

Elle prenait toujours cette voix-là pour me secouer quand j'avais une humeur de mollusque.

Tristan regarda sous les draps et parut chercher quelque chose pendant que, toujours assise, je l'observais. Il portait un T-shirt blanc avec un ourlet déchiré, un short bleu marine et, évidemment, ses grosses godasses de bûcheron. Il était mince et nerveux, très bronzé aussi, car il avait travaillé tout l'été dans les jardins des voisins. Je ne l'avais vu que là, et de loin, au cours de ces deux derniers mois.

— Dis, Scarlett, est-ce que tu as vu... ? commença-t-il, mais Scarlett avait déjà saisi sa casquette de base-ball sur la table de nuit.

Tristan la lui prit des mains, et la posa sur sa tête en lui jetant un petit regard timide.

— Merci.

— Pas de quoi, répondit Scarlett, qui dégageait son

visage des deux mains – signe qu'elle réfléchissait. Tu viens avec nous à l'église ? Je suis en voiture.

— Nan, pas la peine. On se verra là-bas.

Il fourra ses mains dans ses poches, et, en sortant, m'écrasa les pieds comme si j'avais été invisible.

— Comme tu veux...

— Ça ira ? Je veux dire, je peux sortir sans risque ? murmura-t-il, tandis qu'il lui montrait la chambre maintenant déserte de Marion.

— Aucun danger.

Il opina, s'approcha d'elle avec maladresse et l'embrassa sur la joue.

— Merci. Vraiment, souffla-t-il d'une voix qui ne lui ressemblait pas.

Ça m'a gênée de l'entendre : c'était comme si j'avais espionné son moi intime.

Scarlett lui sourit.

— C'est rien, Tristan.

On le regarda partir. Avec ses énormes godillots, il a fait un bruit monstrueux dans les escaliers et dans le couloir. Une fois que je l'ai entendu refermer la porte d'entrée, je me suis approchée de la fenêtre et j'ai appuyé le nez contre la vitre. Arrivé dans l'allée, Tristan a cligné des yeux face au soleil et fait les dix-huit pas de rigueur jusqu'au trottoir. De chez nous, maman a levé les yeux, plié son journal sur les genoux et l'a observé.

— Je n'y crois pas ! m'exclamai-je tandis que Tristan Faulkner franchissait les deux épineux du bout, puis tournait à gauche pour quitter Lakeview, « le quartier de tous vos amis ».

— Tu sais, il était très mal, expliqua Scarlett simplement. Michael était son meilleur ami.

— Tu ne m'avais jamais dit que tu le connaissais si bien. Il était dans ta chambre. Dans ton lit !

— Je le connais juste par Michael. Il ne va pas bien du tout, Halley. En plus de ça, il a des masses de problèmes.

— Oui, mais, tout de même, je trouve bizarre qu'il ait passé la nuit chez toi.

— Il avait besoin d'une présence. C'est tout.

Je regardais toujours Tristan Faulkner, qui longeait maintenant les maisons coquettes de Lakeview. Avec sa dégaine très mec et ses airs je-m'en-foutistes, il semblait décalé dans notre quartier où les journaux attendaient sagement sur les pas de porte, où les arroseurs chuintaient en douceur dans la matinée ensoleillée de cette mi-août. Je ne sais pas pourquoi, mais je ne pouvais pas décoller de la fenêtre, ni détacher mes yeux de lui.

Au moment où il a pris le virage, il s'est détourné d'un bloc et a levé la main pour me faire signe. Comme s'il savait depuis le début que j'avais été scotchée à la fenêtre, à le suivre des yeux.

Il y avait un monde fou devant l'église. En route, Scarlett n'avait pas dit un mot, et, maintenant qu'on arrivait, elle se tordait les mains.

— Ça va ? lui demandai-je.

— C'est étrange… Tout ça, là, n'a pas de sens, me répondit-elle d'une voix basse et angoissée en regardant droit devant elle.

Je levai les yeux et je compris ce qu'elle voulait dire. Sur les marches de l'église, Élisabeth Gunderson, le capitaine des pom-pom girls, était entourée par sa bande de copines. Elle pleurait comme une hystérique, froissant un T-shirt rouge entre ses mains.

On arrivait, mais Scarlett s'arrêta si brusquement que je ne m'en aperçus pas et continuai de marcher, avant de faire demi-tour. Scarlett, toute raide, avait croisé les bras.

— Scarlett ?

— On n'aurait pas dû venir. C'est débile.

— Mais…

À cet instant, Ginny Tabor déboula comme un boulet de canon et nous serra dans ses bras à nous étouffer, avant d'éclater en sanglots. Elle sentait la laque et la fumée de cigarette ; surtout, elle portait une robe bleue bien trop courte pour un enterrement.

— Oh, mon Dieu ! s'écria-t-elle en nous regardant l'une après l'autre, alors qu'on essayait de reculer avec tact. C'est affreux ! Épouvantable ! Je n'ai pas pu avaler une miette depuis que j'ai appris la nouvelle. Je suis en dix mille morceaux !

On n'a pas répondu. On s'est remises à marcher, pendant que Ginny cherchait une cigarette, l'allumait et chassait la fumée de sa main libre.

— Quand on est sortis ensemble, Michael et moi, ça n'a pas été rose tous les jours, mais je l'aimais *tellement*… Si lui et moi, ça n'a pas marché…

Elle ne pouvait plus parler tellement elle sanglotait.

— … c'est la faute à pas de chance. Un abominable concours de circonstances…

Puis elle ajouta, secouant la tête avec fatalisme :

— Mais il a été *toute* ma vie, pendant les deux mois où on a été ensemble. Oui, toute ma vie…

Je regardai Scarlett, qui fixait le sol.

— Je suis désolée, Ginny, dis-je.

— C'est encore pire pour moi, parce que je l'ai bien connu, tu vois ce que je veux dire ? reprit-elle d'une voix tendue, en exhalant un énorme nuage de fumée.

— Oui, je vois bien.

On n'avait guère revu Ginny depuis la fin juillet. Toutes les trois, on avait passé quelques semaines de folie, jusqu'à ce qu'elle soit envoyée dans une espèce de colo destinée à la formation des pom-pom girls et à l'enseignement de la Bible pendant que ses parents se rendaient en Europe. C'est aussi bien, pensa-t-on à ce moment-là. Parce que Ginny, on ne pouvait la supporter qu'à petites doses. Puis, quelques jours plus tard, Scarlett avait rencontré Michael et la deuxième partie de notre été avait commencé...

On se rapprocha de la foule qui entrait dans l'église et on arriva à la hauteur d'Élisabeth Gunderson. Évidemment, Ginny en fit des tonnes, courant vers elle tout en se remettant à sangloter. Puis elles sont tombées en larmes dans les bras l'une de l'autre.

— C'est vraiment l'horreur, commenta une fille derrière moi. Michael aimait Élisabeth comme un fou. C'est son T-shirt qu'elle tient : elle ne l'a pas lâché, depuis qu'elle a appris la nouvelle.

— Ah bon ? Je pensais qu'ils avaient rompu, intervint une autre fille au moment où sa bulle de chewing-gum éclatait.

— Au début de l'été, oui, mais il l'aimait toujours... Quelle idiote, cette Ginny Tabor. Tu as vu le cinéma qu'elle fait : pourtant, elle est sortie avec Michael seulement pendant deux jours.

Dans l'église, on s'est assises au fond, près de deux dames qui se sont effacées avec un air pincé pour nous laisser passer. Près de l'autel, on voyait deux grands panneaux avec des photos de Michael bébé, des photos de classe et de l'album du lycée. Au milieu, il y avait un agrandissement de la diapo qu'on avait vue, lors de la projection dans l'auditorium, au mois de juin, et qu'on avait tous applaudie. J'ai eu envie de le faire remarquer à Scarlett, mais, quand j'ai tourné les yeux vers elle, j'ai constaté qu'elle était affreusement pâle et fixait le banc de l'église devant nous. J'ai donc gardé le silence.

La cérémonie a commencé en retard parce que les gens ne cessaient d'arriver. Ils s'alignaient avec discrétion au fond de l'église et s'éventaient avec le programme des chants de la messe qu'on nous avait distribués à l'entrée. Élisabeth Gunderson entra en pleurant et fut conduite vers un siège, devant, suivie par Ginny Tabor, qui pleurait elle aussi. C'était étrange de voir les autres copains du lycée à l'église : certains étaient bien habillés et portaient leurs vêtements du dimanche, mais d'autres semblaient déphasés, mal à l'aise et tiraient sur leur cravate ou leur jupe. Qu'est-ce que Michael pouvait bien penser de ces visages rouges et en sueur, de cette foule qui s'agitait sur les bancs, de ces filles en larmes qu'il laissait derrière lui, de ses parents, calmes, stoïques et tristes, assis avec sa petite sœur au premier rang ? Je regardai de nouveau Scarlett, qui l'avait tant aimé dans un laps de temps si réduit, et je serrai sa main. Elle serra la mienne à son tour, regardant toujours droit devant elle.

La cérémonie fut solennelle et courte. On suffoquait, car il y avait un monde incroyable et on était serrés comme des sardines. De plus, on entendait à peine le pasteur à cause des « flap flap » des feuilles avec lesquelles les gens s'éventaient, et du craquement des bancs. Le pasteur parla de Michael, de ce qu'il avait été pour tous ceux qui l'avaient connu et aimé. Il parla aussi de Dieu, dont les voies sont impénétrables. Au bout de dix minutes, Élisabeth Gunderson s'est levée et, main pressée contre la bouche, a remonté la travée en courant, suivie par sa horde de copines. Les bonnes femmes à côté de nous ont hoché la tête avec un petit air supérieur tandis que Scarlett serrait ma main plus fort et plantait carrément ses ongles dans ma paume.

À la fin de la cérémonie, les gens sont sortis de l'église d'un pas lent et en file indienne, dans un brouhaha de murmures gênés. Dehors, l'orage grondait. Il faisait sombre. Le vent soufflait fort et sentait la pluie. Au-dessus des arbres s'étaient accumulés de gros nuages noirs.

Il y avait tant de monde, de visages, de couleurs et de voix que j'en perdis presque Scarlett de vue. Brett Hershey, le capitaine de l'équipe de football, soutenait Ginny, qu'il conduisait hors de l'église. Dans le parking, Élisabeth, la tête entre les mains, était effondrée sur le siège avant d'une voiture dont les portières avaient été grand ouvertes. Les gens restaient là, on aurait dit qu'ils attendaient la permission de partir. Et, avant cet improbable signal de départ, ils pliaient, froissaient et repliaient le programme des chants en regardant le ciel d'un air à la fois absent et très gêné.

— Pauvre Élisabeth..., murmura Scarlett alors qu'on revenait vers sa voiture.

— Tu parles, elle et Michael avaient rompu depuis un bail !

— C'est vrai.

Elle shoota dans un caillou qui roula sous la voiture.

— Mais il l'a vraiment aimée.

Je baissai les yeux sur elle. Le vent soufflait dans ses cheveux. La robe noire de Marion faisait ressortir son teint, plus pâle que d'habitude. C'est quand elle était pensive et absente qu'elle était le plus jolie.

— Il t'aimait aussi, lui dis-je.

Elle leva les yeux vers le ciel, noir d'encre à présent. L'odeur de la pluie devenait plus intense.

— Oui, je sais…, souffla-t-elle.

La première grosse goutte de pluie laissa un petit rond sombre sur mon épaule. Aussitôt après, il a plu à seaux. Les gens ont couru vers leurs voitures en s'abritant avec le programme des chants. On s'est réfugiées dans la voiture de Scarlett et, de là, on a regardé la pluie s'abattre sur le pare-brise.

Je n'avais jamais vu un déluge pareil.

On a pris Main Street dans la Ford Aspire de Scarlett. Sa grand-mère la lui avait offerte pour son anniversaire, en avril. Sa Ford Aspire était grande comme une boîte à chaussures : imaginez une voiture coupée en deux avec un couteau à pain, et vous comprendrez. Sur la route maintenant transformée en rivière, je me suis demandé si le courant n'allait pas nous transporter jusqu'à l'océan, comme c'était arrivé à Wynken, Blynken et Nod*, qui avaient dérivé jusqu'à la mer dans un gros sabot.

C'est Scarlett qui le vit la première. Il longeait la rue, seul. Sa chemise blanche, trempée, lui collait à la peau. Il marchait les mains dans les poches, tête baissée, rentrée dans les épaules. Il fixait le sol sans

---

* *Wynken, Blynken and Nod* (1889). Berceuse d'Eugene Field (1850-1895). *(N.d.T.)*

faire gaffe aux gens qui le dépassaient en courant sous leur parapluie.

Scarlett klaxonna et ralentit à sa hauteur.

— Hé, Tristan ! cria-t-elle par la vitre de sa portière.

Il n'entendit pas. Elle me donna un coup de coude.

— Toi, appelle-le, Halley.

— Hein ?

— Baisse ta vitre et demande-lui s'il veut qu'on le dépose !

— Mais enfin, Scarlett, je ne le connais pas ! dis-je avec nervosité.

— Oui, et alors ?

Elle m'adressa un regard pressant.

— Il pleut à verse. Dépêche !

Je baissai la vitre de ma portière et me penchai. La pluie dégoulina aussitôt dans mon cou.

— Excuse..., commençai-je d'une petite voix.

Tristan ne m'entendit pas. Je toussotai, avant de reprendre.

— Excuse ?

— Halley, insista Scarlett en regardant dans le rétroviseur, on ralentit la circulation ! Dépêche !

— Mais tu vois bien qu'il ne m'entend pas ! répliquai-je, sur la défensive.

— Évidemment, tu n'as même pas haussé la voix !

— Pas du tout ! J'ai crié !

— Alors, crie plus fort !

Les voitures nous doublaient, la pluie entrait par ma vitre ouverte et inondait mes genoux. Scarlett poussa un gros soupir : elle perdait patience.

— Vas-y, Halley ! Ne sois pas si bête !

— Mais non, je ne suis pas bête !

Scarlett ne répondit pas, mais le regard qu'elle me lança se passait de commentaires.

— Tristan, hurlai-je, sortant complètement la tête dehors. *Tristan !*

Il sursauta et se détourna, puis nous fixa comme s'il redoutait que notre minuscule voiture lui fonce dessus et l'écrabouille. Il s'est figé, sa chemise trempée lui faisait comme une deuxième peau. Les cheveux plaqués sur le visage, il m'a dévisagée comme si j'étais complètement cinglée.

— *Quoi ?* hurla-t-il à son tour. *Qu'est-ce qu'il y a ?*

Scarlett éclata de rire. C'est la première fois que je l'entendais rire depuis mon retour du camp des Sisters. Elle s'adossa à son siège, posa la main sur la bouche, incapable de s'arrêter. Moi, j'aurais voulu mourir. Tellement j'avais honte.

— Heu…, commençai-je.

Tristan, halluciné, me fixait toujours.

— Tu veux qu'on te dépose ? repris-je.

— C'est bon, répondit-il, s'adressant à Scarlett. Mais merci quand même.

— Monte, Tristan, il pleut des cordes, dit-elle de sa voix maternelle que je connaissais si bien.

Tristan continuait de regarder Scarlett. Je remarquai qu'il avait les yeux rouges et gonflés : il avait pleuré.

— Laisse, c'est bon, répéta-t-il en reculant.

Il passa la main sur son visage et dans ses cheveux. L'eau goutta partout.

— À plus.

— Tristan ! le rappela Scarlett.

Mais il repartait déjà sous la pluie battante. Quand on s'est arrêtées au feu, il tournait.

Bientôt je n'ai plus vu que sa chemise, une tache de blanc sur le mur en brique rouge de l'allée. Puis pof ! plus de Tristan. Scarlett a soupiré tandis que je remontais la vitre de ma portière, en disant que chacun faisait ce qu'il voulait. Moi, je ne quittais pas le coin de la rue des yeux. Fascinée. Parce que j'avais sincèrement l'impression que Tristan, tel un magicien, avait disparu comme par enchantement.

Chapitre 3

Dès que je pense à Michael Sherwood, je vois des fruits. Bananes jaune soleil, kiwis verts, prunes violettes fraîches et douces sous la paume. Parce que notre amitié avec Michael Sherwood, *it boy* de légende, débuta en toute simplicité par des fruits et des légumes.

Scarlett et moi, on était donc caissières chez Milton, et on portait des tabliers à bavette verts avec des badges en plastique qui disaient : « Bonjour, je m'appelle Halley (ou Scarlett) ! Bienvenue chez Milton ! » Scarlett travaillait à la caisse huit « Sans Friandises Sans Sucreries » et moi, à la caisse « Express Quinze Articles ou Moins », qui se trouvait directement à droite de la sienne. Comme ça, lorsque je crisais, je pouvais la prendre à témoin en levant les yeux au ciel ou encore râler sous couvert du « biiip » de ma douchette. C'était le seul avantage de ce petit boulot : pour le reste, ça n'était pas le top.

À la fin du mois de juin, Michael Sherwood (en cravate !) s'était pointé pour un entretien d'embauche. Il semblait stressé et m'avait fait signe, comme si nous étions très copains, pendant qu'il attendait à l'accueil du supermarché que le gérant le reçoive. Là-dessus, il avait obtenu un poste d'assistant junior responsable des fruits et légumes. Tout ça pour dire qu'il empilait des oranges, conditionnait les fruits dans des barquettes en polystyrène expansé qu'il recouvrait de film étirable et, enfin, rafraîchissait les légumes avec un gros tuyau deux fois par jour. Michael riait et s'éclatait, et il est vite devenu copain avec tout le monde, du rayon boucherie au rayon parapharmacie et beauté. Mais il avait un petit penchant pour moi et Scarlett. Enfin, plutôt pour Scarlett. Moi, comme d'hab, je tenais la chandelle.

Tout commença par des kiwis. Pendant sa première semaine chez Milton, chaque jour pour son déjeuner, Michael Sherwood mangeait quatre kiwis, ni plus ni moins, et rien d'autre. Souriant, il les déposait sur la petite balance près de la caisse de Scarlett, puis il sortait, s'installait sur la pelouse près du parking, où il les mangeait un à un, et toujours seul. On trouvait ça mystérieux. Forcément. Scarlett et moi, on ne mangeait jamais de kiwis.

— Eh bien, il doit aimer les fruits…, conclut Scarlett.

Ce jour-là, Michael venait de sortir avec ses quatre kiwis après lui avoir adressé son beau sourire qui l'avait fait rougir. Il était venu payer à ma caisse une seule fois : à partir de son troisième jour chez Milton, il s'était mis à faire la queue devant celle de Scarlett, même quand le signal lumineux au-dessus de la mienne signalait qu'elle était ouverte et déserte.

Je regardai Michael dans son tablier vert du rayon fruits et légumes, maintenant assis au soleil avec ses kiwis, puis Scarlett. Ah là là, il lui fallait toujours un bon quart d'heure pour cesser de rougir.

— Tu aimes donc tellement les kiwis ? lui demanda Scarlett le lendemain en encaissant leur prix.

— C'est super bon, répondit-il tandis qu'il se penchait sur elle par-dessus sa caisse. Tu n'en as jamais mangé ?

— Si, mais seulement dans les salades de fruits.

Distraite par leur conversation, je me suis trompée en tapant le prix d'un paquet de spaghettis : j'ai rajouté deux zéros aux deux dollars qu'il coûtait. Du coup, ma caisse a débloqué et la cliente, qui n'avait acheté que ces pâtes, des ananas en conserve et une boîte de tampons, a débloqué elle aussi en voyant le montant total de ses petites courses. J'ai mis un temps fou à annuler l'achat, à rebouter la caisse : résultat, j'ai zappé la suite et la fin de leur échange. Lorsque je me suis remise de mes émotions, Michael sortait déjeuner tandis que Scarlett observait avec attention un petit kiwi duveteux qu'elle tenait comme un poussin au creux de sa paume.

— C'est Michael qui me l'a donné, murmura-t-elle. C'est incroyable, non ?

Elle était rouge tomate.

— Excusez-moi, mademoiselle, vous êtes ouverte ? cria quelqu'un dans ma file.

— Oui ! lui répondis-je.

Puis je demandai à Scarlett :

— Qu'est-ce qu'il a dit d'autre ?

— J'ai des bons de réduction, coupa mon client suivant, un grand type tout poilu qui portait une chemise à gros pois.

Il avança son chariot en me collant ses bons de réduction poisseux dans les mains. Là-dessus, il posa quatre boîtes de pâté en conserve, un diffuseur de parfum d'ambiance et deux flacons d'essence pour recharger les briquets sur mon tapis de caisse. Il y a des fois où l'on n'ose même pas imaginer pourquoi ou pour qui les gens achètent ce qu'ils achètent...

— Je crois que je vais prendre ma pause déjeuner ! déclara soudain Scarlett en sortant le tiroir de sa caisse. De toute façon, c'est calme !

— Attends-moi, j'arrive !

Hélas, j'avais une longue file de clients devant ma caisse express, certains avec quinze articles, d'autres avec dix-huit, voire vingt, selon leur degré de fantaisie. Tous me regardaient avec exaspération et impatience.

— Ça ne t'embête pas, hein ? me demanda Scarlett, qui filait déjà vers la caisse centrale, son kiwi-poussin dans une main et son caisson sous le bras. Parce que tu vois...

Elle s'interrompit et jeta un regard rapide dehors. Moi aussi. Michael était assis sur le bord du trottoir avec son déjeuner.

— Vas-y, c'est bon. Je prendrai ma pause plus tard, lui dis-je tandis que, armée d'un lecteur de chèques, je vérifiais que le chèque du grand poilu n'était pas perdu ou volé, que son compte était actif et qu'il n'avait pas d'interdit bancaire.

Pensez-vous, Scarlett ne m'écoutait plus ! Elle était déjà dehors, assise au soleil à côté de Michael Sherwood.

Scarlett, ma meilleure amie, avait vendu son cœur pour un kiwi.

À partir de ce jour-là, on n'a plus guère déjeuné ensemble, elle et moi. Michael Sherwood courtisait Scarlett avec des fruits et des légumes exotiques : il posait des tranches de melon vert Honeydew et des quartiers d'orange sanguine rouge framboise près de sa caisse. Il agissait toujours en douce, lorsque Scarlett était trop débordée pour le voir. Et c'est seulement plus tard, lorsqu'elle pouvait souffler, qu'elle remarquait un fruit intrépide sur la pancarte « Sans Friandises Sans Sucreries » : une poire en parfait équilibre ou trois beaux radis bien alignés. Moi non plus, je ne voyais jamais Michael agir, et pourtant je ne quittais pas la caisse de Scarlett des yeux. Michael Sherwood avait de la magie en lui, et, bien entendu, Scarlett adorait ça. J'aurais moi aussi été charmée si on m'avait courtisée avec ce talent.

Ce fut le premier été qu'on ne passa pas en duo, Scarlett et moi. Michael était tout le temps avec nous. Et il était vraiment marrant. À la piscine, il faisait, exprès, des plats épouvantables. Et, dans la cuisine de Scarlett, il surgissait derrière elle sur la pointe des pieds, pendant qu'elle mélangeait la préparation instantanée pour brownies, puis glissait par surprise son bras autour de la taille.

Ce fut aussi le premier été où l'on ne passa pas non plus toutes nos soirées ensemble. Parfois, le soir, je regardais vers chez elle : je voyais les stores de sa chambre baissés, la voiture de Michael garée devant la maison. Ces soirs-là, je savais que je devais me faire minuscule. Plus tard dans la nuit, je les entendais se dire au revoir. J'écartais le rideau de ma fenêtre et je les voyais s'embrasser sous la lumière jaune d'un lampadaire. Autrefois, je n'avais jamais dû me battre pour obtenir et retenir l'attention de Scarlett ; maintenant, il suffisait d'un seul regard de Michael pour qu'elle file et m'abandonne à mon sort. Je déjeunais donc seule, et, après le dîner en famille, je m'ennuyais devant la télé avec mon père, qui s'endormait sur le canapé dès 20 h 30 et ronflait comme un sonneur.

Scarlett me manquait.

D'un autre côté, elle était si heureuse que je n'avais pas le cœur de lui faire la tête : elle rayonnait pratiquement vingt-quatre heures sur vingt-quatre. Elle riait sans cesse, pour tout et pour rien. Pendant ses pauses chez Milton, elle s'asseyait dehors avec Michael et jouait à happer les grains de la grappe de raisin qu'il agitait devant sa bouche. Tous les deux se planquaient pendant des week-ends entiers chez Scarlett, cuisinaient des platées de spaghettis pour Marion et louaient des cassettes vidéo. S'ils se cachaient, c'est parce que, après son clash avec Élisabeth Gunderson, en juin, Michael ne voulait pas attirer l'attention et exciter les ragots, m'avait expliqué Scarlett.

Il y eut enfin cette journée que l'on a passée tous les trois au bord du lac : Scarlett et Michael avaient pris le risque de se montrer ensemble, mais on ne vit pas un chat sur la plage. Nous avons joué au Frisbee et dévoré le pique-nique que Scarlett avait préparé. J'ai lu *Elle* en les regardant nager, jouer dans l'eau et rire. Avant de rentrer, quand le soleil avait rosi puis rougi, j'avais pris la seule photo que Scarlett avait d'elle et de Michael. Elle me l'avait arrachée des mains dès que ma pellicule avait été développée, et en avait donné un double à Michael. Il l'avait mise sur son tableau de bord, jusqu'à ce qu'il échange sa voiture, quelques semaines plus tard, contre une moto.

Au début du mois d'août, Michael avait dit à Scarlett qu'il l'aimait. Ils étaient assis au bord de sa piscine, les pieds dans l'eau, quand il l'avait embrassée et lui avait dit : « Je t'aime. » Scarlett me l'avait répété dans un murmure ; comme si cet aveu aurait pu rompre le charme, comme si ce secret aurait pu perdre son sens et sa force une fois révélé.

Le « je t'aime » de Michael était d'autant plus cruel et tragique qu'il était mort deux semaines plus tard et que le charme avait été brutalement rompu. C'était le premier garçon qui avait dit une telle chose à Scarlett et le pensait de toute son âme. Le reste du monde ne savait pas combien Scarlett avait aimé Michael Sherwood. Même moi, je ne pouvais pas le concevoir, et pourtant ce n'était pas l'envie qui me manquait.

Le jour de la rentrée, on s'est garées derrière les bâtiments administratifs du lycée. Puis Scarlett a coupé le moteur et laissé tomber son porte-clés sur ses genoux. Après, on est restées absolument immobiles.

— Je ne veux pas y aller, dit-elle d'un air résolu.

— Je comprends.

— Mais, cette année, je le pense pour de bon, avoua-t-elle avec un soupir. Je n'en ai pas la force, après ce qui s'est passé.

— Oui, je comprends, répétai-je comme un perroquet.

Depuis l'enterrement, j'avais l'impression que Scarlett s'était repliée sur elle-même. Elle parlait à peine de Michael, alors moi, itou. On avait passé la première partie de l'été à ne discuter que de lui, et maintenant c'était sujet tabou. Au lycée, on avait planté un arbre et mis une plaque à sa mémoire. Les Sherwood avaient vendu leur maison : j'avais entendu dire qu'ils déménageaient en Floride. La vie continuait sans Michael. Mais, les fois où son nom surgissait au détour d'une conversation, je ne supportais pas le regard de Scarlett, qui exprimait un mélange de douleur et de tristesse insurmontable.

Aujourd'hui, les élèves habillés de neuf se succédaient par petits groupes sur le chemin de béton qui descendait vers le lycée. J'entendais des voix, des voitures qui passaient. Seules dans la Ford Aspire, on savourait nos derniers instants de liberté.

J'attendais patiemment en jouant des pieds avec mon sac à dos neuf – un vrai kit de survie du lycéen, avec ses cahiers à spirales argentées, ses crayons de papier non taillés bien rangés dans les petites poches, etc. C'est toujours Scarlett qui donnait le signal de la rentrée.

— Je crois qu'on n'a pas le choix, dit-elle en croisant les bras avec détermination.

Une voix, non, un hurlement, s'éleva soudain, pas très loin.

— Mais c'est Scarlett ! Scarlett Thomas !

Ginny Tabor, avec une nouvelle coupe courte et un rouge à lèvres pétard, se précipitait vers nous, main dans la main avec Brett Hershey, le capitaine de l'équipe de football. C'était bien Ginny de se dégoter un petit ami pendant l'enterrement d'un ex !

— Hé, le lycée, c'est par là ! s'écria-t-elle en exhibant un index dont l'ongle était verni de rouge.

Elle éclata de rire et rejeta la tête en arrière. À ses côtés, Brett avait l'air d'un bon chien qui attendait qu'on lui lance un nonos.

Puis Ginny a agité son index, genre pour nous menacer des pires représailles si on ne se ramenait pas en vitesse, et a repris sa course avec son Brett. J'avais du mal à croire qu'on avait passé autant de temps avec elle, au début de l'été. Cette époque me semblait désormais à des années-lumière.

— Je la hais, déclara Scarlett avec force.

— Je comprends.

Ma réplique de la journée.

Scarlett inspira profondément, saisit son sac sur la banquette arrière et le posa sur ses genoux.

— On y va. On n'a pas le choix.

— D'accord avec toi, dis-je en ouvrant ma portière.

— On y va, répéta-t-elle sans enthousiasme.

Elle descendit de voiture, claqua la portière et mit son sac sur son épaule. Je la suivis dans la foule jusque dans le parking réservé aux profs, puis dans la cour devant le bâtiment administratif.

La première heure sonna. Tout le monde rentra, ce qui provoqua un gigantesque embouteillage de lycéens, de sacs à dos, de coudes et de pieds. Je me laissai porter par cette grande vague jusque dans le couloir et vers ma salle, où le prof principal effectuait l'appel matinal, en gardant un œil sur Scarlett et sa chevelure auburn.

— J'y suis, lui dis-je alors qu'on arrivait devant la classe de M. Alexander, avec sa porte décorée de grenouilles découpées dans du papier Canson.

— Bonne chance..., me dit Scarlett.

Elle ouvrit la porte de sa propre salle d'appel et leva les yeux au ciel une dernière fois avant d'entrer.

C'était le jour de la rentrée, et pourtant la salle de classe de M. Alexander sentait *déjà* le formol. Tandis que je m'asseyais, mon prof me sourit, ce qui fit frétiller sa grosse moustache. La première heure du premier jour de classe se déroulait toujours de la même façon : appel, emploi du temps et distribution de milliers de notes d'information destinées aux parents sur les horaires de ramassage scolaire, les tarifs de la cafétéria, le règlement intérieur, etc. À côté de moi, Ben Cruzak comatait déjà, la tête sur sa table, tandis que Missy Cavenaugh, derrière lui, se limait les ongles. Même le serpent qui se trouvait sur le bureau de M. Alexander avait l'air de s'ennuyer, après s'être animé pour gober sa souris bihebdomadaire, devant un public de passionnés de SVT *toujours* présents *avant* la première heure de cours.

Au bout d'un quart d'heure d'informations nonstop crachotées par les haut-parleurs du lycée et un tas de papelards sur ma table, Alexander nous distribua nos emplois du temps. Je remarquai tout de suite que le mien déconnait. J'avais algèbre et trigonométrie 2 (alors que je n'avais jamais eu algèbre 1), français 3 (alors que j'avais choisi espagnol) et, le pire de tout, fanfare !

Là-dessus, la fin de l'heure sonna.

— Bonne journée à tous ! hurla M. Alexander pardessus la sonnerie tandis tout le monde se ruait dehors.

Je m'approchai de son bureau.

— Halley ? Un problème ?

— Mon emploi du temps, ça ne va pas : je n'ai jamais voulu faire partie de la fanfare du lycée.

— La fanfare du lycée ?

— Oui. Et puis je n'ai jamais choisi algèbre et trigonométrie 2, ni français 3.

— Ah ?

M. Alexander m'écoutait à peine : il regardait déjà, par-dessus ma tête, les élèves qui rentraient pour leur premier cours de SVT de l'année.

— Va à ton cours d'algèbre, et demande à ton professeur une dispense pour rencontrer un CPE.

— Mais...

Il se leva, la moustache frétillant comme un petit poisson.

— Asseyez-vous ! ordonna-t-il à ses élèves sans plus faire attention à moi. Je vais vous distribuer un plan de la salle, où chacun indiquera sa place. Choisissez bien, car vous la garderez pendant tout le semestre. Ne tapez pas sur la vitre du serpent, s'il vous plaît, cela l'énerve. Nous allons maintenant commencer le cours d'introduction à la biologie, donc si vous n'avez plus rien à faire ici...

Message reçu cinq sur cinq. Je sortis. Scarlett m'attendait dans le couloir, adossée à un extincteur.

— C'est quoi, ton prochain cours ? me demanda-t-elle.

— Algèbre et trigonométrie 2.

— Quoi ? Tu n'as même pas suivi l'algèbre 1 !

— Je sais.

Mon sac à dos changea d'épaule. Déjà ras le bol du lycée.

— Mon emploi du temps, c'est du grand n'importe quoi. Figure-toi que je suis même inscrite à la fanfare !

— La fanfare du lycée ?

— Oui.

Je m'écartai pour laisser passer des joueurs de l'équipe de football.

— Il faut absolument que j'aille voir un CPE.

— Ah, zut. Bon, j'ai anglais maintenant et, ensuite,

communication visuelle et design graphique. On se voit après ? Dans la cour, près du distributeur de boissons ?

— Après les maths, je suis censée rejoindre la fanfare du lycée, dis-je d'un air sinistre.

Scarlett se mit à rire.

— Dis, on ne peut pas te forcer à jouer dans la fanfare ! Va vite voir un CPE. Allez, à plus !

Les bureaux des trois CPE s'étaient transformés en cellule de crise : il y avait un monde fou adossé aux murs ou assis par terre, et les téléphones sonnaient sans arrêt. La secrétaire réceptionniste était au bord de l'implosion. Elle portait ce genre de lunettes dont les verres ressemblent à des loupes et grossissent les yeux, et les siens étaient non seulement agrandis, mais aussi enragés. J'ai cru deux secondes qu'elle allait me mordre.

— Oui ? Qu'est-ce que vous voulez ?

— Mon emploi du temps est tout faux, dis-je alors que le téléphone se remettait à sonner et que les voyants rouges, dessus, s'affolaient. Je dois voir un CPE.

— Un CPE... Une seconde.

Elle décrocha le téléphone, puis tendit l'index vers moi, comme pour me mettre en attente pendant qu'elle prenait sa communication.

— Oui, bonjour, ici le bureau des CPE... Non, il n'est pas disponible pour le moment... D'accord. Je lui transmets le message sans faute.

Elle raccrocha. Le cordon s'enroula autour de son poignet.

— Tu veux donc rencontrer un CPE.

— Mon emploi du temps ne va pas : je suis inscrite à la fanfare.

— La fanfare ? demanda-t-elle en papillotant des yeux. Et cela te pose un problème ?

— Non, aucun, répondis-je alors qu'un petit gamin avec un étui pour clarinette passait devant nous et me regardait d'un air méchant.

Je baissai d'un ton et continuai.

— Seulement, je ne joue d'aucun instrument. Je n'ai jamais fait partie de la fanfare du lycée.

— Bon, eh bien..., dit-elle lentement alors que le téléphone se remettait à sonner. Alors, peut-être, introduction à la fanfare ? C'est le niveau débutant.

— Je ne veux pas être dans la fanfare ! lançai-je plus fort, pour me faire entendre par-dessus la sonnerie du téléphone. Je n'en ai pas envie, un point c'est tout.

— Alors écris ton nom sur la liste, à la suite de ceux de tes camarades, aboya-t-elle en décrochant le téléphone à mi-sonnerie. Un CPE te recevra dès que possible.

C'était clair : elle n'avait manifestement pas la patience de me convaincre des joies du solfège.

Là-dessus, je m'assis sur l'une des chaises alignées contre le mur, sous une étagère bourrée de livres traitant de l'adolescence, avec des titres du genre : *Partager nos différences, reconnaître nos similitudes : adolescents et parents.* Ou encore : *La Pression de groupe : autonomie et manipulation. Comment se trouver, et trouver sa voie.* J'ai aussi repéré le deuxième bouquin de maman : *Sentiments mitigés : mères et filles pendant les années lycée.* Ce qui a évidemment achevé de massacrer mon humeur. Si j'avais été une vraie maso, je l'aurais pris pour lire, à chaque page, les extases de maman sur notre relation si forte, si belle. Merci bien, j'avais mon compte de misères pour aujourd'hui !

En plus de ça, il faisait une chaleur à crever. On était entassés, les gens parlaient trop fort. La fille à côté de moi écrivait « Mort mort mort » avec des Magic Marker de toutes les couleurs sur son cahier. Je fermai les yeux. Je repensai à l'été, à la piscine et aux longues journées où je bullais, nageais et me couchais tard.

Quelqu'un s'assit à côté de moi et s'appuya contre le mur, si près que son épaule toucha la mienne. Je me suis ratatinée, j'ai croisé les bras et serré les genoux. Au même instant, un index a tapoté mon épaule façon « Toc-toc-toc, coucou, c'est moi ». J'ouvris les yeux, prête à subir Ginny Tabor pendant des heures dans cet enfer.

Ça n'était pas Ginny, c'était Tristan Faulkner, qui me souriait.

— Qu'est-ce que tu fiches ici ? me demanda-t-il.

— Hein ?

La monomaniaque du mot « mort » l'écrivait maintenant sur la couverture de son cahier et coloriait l'intérieur de ses O en vert.

— Qu'est-ce que tu fiches ici ? répéta-t-il.

Après un geste vers la réceptionniste, il ajouta :

— C'est le jour de la rentrée et tu as déjà des embrouilles ?

— Mais non. C'est à cause de mon emploi du temps : y a rien qui va.

— Mon œil, dit-il avec des petits yeux méfiants.

Il portait une casquette de base-ball sur ses cheveux blonds trop longs, un T-shirt rouge et un jean. Il n'avait pas de sac à dos, seulement un cahier avec un stylo coincé dans les spirales : Tristan Faulkner et le lycée, c'était la haine.

— Ah, ça y est, je vois : tu t'es battue et tu t'es fait éjecter de cours, reprit-il.

— Mais non !

Je ne sais pas si c'était la rentrée de toutes les surprises ou si je faisais ma Scarlett, mais je me sentais audacieuse et je réussis donc à lui parler sans me liquéfier.

— Je dois suivre des cours que je n'ai pas choisis, expliquai-je.

— Ah, ouais, je comprends.

Il s'adossa de nouveau au mur.

— J'imagine que tu sais comment gérer ?

Je le regardai, les yeux ronds.

— Gérer quoi ?

— Ben, la situation !

Il me fit un clin d'œil.

— Ne joue pas les innocentes. Tu as besoin d'un conseil et je suis là ! Écoute donc les conseils d'un pro. D'abord, tu nies en bloc : c'est le plus important.

— Mais je te jure que je n'ai pas de problèmes !

— Ensuite, tu crées une diversion en mentionnant ton psy, continua-t-il sans m'écouter. Dis, par exemple : « Mon psy répète que je refuse toute forme d'autorité. » Mais sans rigoler ni sourire. Sérieux, tu vois. Il suffit de prononcer le mot « psy » pour qu'on te lâche.

Je me mis à rire.

— N'importe quoi !

— Mais si. Je te jure que c'est vrai. Et, si le coup du psy ne marche pas, j'ai un plan B : le contrôle mental du Jedi. Mais, attention, seulement si tu n'as pas le choix.

— Pardon ?

— La ruse mentale du Jedi.

Il me dévisagea, perplexe.

— Tu n'as jamais vu *La Guerre des Étoiles* ?

Je réfléchis.

— Si. Mais ton truc du Jedi, là, ça ne me rappelle rien.

— Je t'explique. Le Jedi pouvait influencer et contrôler les pensées en utilisant son truc. Sa Force. Toi, tu fais pareil avec l'un des CPE. Imagine que je suis M. Mathers, par exemple. Et voilà ce que M. Mathers déclare : « Tristan, mon ami, tu as dépassé les limites, et c'est seulement le jour de la rentrée. Est-ce une façon de bien commencer l'année scolaire ? » Et toi, tu es moi, d'accord ? Qu'est-ce que tu réponds à Mathers ?

Je secouai la tête.

— Aucune idée...

Il leva les yeux au ciel.

— Eh bien, tu réponds : « Monsieur Mathers, vous devez passer l'éponge pour cette fois, parce que c'est le jour de la rentrée et parce que ça n'était vraiment pas ma faute : le feu a pris tout seul. »

— Le feu ? Mais quel feu ?

Tristan agita la main comme s'il chassait un moucheron.

— Et tu lui dis ça, droit dans les yeux, avec assurance. Et alors, qu'est-ce qu'il répond ?

— Que tu es complètement cinglé !

— Mais non, voyons ! Mathers répond : « Eh bien, mon cher Tristan, je vais passer l'éponge pour cette fois, parce que c'est la rentrée et parce que ça n'était vraiment pas ta faute : le feu a pris tout seul. »

Je ris.

— Je vois mal Mathers passer l'éponge !

— Mais si ! affirma Tristan. C'est le truc du Jedi. Tu peux me faire confiance, ça marche !

Et, lorsqu'il m'a souri, j'ai bien failli le croire.

— D'accord, mais, tu sais, je ne suis pas en galère. Je n'ai donc pas besoin de ton truc du Jedi, enfin, sauf si ça me permet de réorganiser mon emploi du temps.

Là-dessus, je le lui tendis. Il le parcourut.

— Tu as algèbre et trigonométrie 2 ?

Il leva les yeux sur moi et me regarda avec étonnement.

— Sérieux ? Tu es une bête en maths ?

— Mais non ! Je suis à peine au niveau, en algèbre.

Il hocha la tête, compréhensif. Manifestement, il était nul en algèbre, lui aussi.

— Français. EPS… Hé, tu as vu, on a sport ensemble !

— Vraiment ?

Tristan Faulkner et moi jouant au badminton, apprenant le golf, ensemble dans le gymnase, entourés par une nuée de ballons de basket… Je m'y voyais déjà…

— Ouais, tous les jours en troisième heure !

Il continua de lire, retira sa casquette, secoua la tête, puis remit sa casquette, visière à l'arrière.

— SVT. Anglais, bla-bla-bla. Oh, et vise un peu ça !

Je le laissai parler : je savais déjà ce qui le faisait marrer.

— Tu es dans la fanfare du lycée !

— Non, je ne suis pas dans la fanfare !

Le petit gamin à la clarinette réapparut pour de nouveau me jeter un regard méchant.

— C'est une monstrueuse erreur, mais personne ne veut me croire.

— Tu joues de quel instrument ?

— Je ne joue d'aucun instrument !

J'ai essayé de prendre un air indigné, mais il était trop craquant. Je vivais un rêve. Il me parlait. À *moi*. Je ne comprenais même pas pourquoi.

— Toi, tu as une tête à jouer de la flûte, continua-il, pensif, se caressant le menton. Du piccolo, peut-être ?

— La ferme ! le coupai-je, étonnée par ma témérité.

Il rit et secoua la tête.

— Ou du triangle ? Cling cling !

Il leva la main, fit mine d'en tenir un entre le pouce et l'index et agita rêveusement une baguette imaginaire.

— Oh, laisse-moi ! lui dis-je, mettant ma tête entre mes mains avec l'espoir, secret et ardent, qu'il ne me ficherait *surtout* pas la paix.

— Allez, je te fais marcher.

Il posa sa main sur mon épaule, la pressa et j'eus sur-le-champ l'impression de mourir de bonheur.

— C'est la pire journée de ma vie, me plaignis-je, tandis qu'il passait cette fois son bras autour de mes épaules.

— Faulkner ! cria une voix, si fort qu'un silence épouvanté tomba.

M. Mathers, le CPE des premières, se tenait devant le guichet, un dossier entre les mains. Et il n'avait pas l'air content du tout.

— C'est moi, répondit Tristan d'une voix agréable.

Il se leva, remit son cahier sous le bras, puis il m'adressa un salut de la pointe de l'index, et un clin d'œil.

— Rappelle-toi le truc du Jedi !

— Promis.

— À plus, Halley.

Il prit tout son temps pour s'approcher de M. Mathers, qui posa une main, sans doute de fer, sur son épaule et le conduisit dans son bureau au pas cadencé. Tristan s'était souvenu de mon prénom ! Un miracle ! La folledingue au mot « mort » me regardait maintenant comme si ma brève conversation avec Tristan Faulkner m'avait transformée de laideron en princesse. C'est vrai, je me sentais totalement différente.

Jusqu'à ce jour béni des dieux, Tristan Faulkner ne m'avait pas décroché plus de sept mots et voilà que, d'une, il surgissait à côté de moi, de deux, il me parlait pendant plusieurs minutes comme à une amie, alors qu'on se connaissait à peine. Par quel miracle ? Oh, mon Dieu ! J'avais l'impression d'abriter dans mon ventre une volière de papillons. Je revis soudain Scarlett à la caisse huit de chez Milton, qui rougissait de bonheur devant un kiwi.

— Hal Cooke ? Est-ce qu'il y a un Hal Cooke ici ? interrogea soudain une voix lourde d'ennui qui me fit redescendre de mes hauteurs.

Il y avait des jours – par exemple, celui de la rentrée – où j'en voulais à mes parents de ne pas m'avoir plutôt appelée Lisa ou Jane.

Je me levai, pris mon sac à dos et m'approchai. La CPE, une Afro-Américaine boudinée dans un tailleur rose, essayait toujours de prononcer mon prénom.

— Halley. Je m'appelle Halley, lui dis-je.

Ça ne lui a fait ni chaud ni froid : elle m'a tourné le dos, m'invitant d'un geste à la suivre. On est passées

71

devant deux bureaux pour arriver à un troisième, qui se trouvait au fond du couloir. En longeant celui du milieu, j'entendis Tristan s'expliquer et M. Mathers murmurer, par la porte entrouverte. Est-ce que son truc du Jedi fonctionnait ?

J'avais presque oublié Tristan lorsque j'émergeai, épuisée et complètement abrutie, du bureau de la CPE avec un nouvel emploi du temps, au moment où la fin de la deuxième heure de cours sonnait. Les élèves sortaient de classe et envahissaient le couloir. Je m'approchai du distributeur de boissons, où j'avais rendez-vous avec Scarlett. Les élèves en manque de soda y affluaient, pièces ou billet en main.

— Halley ! m'appela Scarlett.

Elle agita deux canettes au-dessus de sa tête. Je la suivis près du mur, à l'endroit où Michael avait été pris en photo.

Elle me tendit mon Coca.

— Alors ? C'était bien, la fanfare ?

— D'enfer !

J'ouvris ma canette et bus longuement.

— Il paraît que je suis déjà un petit prodige du hautbois.

— Tu parles !

Je souris.

— *Exit* la fanfare : c'est l'essentiel. Mais tu ne me croiras jamais quand je te dirai avec qui j'ai parlé, devant les bureaux des CPE.

— Qui ça ?

Un bruit énorme et des hurlements s'élevèrent près du distributeur : on ne s'est plus entendues parler. Là-dessus, un élève est parti ventre à terre chercher un surveillant. Le distri se déglinguait au moins une fois par jour, ce qui provoquait des mutineries parmi les assoiffés. J'attendis que le calme soit revenu et que les élèves s'éloignent en faisant tinter leur petite monnaie.

— Tristan Faulkner !

— Vraiment ? dit Scarlett, qui ouvrait son sac à dos et fouillait dedans. Comment il va ?

— Je crois qu'il a déjà de gros pépins.

Scarlett posa sa canette.

— Ça ne m'étonne pas... Oh dis, je me sens patraque tout à coup. Vraiment pas bien.

— Tu es malade ?

— Un peu, oui.

Elle sortit un flacon de comprimés, le déboucha et en avala deux.

— C'est sans doute ma célèbre allergie au lycée...

— Possible.

Scarlett s'adossa au mur de brique et ferma les yeux. À la lumière du soleil, ses cheveux avaient des reflets roux, rouges et dorés. Magnifique...

— Tu sais, c'était bizarre, quand j'y repense : Tristan s'est assis à côté de moi et il m'a parlé, continuai-je. Comme s'il me connaissait !

— Il te connaît, Halley.

— Pas beaucoup. Et seulement depuis le jour de l'enterrement.

— On habite une petite ville et on se connaît tous.

— Oui, mais même, c'était trop bizarre. Je ne sais pas comment t'expliquer.

Je rejouai la scène dans ma tête, de l'instant où il avait tapé du doigt sur mon épaule jusqu'à ce qu'il prononce mon prénom, à la fin, et s'éloigne en me souriant.

Scarlett se fit une queue-de-cheval.

— Peut-être qu'il t'aime bien ? dit-elle avec simplicité.

Je me sentis aussitôt rougir.

— Oh, arrête !

— Pourquoi pas ? Tu ne devrais pas toujours être fataliste.

La sonnerie retentit. Je terminai mon Coca.

— En avant pour la troisième heure de cours !

— J'ai océanographie, déclara Scarlett en remettant son sac. Et toi ?

— Moi, j'ai...

Quelqu'un me tapait sur l'épaule, je m'interrompis. Je me retournai, mais je ne vis personne : la blague classique. Lorsque je reportai les yeux sur Scarlett, j'aperçus Tristan, derrière elle, qui rigolait en me regardant. Il prit le chemin du gymnase.

— Allez, dépêche ! me lança-t-il à travers la cour maintenant presque vide. Il ne faut pas que tu sois en retard au cours de gym !

— Heu, moi, j'ai gym... et je ferais mieux d'y aller, terminai-je timidement, me sentant de nouveau rougir.

Scarlett me dévisagea et secoua la tête, comme si elle savait déjà quelque chose que j'ignorais encore.

— Fais gaffe, Halley.

— Gaffe à quoi ?

— Tu sais bien.

Elle me regarda avec tristesse. Puis elle hocha de nouveau la tête, sourit et s'éloigna.

— Fais gaffe : à la gym et tout.

— Oh oui, bien sûr, répondis-je.

M'imaginait-elle criblée de balles de tennis ou aveuglée par des volants de badminton ?

À moins que ça ne soit Tristan et ce qu'il lui rappelait qui la rendait soudain si triste ?

— Promis.

Après un dernier signe, Scarlett se dirigea vers le bâtiment des sciences, tandis que je prenais la direction opposée. Peu après, j'ouvris les portes du gymnase, où ça sentait le renfermé, la sueur, la poussière et le tapis de sol, mais où Tristan Faulkner m'attendait.

Les cinquante minutes d'EPS quotidiennes devinrent les minutes les plus importantes de ma vie. Maladie, catastrophe nationale ou décès, rien ne m'aurait empêchée d'assister à ma troisième heure de cours, et en tenue dès la sonnerie, s'il vous plaît : short bleu et socquettes blanches. Parfois, Tristan était absent ; ces jours-là, j'avais la mort dans l'âme. Je dribblais misérablement avec mon ballon de volley en regardant sans cesse l'heure. Mais, lorsque Tristan était là, c'était la fête.

Naturellement, je cachais bien ma joie. Je prenais même des petites mines dégoûtées : aimer la gym, c'était pire que de jouer dans la fanfare du lycée. Cela dit, à 10 h 30, j'étais la seule à ne pas me lamenter pendant qu'on s'habillait pour un énième cours sur les règles du volley-ball. Je sortais des vestiaires l'air de rien, ou l'air trop à côté de mes pompes pour apercevoir Tristan, près de la fontaine à eau, sans chaussures de sport et sans chaussettes (résultat, il avait cinq mauvais points à chaque cours). Je m'asseyais, lui adressais à peine un signe et feignais de ne pas remarquer qu'il se glissait vers moi. Ce qu'il faisait tout le temps. Vraiment. En général, les quelques minutes avant que le coach Van Leek débarque avec son porte-bloc à pince étaient les plus belles de ma journée.

En gros, ça se passait comme suit :

Tristan : Salut, ça va ?

Moi : Pff... Totalement crevée.

Tristan : Ouais, moi aussi. J'ai fait la fête, hier soir.

Moi (comme si j'avais l'autorisation de sortir le soir en semaine après 20 heures) : Moi aussi. Tu ne portes toujours pas de chaussettes ?

Tristan : J'ai oublié.

Moi : Tu n'auras jamais la moyenne en gym, je te préviens.

Tristan : Sauf si tu m'achètes des chaussettes.

Moi (ricanement cynique) : Dans tes rêves.

Tristan : Alors ce sera ta faute si je n'ai pas la moyenne.

Moi : La ferme.

Tristan : Prête à jouer au volley ?

Moi (comme si j'étais une super joueuse) : Bien sûr. Prépare-toi à mourir !

Tristan (rigolant) : C'est ce qu'on verra.

Moi : Tu l'as dit, c'est ce qu'on verra.

Je ne vivais que pour ces instants-là.

Tristan ne venait pas au lycée pour s'instruire et préparer son admission en fac, non, pour lui, le lycée, c'était un mal nécessaire qu'il traitait par la malbouffe et les retards perpétuels. Les trois quarts du temps, il débarquait en gym comme s'il venait de tomber du lit. Le coach était constamment en pétard après lui parce qu'il n'arrêtait pas de manger des cochonneries pendant le cours : il sortait des Coca de son sac à dos, des Atomic Fireball (bonbons super durs et ultra forts avec plusieurs couches de cannelle au milieu) ou des Twinkie (vous savez, ces petites mousselines fourrées à la crème) de ses poches. De plus, il était le roi des excuses bidon.

— Faulkner ! beuglait le coach quand Tristan arrivait avec dix bonnes minutes de retard, sans chaussettes et avec, dans la bouche, un Zinger (le cousin des Twinkie) au chocolat ou à la framboise (ceux-là, saupoudrés de noix de coco râpée). Votre mot d'excuse !

— Oh, mais le voilà ! déclarait Tristan, radieux, en sortant un papelard de sa poche.

On regardait avidement le coach pendant qu'il lisait, mais Tristan restait décontracté. Il se plantait à tous les QCM, même les plus faciles ; en revanche, il pouvait imiter une signature à la perfection et au premier essai. C'est dire s'il avait un don.

— Tout est dans le poignet, m'expliqua-t-il un jour, alors qu'il excusait une énième absence à cause, au choix, d'un rendez-vous chez le médecin ou d'un enterrement, et, bien entendu, avec la triple bénédiction de Mme Faulkner.

J'avais peur qu'il se fasse piquer, mais il passait toujours entre les gouttes.

Mon sentiment, c'est que Tristan faisait ce qu'il voulait, quand il voulait. J'avais d'ailleurs cru comprendre que sa mère le laissait libre comme l'air. Je ne savais même pas où il habitait. Tristan était ingérable et différent, et, lorsque j'étais avec lui, je me laissais emporter et je la jouais moi aussi libre et rebelle. Il me parlait de fêtes où les flics débarquaient, de subites virées nocturnes au bord de l'océan ou à Washington DC, pour rien, seulement parce que ça l'avait pris sans prévenir. Le lundi matin, il débarquait au lycée avec des histoires hallucinantes, portant des T-shirts de groupes de rock dont je n'avais jamais entendu parler, le dos de la main garni des tampons d'entrée dans les boîtes de nuit, parce qu'il les avait toutes pratiquées. Il citait des noms et des endroits inconnus. Moi, j'acquiesçais, je les mémorisais soigneusement et les répétais à Scarlett, comme si j'étais dans le coup, comme si moi aussi je fréquentais ces gens et ces coins-là. Tout chez Tristan me fascinait : son sourire canonissime, son air cool, sa vie mystérieuse et quasi secrète, aux antipodes de la mienne, racontée, étalée et décortiquée par maman dans ses bouquins.

Scarlett secouait la tête et souriait lorsqu'elle m'écoutait blablater, détailler chaque geste et relater au mot près nos échanges « chaussettes et volley-ball », limite surréalistes, des cours d'EPS. Elle ne disait rien non plus lorsque Tristan séchait la gym et que je tirais la gueule pendant qu'on déjeunait. Ces jours-là, je sortais mon sandwich en affirmant que, de toute façon, Tristan, je n'en avais strictement rien à battre ! Parfois, je croisais son regard soudain très triste, comme si Michael Sherwood revenait des régions de sa mémoire où elle l'avait enfermé avec soin, lui rappelant ainsi le début de l'été, l'époque où sa vie était un roman qu'elle me racontait.

Ce mois de septembre fut vraiment celui de toutes les surprises.

T104, la station de radio où travaillait papa, avait modifié la grille de ses programmes et adopté un nouveau concept ainsi qu'un nouveau format au cours de l'été : c'était désormais LA station à écouter. Le matin, j'entendais donc la voix de papa qui s'élevait des auto-radios, dans le parking du lycée, dans les bouchons ou au 7 Eleven, où on s'arrêtait pour faire le plein et s'acheter des sodas.

Mon père faisait des blagues au kilomètre, prenait les appels des auditeurs et diffusait mes chansons pré-férées : il était devenu la bande-son de ma jour-née... « La matinale de Brian ! », annonçait une affiche devant le centre commercial. « Brian sur T104, c'est mieux que les céréales du petit déj ! » Papa pensait que cette agitation frôlait l'hystérie et était encore plus tor-dante que « Lakeview, le quartier de tous vos enne-mis », mais maman l'accusait de faire le détour pour le plaisir de passer devant les affiches publicitaires qui le mettaient en vedette. J'entendais maintenant la voix de papa, que j'avais entendue juste dans ma vie privée, partout dans ma vie sociale. C'était très étrange que mon propre père soit ainsi devenu cool et fashion.

Hélas, il parlait aussi de moi. Un matin, par exem-ple, Scarlett et moi, on s'est arrêtées pour faire le plein au 7 Eleven, qui était évidemment branché sur T104. Les auditeurs appelaient pour raconter le moment le plus gênant de leur vie. Je précise qu'à peu près la moitié de mon lycée achetait des cigarettes, des cookies et des barres chocolatées au 7 Eleven, parce que, tôt le matin, les gens avaient besoin de sucre et de nicotine pour se réveiller. Je payais à la caisse quand j'entendis mon père prononcer mon prénom.

« Justement, je me souviens d'une mésaventure qui est arrivée à ma fille, Halley, quand elle avait cinq ans. Je vous jure que je n'ai jamais rien vu d'aussi tordant !

Attendez un peu que je vous raconte ! Nous étions invités à un barbecue chez des voisins avec ma femme... »

J'ai rougi. Ma température montait à chaque parole que papa prononçait. Bien entendu, le caissier a choisi ce moment pour changer le ruban de sa caisse. J'étais coincée là pour un bon bout de temps, vu comme il était manchot.

« Nous bavardions donc avec les autres invités. Non loin de notre table, il y avait une gigantesque flaque d'eau et de boue : il avait en effet beaucoup plu et le sol était encore boueux, détrempé. Je vous laisse imaginer la scène ! Halley a tout à coup crié : "Papa, regarde !" Naturellement, ma femme et moi, nous avons tourné les yeux vers elle. Halley s'est mise à courir, à la manière des jeunes enfants, tout de traviole, comme les crabes. »

— Ah, merde, j'y arrive pas ! s'exclama le caissier au même moment, en donnant un coup de poing sur sa caisse.

Son rouleau n'entrait pas et moi, je me sentais brûler comme un enfer.

« Je ne pouvais m'empêcher de penser que ma fille allait se prendre la flaque, poursuivit mon père, qui s'esclaffait maintenant. Je le voyais venir, mais alors, gros comme une maison ! »

J'entendis rire, derrière moi. Mon estomac a fait un double salto. De honte et d'angoisse.

« Arrivée devant la flaque, Halley a dérapé et s'est pris un de ces gadins... »

Mon père pouffait, en même temps que le bon millier de conducteurs et de travailleurs des trois comtés de la région.

« Elle a traversé la flaque sur les fesses jusqu'à nos pieds ! Vous auriez vu sa tête ! Tétanisée ! Elle était trempée et couverte de boue. On s'est mordu les lèvres pour ne pas rire, mais je vous jure que c'était d'un drôle ! Je n'ai jamais rien vu d'aussi comique ! »

— Cela fera un dollar quatre-vingt-dix, annonça le caissier.

Je jetai mon dollar et le reste, passai devant les gens hilares et sortis rejoindre Scarlett, qui m'attendait dans la voiture.

— Sacré moment de solitude, hein ? me demanda-t-elle alors que je montais.

— Pitié, plus un mot !

Toute la journée, j'ai eu droit à la blague de la flaque, à des coups de coude accompagnés de rires idiots. Tristan me baptisa même « petit cul-terreux ».

— Désolé, Halley, me dit mon père dès que je rentrai du lycée.

Je l'ignorai pour monter direct dans ma chambre.

— Halley, je suis vraiment désolé ! répéta papa. C'est sorti tout seul, je t'assure.

— Brian, tu devrais préserver l'intimité de Halley, intervint maman, qui ne s'était pas gênée pour l'exposer dans deux livres.

Mes parents passaient leur existence à rendre la mienne humiliante.

— Oui, je sais, dit papa, qui ne pouvait s'empêcher de sourire. Mais c'était si drôle, n'est-ce pas ?

Il s'esclaffa, avant de se ressaisir.

— Super drôle ! dis-je. À mourir de rire !

Voilà un exemple, parmi cent autres, de la façon dont mes parents avaient soudain décidé de me pourrir la vie, cet automne-là. Et encore, la honte radiophonique à portée régionale, ça n'était rien. Il y avait aussi des petits je-ne-sais-quoi, des micmacs et mélis-mélos de mots ajoutés à de minuscules incidents qui s'accumulaient pour former une gigantesque boule de neige tout près de menacer mon existence.

Ce n'était pas ce qu'ils disaient. Ce n'était pas non plus les regards qu'ils échangeaient, l'air de rien, quand ils me demandaient si j'avais passé une bonne journée au lycée et que je grommelais un misérable « Oui, super », la bouche pleine en regardant avec envie du côté de chez Scarlett, qui dînait – à tous les coups – seule devant la télévision sans avoir de comptes à rendre à personne. C'est sûr, il y avait eu une époque où maman aurait été la première à savoir que j'étais amoureuse de Tristan et où je lui aurais expliqué combien le cours de gym était devenu le bonheur de ma journée. Mais, maintenant, je ne voyais plus maman pareil : tout ce que je remarquais, désormais, c'était sa nuque raide, ses lèvres pincées lorsqu'elle m'interdisait de passer chez Scarlett parce que demain il y avait école, ou lorsqu'elle me rappelait de finir mes devoirs, et surtout de ne pas oublier de faire la vaisselle ou de vider la poubelle. Voilà des années que maman me le rabâchait, mais, bizarrement, ses phrases semblaient maintenant avoir un sens caché que je n'arrivais pas à décrypter. Conclusion, le dialogue était au point mort.

Je savais qu'elle ne comprendrait jamais, pour Tristan Faulkner. Parce que Tristan était son opposé à elle, l'inverse de Noah Vaughn et de la parfaite fifille à sa maman qui souriait sur la photo du Grand Canyon. J'évoluais dans un monde à part – le lycée, avec le merveilleux cours de gym, la mort de Michael –, où il n'y avait pas de place pour maman et ce qu'elle représentait. Au fond, c'était comme dans ces tests où l'on vous demande qui est l'intrus, de la pomme, la banane, la poire ou le tracteur. Ça n'était pas la faute de maman, mais, elle avait beau faire, elle était et resterait le tracteur.

Chapitre 4

Tristan m'invita à venir avec lui à une fête, le 18 octobre à 11 h 27 très exactement.

Ce moment grandiose, je le marquai d'une pierre blanche. Jusqu'à maintenant, je n'avais pas vécu beaucoup d'événements exceptionnels dans ma vie ; alors, celui-là, je voulais m'en souvenir à fond.

Le 18 octobre était un vendredi. Ce jour-là, on avait contrôle de badminton. Après avoir rendu ma copie, j'ai sorti mon cahier de français pour commencer mes exos de vocabulaire. De temps en temps, je regardais discrètement Tristan, qui mordillait son stylo en contemplant le plafond et séchait sur les cinq questions de l'interro, les mêmes que le coach donnait à ses élèves depuis au moins quinze ans.

Quelques minutes plus tard, Tristan s'est levé, a posé son stylo sur son oreille et est passé devant moi. Je me suis figée, le cœur battant, tandis que je relisais le même mot « feuilleton », une, deux, trois, quatre fois, comme si ça avait été la formule magique qui aimanterait Tristan. « Feuilleton, feuilleton », répétai-je dans ma tête, tandis qu'il tendait sa copie au coach, s'étirait, bras au ciel, et revenait plan-plan vers moi. « Feuilleton, feuilleton », continuai-je pendant qu'il se rapprochait encore, passant devant moi avec un sourire pour regagner sa place. « Feuilleton, feuilleton », pensais-je avec un affreux désespoir, alors que ce satané mot sur mon cahier finissait par se brouiller devant mes pauvres yeux. Et enfin, au dernier et ultime « feuilleton », j'ai entendu le froufrou de son cahier qui tombait à mes pieds. Il s'est penché pour le ramasser. Aussitôt, l'allégresse typique de cette troisième heure de cours quotidienne est revenue me submerger : les planètes s'étaient subitement alignées, et, pendant les quinze prochaines minutes, tout irait bien, j'aurais Tristan rien qu'à moi.

— Qui a inventé le badminton ? me demanda-t-il en s'allongeant sur le sol poli du gymnase, sa tête à côté de ma jambe.

Je le regardai, sidérée par la question.

— Tu ne le sais pas ?

— Je n'ai pas dit ça. Je te demande juste quelle a été ta réponse.

— La bonne réponse.

— Qui est… ?

Je haussai les épaules.

— Tu sais bien, ce type, là.

— Ah oui. Super. Merci, petit cul-terreux. C'est aussi ce que j'ai répondu, dit-il en riant et en passant la main dans ses cheveux humides.

— Tant mieux pour toi.

Je tournai la page de mon cahier d'anglais en prenant de grands airs intello.

— Qu'est-ce que tu fais de beau ce week-end ? reprit-il.

— Je ne sais pas encore.

On avait cette conversation-là tous les vendredis. Tristan avait toujours des plans à la pelle, et moi, je faisais comme si.

— Super plan avec Super Noah ?

— Non.

On avait eu un tournoi de volley avec la classe de Noah et, bien entendu, quand Noah m'avait dit salut, j'avais dû expliquer à Tristan qui c'était. Pourquoi lui avais-je dit ça... qu'il avait été mon petit ami ? Depuis, j'évitais prudemment le sujet.

— Et toi ?

— J'ai une fête de prévue, ce soir, mais je ne sais pas encore si j'y vais. C'est aux Arbors.

— Ah ouais.

— Ouais. Ça peut craindre.

J'acquiesçai, parce que c'était plus sûr. Puis je mentis, parce que ça marchait bien aussi.

— Je vois. Je crois que Scarlett m'en a parlé.

— Je suis sûr qu'elle est au courant.

Scarlett, c'était notre trait d'union.

— Vous devriez venir, toutes les deux.

— Possible... Enfin, si Scarlett est partante. Je ne sais pas encore.

Mais, en mon for intérieur, j'avais déjà décidé d'y aller, même si Dieu ou maman essayaient de m'en empêcher.

— Si elle ne veut pas, viens tout de même, insista-t-il en me regardant droit dans les yeux, tandis qu'une boucle de ses cheveux blonds retombait sur son front.

— Ah non, pas toute seule ! répondis-je bêtement, sans réfléchir.

— Tu ne seras pas toute seule : moi, je serai là.

C'est à cet instant que j'ai regardé l'horloge du gymnase – et j'ai transformé cette seconde en un moment d'éternité. C'était l'aboutissement de tous ces matchs de badminton, de ces services de volley et d'échauffement dans le gymnase. C'était la minute de bonheur que j'avais attendue et espérée pendant presque deux mois.

— C'est bon, je viendrai.

— Génial !

Il m'a souri et ma vie s'est arrêtée. J'aurais dit oui à tout et n'importe quoi, dangereux ou pas, du moment que c'était lui qui me le proposait.

— On se retrouve là-bas ce soir ?

La sonnerie qui retentit subitement et résonna dans le gymnase me fit sursauter. Tout le monde se leva. Le coach Van Leek hurla qu'on commencerait les séances de bowling lundi et qu'on apprendrait l'approche en cinq pas, mais je ne l'écoutais pas. Car Tristan prenait son cahier, se levait et me tendait la main. J'ai hésité – dans quelle embrouille allais-je donc me fourrer –, puis je lui ai donné ma main et j'ai senti ses doigts se refermer autour des miens. Je l'ai laissé me tirer à lui et je me suis levée sans cesser de le regarder.

Après le lycée, j'ai suivi Scarlett chez elle. Marion se préparait pour sa première grande soirée avec Steve Michaelson, un comptable qu'elle venait de rencontrer.

Elle se peignait les ongles en fumant. On l'a regardée faire en s'empiffrant de chips.

— Alors ? Il est comment, ce fameux Steve ? lui demandai-je.

— Très bien, répondit Marion de sa voix rauque en soufflant un nuage de fumée. Très sérieux, mais un amour ! C'est l'ami d'un ami d'un ami.

— Dis-lui le reste ! intervint Scarlett en saisissant une grosse poignée de chips.

Marion secoua son flacon de vernis à ongles.

— Le reste ?

— Tu sais bien !

— C'est quoi ? interrogeai-je.

Marion leva sa main et l'étudia avec le plus grand soin.

— Bah, ça n'est pas grand-chose. Il s'agit du hobby de Steve.

— Développe ! insista Scarlett, qui leva les sourcils à mon adresse, l'air de dire : « Attends la suite, c'est mortel ! »

Marion soupira.

— Steve fait partie d'une espèce de club d'histoire où les membres se retrouvent tous les week-ends pour étudier le Moyen Âge.

— Un club d'histoire ? C'est intéressant, dis-je, tandis que Scarlett se dirigeait vers l'évier.

— Raconte ce qu'il fait exactement dans son club, au lieu de tourner autour du pot ! me coupa-t-elle en se lavant les mains.

— Qu'est-ce qu'il y fait, alors ? répétai-je, curieuse.

— Il se déguise ! s'exclama Scarlett sans laisser à Marion le temps de répondre. Je t'explique : Steve a un alter ego, ou un autre moi, moyenâgeux. Le week-end, lui et ses potes enfilent des costumes médiévaux et deviennent des personnages d'époque : ils organisent des joutes, des festivals et chantent même des ballades.

— Mais non, ils n'organisent pas de joutes ! riposta Marion en vernissant les ongles de son autre main.

— Ah, mais si ! insista Scarlett. La première fois que Steve est venu à la maison, il m'a tout raconté.

— La belle affaire ! Moi, je trouve que c'est plutôt mignon. C'est comme vivre dans un autre monde.

— Eh bien, moi, je trouve ça nul ! déclara Scarlett en revenant s'asseoir. Ton Steve, il est complètement taré.

— Il n'est pas taré, voyons, Scarlett !

Scarlett me jeta un coup d'œil.

— Et puis, tu sais comment s'appelle le personnage de son jeu de rôle ? Devine !

— Comment veux-tu que je le devine ?

Occupée à limer l'ongle de son petit doigt, Marion faisait comme si elle ne nous entendait pas.

— Vladimir l'Empaleur ! déclama Scarlett. Figure-toi que c'était le surnom du comte Dracula.

— Son surnom, c'est Vladimir le Guerrier : il y a tout de même une différence, la corrigea Marion d'un ton cinglant.

— On s'en fout ! coupa Scarlett, qui avait toujours détesté les mecs de sa mère.

La plupart la regardaient d'un drôle d'air, quand ils partaient en douce, le samedi ou le dimanche matin, après leur nuit d'amour avec Marion.

— Je suis certaine qu'il est tout de même très gentil, murmurai-je, pendant que Marion finissait de vernir les ongles de sa main gauche et l'agitait dans les airs.

— C'est un amour, répéta-t-elle avec simplicité.

Elle se leva, sortit de la cuisine en secouant ses mains tendues, dont elle écartait les doigts au maximum.

— Scarlett s'en rendrait d'ailleurs compte, si elle ne dénigrait pas les gens à tout bout de champ, ajouta-t-elle.

Là-dessus, Marion monta dans sa chambre et on entendit bientôt le plancher craquer au-dessus de nos têtes. Scarlett ramassa les cotons tachés de vernis, les jeta à la poubelle, remit le vernis et le dissolvant dans le panier de la salle de bains.

— Je n'ai pas toujours été du genre critique ! s'exclama-t-elle, comme si Marion pouvait l'entendre. Mais, à force de croiser des crétins, on perd confiance dans l'humanité !

On est montées dans sa chambre et, de là, on a vu Steve arriver dans son break Hyundai et débarquer avec des fleurs. Il ne ressemblait ni à un guerrier ni à un empaleur quand il accompagna Marion jusqu'à sa voiture, puis lui tint la portière ouverte et la referma doucement.

Lorsqu'ils s'éloignèrent, Scarlett tournait déjà le dos à la fenêtre, mais je pressai ma paume sur la vitre pour faire signe à Marion.

Quand je revins chez moi, un peu plus tard, maman lisait son journal dans la cuisine.

— Bonsoir, Halley, tu as passé une bonne journée ?

Je restai sur le pas de la porte de la cuisine, regardant l'escalier qui montaient à l'étage avec envie.

— Super.

— Et ton contrôle de maths ? Ça a marché ?

— Oui, je crois.

— Les Vaughn viennent regarder un DVD, ce soir. Tu passes la soirée avec nous ? Ce serait sympa, ils ne t'ont pas vue depuis un bon moment.

Noah Vaughn avait presque dix-sept ans et était en première, mais il continuait de passer ses soirées du vendredi à regarder des DVD avec ses parents et les miens. Je n'arrivais pas à croire que ce grand dadais avait été mon petit ami.

— Ça ne sera pas possible : je vais chez Scarlett.

— Oh... Bon, d'accord. Quels sont vos projets ?

Je pensai à Tristan, à l'horloge du gymnase, aux moments fabuleux que j'avais passés, mais je gardai mon secret bien au chaud.

— Bof, rien de spécial. Juste buller. Manger une pizza, peut-être.

Silence.

— Bien. Rentre vers 23 heures, hein ? Et n'oublie pas que tu dois tondre la pelouse, demain.

En ce moment, maman écrivait un bouquin sur les ados et leur accès à l'autonomie : elle avait donc décidé que je devais davantage participer à la vie de la maison. « Cela te permettra de mieux comprendre le concept de vie familiale, donc celui de famille. Nous poursuivons tous un même but, nous devons travailler à sa réussite », m'avait-elle expliqué.

— Ah oui, c'est vrai. Pas de problème.

J'étais déjà dans l'escalier lorsqu'elle me rappela.

— Halley ? Si vous vous ennuyez, passez donc, Scarlett et toi. Plus on est de fous, plus on rit.

— D'accord.

Rien à faire, maman refusait de me lâcher. J'avais beau m'escrimer à vivre ma vie, il fallait qu'elle mette

91

le nez dedans et tente de me garder dans son orbite, tout à elle, rien qu'à elle.

Si je lui avais parlé de Tristan et de la fête, elle m'aurait bien sûr assommée de questions. « Qui l'organise ? Des adultes seront-ils présents ? Y aura-t-il de l'alcool ? » Elle aurait téléphoné aux parents, comme elle l'avait fait la première fois que j'avais été invitée à une soirée. Je devais garder Tristan pour moi, de la même façon que je ne laissais plus rien filtrer de mon quotidien. Entre maman et moi, il y avait désormais des secrets, des vérités et des demi-vérités qui l'empêchaient d'entrer dans mon cercle, l'en tenaient écartée, derrière une porte fermée à clé, loin, très loin de moi.

On est arrivées à la fête à 21 h 30, une heure qu'on trouvait très fashion. C'était bien calculé : il y avait déjà de nombreuses voitures garées partout et n'importe comment dans la rue, même sur le trottoir et carrément contre les boîtes aux lettres. C'était la maison de Ginny Tabor, donc la fête de Ginny Tabor. Et, d'ailleurs, la première personne que je vis en remontant l'allée devant la maison, c'est Ginny Tabor, complètement bourrée, assise sur le coffre de la BMW de sa mère. Elle brandissait une bouteille de premix d'une main et une cigarette de l'autre.

— Scarlett ! hurla-t-elle dès qu'on arriva près de la véranda, peinte en vanille et chocolat, comme le reste de la maison.

Les Tabor vivaient dans un manoir qui en jetait, avec ses clochetons, ses pignons, ses balcons découpés comme de la dentelle, ses toits en pente avec des cheminées partout et des jardinières aux fenêtres. Bref, c'était une espèce de maison en pain d'épices de style Tudor. Un truc énorme.

Ginny bondit de son coffre et s'approcha en entraînant Brett Hershey à sa suite.

— Salut, ma belle ! cria-t-elle.

Elle faillit se casser la figure en passant devant l'impressionnante fontaine au milieu de l'allée. Elle portait une robe rouge et des talons hauts trop chics pour une soirée biture express.

— Scarlett ! Tu tombes bien, c'est justement toi que je voulais voir !

Scarlett soupira. Avec sa crève épouvantable, elle aurait préféré ne pas sortir. Si elle s'était arrachée à son canapé, où elle était bien comme tout avec sa boîte de mouchoirs en papier et la télévision, c'est seulement parce que je l'avais implorée de m'accompagner : j'avais trop peur de débarquer seule à la fête de Ginny.

Quelques minutes plus tôt, j'avais dû esquiver Noah Vaughn, qui boudait dans notre cuisine pendant que je disais au revoir, et me regardait comme s'il espérait que je me jette dans ses bras en hurlant : « Oui, je suis à toi ! » Sa petite sœur, Clara, s'était cramponnée à mes jambes et m'avait suppliée de rester. Enfin, maman m'avait répété que je pouvais passer avec Scarlett, si ça nous disait. Je n'aurais pas été étonnée qu'on me ligote chez moi pour m'empêcher de passer la soirée la plus importante de ma vie.

Pourvu que Tristan apprécie les épreuves que j'avais traversées, avec succès, pour venir à son rendez-vous !

J'ai évité de regarder partout comme une perdue pendant que Ginny passait son bras autour des épaules de Scarlett. Brett, lui, avait l'air drôlement mal à l'aise. C'était le genre grand type baraqué incassable, le beau gosse footballeur nourri aux céréales et au lait frais, un vrai cliché de sitcoms avec ses larges épaules et sa petite coupe en brosse.

— C'est la soirée de l'année ! Si tu savais ce qui vient de se passer ! C'est énorme ! souffla Ginny sur le visage de Scarlett.

Même de là où je me trouvais, je sentis son haleine alcoolisée.

— Laurie Miller et Ken Hutchinson ont passé la soirée dans la chambre d'amis à faire ce que tu penses, et les voisins ont déjà appelé la police ! Mais on a un chaperon : notre femme de ménage. Du coup, les flics nous ont poliment demandé de baisser d'un ton.

— Ah bon ? répliqua Scarlett, qui renifla et sortit un mouchoir.

— Attends, c'est pas fini : Élisabeth Gunderson est venue avec sa bande, qu'elle ne quitte plus depuis la mort de Michael. Elles sont au grenier, à picoler et à pleurer comme des madeleines. Il paraît qu'elles ont élevé un mausolée à sa mémoire, mais je ne sais pas si c'est vrai.

Ginny but une nouvelle gorgée de son premix.

— C'est drôle, tout de même. C'est comme si elles essayaient de le faire revenir parmi nous... Ça fait peur, hein ?

— On y va ? dis-je en tirant sur le T-shirt de Scarlett.

À l'intérieur, la musique s'était brusquement arrêtée. J'entendis une nana rigoler.

— On cherche quelqu'un, ajoutai-je.

— C'est qui ? hurla Ginny.

Elle nous suivait, mais Brett lui encercla la taille et la retint contre lui.

La musique se remit à jouer. La basse pilonnait toujours plus à mesure qu'on s'approchait de l'entrée. Ginny nous cria quelque chose d'incompréhensible, tandis que je poussais la porte déjà entrouverte et butais sur Caleb Mitchell et Sasha Benedict, qui pratiquaient un bouche-à-bouche style ventouse et ne faisaient plus qu'un sous la grande horloge comtoise. Dans le salon, certains dansaient, d'autres étaient affalés sur le canapé devant la télé dont le son était coupé. Sur l'immense écran plasma, on voyait un DJ de MTV se démener.

Dans le jardin d'hiver, des nanas jouaient à lancer des pièces dans un verre posé sur la table basse. Toujours pas de Tristan. Bon.

— Viens avec moi, me dit Scarlett.

Je la suivis dans le couloir et, de là, dans la cuisine, où des filles et des types fumaient et buvaient, perchés sur le plan de travail blanc étincelant et sur la table. Je vis Liza Corbin, naguère l'idiote et le laideron du lycée (avant qu'elle passe un été dans une école de mannequins, de maintien et de bonnes manières, puis quelques jours dans une clinique de chirurgie esthétique, pour se faire rectifier le nez) : elle était assise sur les genoux d'un footballeur et riait, la tête sur son épaule.

Une autre nana de ma classe d'appel avait les fesses sur le carrelage, genoux ramenés sous le menton, une bouteille d'alcopops à la main. Elle était verte comme si elle allait vomir. Scarlett prit un autre couloir et ouvrit une porte, surprenant une Latino qui, assise sur l'un des lits jumeaux, regardait une redif de *Falcon Crest* en faisant tapisserie.

— Oh, pardon ! lui dit Scarlett lorsqu'elle leva sur nous un regard terrorisé.

Elle referma la porte et hocha la tête en souriant.

— Ça doit être le chaperon...

— Ouais, possible, répondis-je.

Je commençais à penser que cette soirée n'était qu'une vaste fumisterie. On avait vu la quasi-totalité de l'équipe de football, toutes les pom-pom girls et environ la moitié des nains de notre lycée, mais pas le bout du nez de Tristan. Je me sentais complètement débile dans ma tenue choisie avec soin pour donner l'impression que je l'avais passée à la va-très-vite, comme si les mecs me filaient des rendez-vous à des fêtes chaque vendredi soir.

On monta à l'étage. Pas de Tristan non plus. Ça devenait crétin de le chercher dans tous les recoins de cette baraque. Si ça se trouve, il était à des kilomètres de là, peut-être en route pour l'océan ou DC, ou n'importe où ailleurs, parce que ça l'avait pris d'un coup sans prévenir.

Je compris qu'il y avait un problème au rez-de-chaussée avant qu'on redescende : un silence de mort s'était élevé jusqu'à nous, qui fut tout à coup déchiré par un hurlement de rage et de désespoir. Quand j'ai jeté un œil dans le salon, j'ai vu Ginny, puis du verre cassé et, enfin, une tache aussi rouge que sa robe sur le beau tapis. Rouge elle aussi, Ginny titubait en montrant la sortie.

— Ça suffit, maintenant ! Dégagez tous ! cria-t-elle aux gens rassemblés autour d'elle.

Ils reculèrent d'un pas, l'air trauma.

— Vous n'avez pas entendu ? *Dégagez*, j'ai dit !

— Oh, oh, murmura Scarlett. Je me demande ce qui s'est passé.

— Quelqu'un a cassé un souvenir de famille hyper précieux, souffla la fille devant nous.

Je la reconnus : elle était en gym avec moi.

— C'est du Wedgwood, ou du cristal, enfin, je n'en sais trop rien. Et puis quelqu'un a renversé du vin.

Ginny, maintenant à quatre pattes, frottait le tapis avec un T-shirt pendant que ses meilleures copines lui donnaient timidement des conseils de nettoyage.

Les autres se tiraient.

— On s'arrache, ça craint, ici, jeta une fille en petit top brassière qui passait devant nous. De toute façon, il n'y a même plus de bière.

Sa copine, une rouquine avec un piercing au nez, acquiesça et rejeta ses longs cheveux en arrière d'un geste théâtral.

— J'ai entendu dire qu'il y avait une fête organisée par une fraternité quelque part en ville. On y va ? Ce sera tout de même plus sympa que cette petite teuf de lycéens.

Un par un, les invités de Ginny se mirent en mouvement : ils rassemblèrent cigarettes et sacs, puis filèrent. Brett Hershey, décidément un vrai gentleman, avait trouvé une brosse et une pelle. Il balayait le verre cassé pendant que Ginny, assise sur le tapis, pleurait toutes les larmes de son corps dans le calme revenu.

Je regardai Scarlett, me demandant ce que nous devions faire.

— Au revoir, Ginny, à lundi, lança-t-elle aimablement de la porte du salon.

Ginny leva les yeux sur nous. Son mascara coulait et dessinait de grandes traînées sous ses yeux.

— Mes parents vont me tuer…, gémit-elle en tapotant le tapis blanc avec désespoir. Ce truc en cristal était un cadeau de mariage. Et comment cacher cette tache ?

— Essaie l'eau pétillante, lui conseilla Scarlett alors que j'entrouvrais déjà la porte de la maison, en espérant me tirer rapidos. Avec un peu d'eau de Javel. Tu verras, ça partira bien.

— De l'eau pétillante ? s'exclama Ginny. Merci.

On sortit, laissant la porte se refermer gentiment derrière nous. Quelqu'un avait jeté un pack de bières vide dans la fontaine et une bouteille flottait sur l'eau glougloutante. Scarlett ne disait rien, par respect pour ma mauvaise humeur.

— C'était nul, cette fête, lâcha-t-elle enfin quand on fut revenues à sa voiture.

— J'aurais dû m'en douter ! explosai-je. Son invitation, c'était du pipeau.

— Ça n'était pas mon impression, pourtant.

— De toute façon, je m'en fiche ! Je n'ai pas besoin de lui pour vivre ! conclus-je en montant dans la voiture.

Scarlett démarra.

— Moi aussi ! dit-elle avec humour. Au moins, je ne t'entendrai plus me raconter ton cours de gym dans ses moindres détails !

Elle fit marche arrière. De chaque côté de la rue, les belles maisons des Arbors se détachaient sur le ciel de la nuit.

— Fiche-moi la paix ! Cette histoire me saoule ! déclarai-je en posant ma tête contre la vitre de la portière.

Elle tapota ma cuisse.

— Je comprends, va.

Une fois arrivées à Lakeview, on s'est assises sur les marches de sa véranda et on a bu des Coca, dans un silence relatif. Scarlett n'arrêtait pas de se moucher, et moi, j'essayais de sauver les meubles, enfin, ma fierté, avec de misérables explications auxquelles ni elle ni moi ne croyions.

— Je n'ai jamais été amoureuse de lui. Ce type, il craint, en fin de compte. Il est ingérable.

— Oui, tu as raison.

Je la vis sourire dans la nuit.

— Ça n'est pas du tout ton genre de mec.

— Exactement ! Lui, son genre, c'est plutôt Ginny Tabor. Ou carrément Élisabeth Gunderson ! Une fille qui a autant de prestige que lui. J'ai vraiment été nulle de croire qu'il s'intéresserait à quelqu'un comme moi.

Scarlett s'appuya contre la porte et étira ses jambes.

— Pourquoi tu dis ça, Halley ?

— Ça ?

En face, chez moi, je vis Noah Vaughn passer devant une des fenêtres.

— Quelqu'un comme toi. Une fille à ton image... N'importe quel mec aurait une chance démente de t'avoir comme copine, Halley, et tu le sais. Tu es mignonne, intelligente, loyale et drôle. Élisabeth Gunderson et Ginny sont deux dindes qui font beaucoup de bruit pour rien. Toi, tu es unique en ton genre.

— Arrête, Scarlett, pitié.

— Je ne te demande pas de me croire, dit-elle en balayant mes paroles d'un geste, mais je sais que c'est vrai : je te connais par cœur. Tristan Faulkner aurait du bol si *toi*, tu choisissais de sortir avec lui !

Elle éternua, et chercha ses Kleenex.

— Zut, je n'en ai plus. Attends, je reviens.

Elle rentra. La porte se referma sans bruit derrière elle. Je restai seule dans l'escalier, puis m'adossai à la marche et observai ma maison, bien éclairée dans le ciel nocturne. Mon père faisait sans doute du pop-corn en buvant sa bière pendant que maman et Mme Vaughn papotaient en regardant le DVD ; résultat, personne n'entendait rien. Noah devait toujours bouder dans son coin, et Clara était déjà couchée et endormie dans mon lit. Son père la porterait dans la voiture, tout à l'heure. Je connaissais ces soirées du vendredi par cœur. Maman n'arrivait pas à percuter que je ne voulais plus les passer sur notre canapé avec un bol de pop-corn, assise entre elle et Noah. Et je me demandais pourquoi cette pensée pesait comme un poids sur ma poitrine, me coupait le souffle, et me rendait si triste que je ne pouvais même plus la regarder dans les yeux.

Je vis alors quelqu'un remonter la rue à grands pas, se faufiler chez les MacDowell, puis franchir la haie avant de s'enfoncer dans notre jardin. Je me redressai et regardai la silhouette passer entre la rangée d'arbustes que maman avait plantés le long de notre clôture, puis s'approcher sur la pointe des pieds du trou où papa s'était foulé la cheville l'été dernier. Je me levai, traversai la route et m'avançai.

La silhouette s'arrêta enfin sous la fenêtre de ma chambre et l'observa un instant, avant de ramasser un caillou qu'elle lança contre la vitre. Clink. Je me rapprochai pour mieux voir l'inconnu, qui lançait de nouveau un caillou. Cette fois, il manqua la vitre et heurta la gouttière, qui résonna. Maintenant, j'étais assez près pour entendre sa voix, un murmure.

— Halley ?

Silence. Troisième caillou sur la vitre de ma fenêtre.

— Halley !

Je me cachai derrière l'arbre dont le feuillage ombrageait ma chambre, l'été. J'étais alors à moins d'un mètre de Tristan Faulkner, qui semblait décidé à exploser les carreaux, ou du moins à les caillasser jusqu'à ce qu'ils s'autodétruisent.

— Halley !

Il s'approcha encore de la maison et leva la tête.

Je me glissai derrière lui sans bruit, tapai sur son épaule au moment où il s'apprêtait à jeter un caillou. Surpris, il a fait volte-face et lâché la pierre.

— Ah, merde, fit-il. Tu viens d'où ?

— Pourquoi tu veux casser la vitre de ma fenêtre ?

— Je ne veux pas la casser. Je voulais attirer ton attention.

— Pas la peine, je n'étais pas chez moi.

— Je ne le savais pas. Tu m'as fichu une de ces trouilles !

— Désolée.

Tristan Faulkner dans mon jardin ! L'y avais-je téléporté par la force de mon désir ?

— Comment sais-tu que c'est la fenêtre de ma chambre ?

— Je le sais, c'est tout.

Voilà, il ne s'embêtait jamais à donner des explications. En attendant, il s'était remis du choc de mon apparition subite et souriait comme si la situation était normale.

— Tu étais où ? demanda-t-il.

— Quand ça ?

— Ben, tout à l'heure. Tu avais dit que tu viendrais à la fête.

— Ah, j'y étais, dis-je d'un ton plutôt relax, mais pas toi.

— C'est faux : tu n'y étais pas.

— Je te jure que si. Et, d'ailleurs, on vient de rentrer.

— Impossible, j'étais chez Ginny Tabor dès 19 heures ! Je t'ai cherchée, je t'ai attendue, mais toi, tu m'as planté.

— Erreur : c'est toi qui m'as plantée, dis-je plus fort que lui. Scarlett peut en témoigner.

— Scarlett ? Elle n'était pas là non plus !

— Si. Avec moi.

Je regardai vers sa maison. Scarlett nous observait de sa véranda, la main au-dessus des yeux. Je lui fis un petit signe auquel elle répondit.

— J'étais à l'étage, reprit Tristan. Je ne t'ai jamais vue.

— Où, à l'étage ?

— Au grenier.

— On n'est pas allées au grenier.

— Pourquoi ?

— Hein ? Pourquoi, on aurait dû ?

— Je ne sais pas, dit-il, un peu perdu tout à coup. Moi, j'y étais bien.

La lumière s'alluma brusquement dans ma chambre. J'entendis ma fenêtre s'ouvrir. Mon père se pencha pour regarder dans le jardin. Je poussai Tristan dans l'ombre, puis m'avançai sous la lumière de la véranda.

— Coucou, c'est moi ! criai-je, effrayant mon père, qui sursauta et se cogna à la fenêtre.

— C'est toi, Halley ?

Puis il se détourna pour regarder dans ma chambre en se frottant le front.

— C'est seulement Halley, Clara, dit-il, tu peux te rendormir. Tout va bien.

Tristan avait levé les yeux vers mon père. Si jamais papa baissait les siens, il le verrait.

— Je cherchais quelque chose, repris-je subitement.

Comme je n'avais jamais menti à papa, je fus soulagée qu'il fasse nuit.

— J'avais perdu le bracelet de Scarlett et on l'a cherché.

Mon père se pencha pour scruter le jardin.

— Un bracelet ? Scarlett est là ?

— Oui !

C'était facile de mentir. Ça coulait comme de l'eau.

— Enfin, non. Elle était là, mais, comme on a retrouvé son bijou, elle est rentrée chez elle. La pauvre, elle a la crève. Je m'apprêtais à la rejoindre quand tu as ouvert la fenêtre.

À mes côtés, Tristan se marrait en silence.

— Il va être l'heure de rentrer, reprit papa. Il est presque 22 h 30.

— J'ai jusqu'à 23 heures.

— Vous devriez venir, Scarlett et toi. On regarde le DVD que Noah a amené et je viens de préparer une pleine jatte de pop-corn !

— Sympa, mais je ferais mieux d'aller rejoindre Scarlett, dis-je à la hâte en reculant dans l'ombre des arbres. À demain !

Là-dessus, papa claqua des doigts.

— Demain, tu as en effet rendez-vous...

Pause absolument théâtrale de mon père.

— ... avec la Bête ! déclama-t-il.

J'ai cru que j'allais mourir d'humiliation.

— La Bête ? C'est quoi ? murmura Tristan en souriant.

Papa poussait maintenant des rugissements de lion.

La Bête, c'était le petit nom que papa avait donné à sa tondeuse à gazon, son bien le plus précieux. En attendant, ses grognements me fichaient sacrément la honte.

— Ah oui, c'est vrai ! répondis-je, en lui ordonnant, par télépathie, de disparaître.

— Ne reste pas dans le jardin, d'accord ? conclut papa en refermant la fenêtre en deux temps (à mi-chemin, elle bloquait toujours, il fallait pousser, c'était chiant). Tu as fait peur à Clara.

— D'ac.

Je gardai les yeux fixés sur le plafond de ma chambre jusqu'à ce que la lumière s'éteigne.

— Tu es une sacrée menteuse ! déclara Tristan, revenant dans le rond de lumière.

— Pas du tout ! Enfin, pas souvent. Mais papa se serait posé des questions, s'il t'avait vu.

— Tu veux que je parte ?

Il s'approcha. Malgré la nuit, je voyais son visage : je le connaissais par cœur, après avoir passé mes cours de gym à l'admirer, à travers le filet de badminton.

— Oui ! dis-je, trop fort.

Il fit semblant de s'éloigner, mais je le rattrapai et le retins.

— C'était pour rire. Reste.

— Sûre ?

— Sûre.

Un instant, j'ai eu l'impression de n'être plus moi-même, mais une autre, effrontée et imprudente. C'était à cause de Tristan. Il avait un je-ne-sais-quoi qui m'obligeait à agir différemment. Et c'est ce qui colorait la silhouette aux contours noirs sous laquelle je me voyais. Je ne lâchai pas son bras, mon visage me brûlait. Dans la nuit, j'aurais aussi bien pu être Élisabeth Gunderson, Ginny Tabor, ou même Scarlett, enfin le genre de filles à qui *ça*, ça arrivait. Et, au moment où Tristan s'est penché pour m'embrasser, je n'ai plus eu qu'une seule pensée : c'était extraordinaire qu'il m'embrasse pour la première fois dans mon jardin, qui m'était si familier.

À ce moment, une voiture, toutes vitres ouvertes et radio à fond, déboula dans ma rue, passa devant chez moi en klaxonnant, puis tourna sur Honeysuckle, où elle se gara, moteur ronronnant.

— Il faut que je file, dit Tristan, et il m'embrassa de nouveau. Je t'appelle demain.

— Attends… Où tu vas ?

Il s'éloignait déjà, mais il retint ma main dans la sienne jusqu'à ce qu'il doive la lâcher.

Une voix s'éleva soudain dans la rue.

— Hé, Faulkner, tu te ramènes, oui ou merde ?

— Bye, Halley, murmura-t-il.

Il me sourit tandis qu'il s'éloignait, longeant la maison, puis s'enfonçait peu à peu dans la nuit de notre jardin. Il se baissa lorsqu'il passa devant la fenêtre de la cuisine, où se tenait Noah Vaughn. Noah me fixait avec son visage de pierre solennel, un verre à la main. Il ne pouvait pas voir ce que je voyais : Tristan happé par le noir et disparaissant comme par magie.

Le lendemain, mon père souriait lorsque que je sortis dans le jardin : il se régalait d'avance.

— Salut à toi, petite jardinière en herbe ! Prête à dompter la Bête ?

Et, comme hier, papa se mit à pousser des rugissements de lion.

— Tu n'es pas drôle, papa.

— Mais bien sûr que si !

Il éclata de rire.

— Dis donc, commence avant qu'il ne fasse trop chaud ! Tu en as tout de même pour deux bonnes heures.

— Arrête ! coupai-je alors que mon père se tordait de rire.

Mon père est convaincu que tondre notre gazon, c'est la galère des galères. Les jardiniers des services d'entretien paysager et les petits mecs du quartier qui se faisaient des sous en tondant les pelouses des voisins avaient tous déclaré forfait. Papa était le seul à tondre la nôtre sans souci ; il se voyait donc comme un grand guerrier, le vainqueur toutes catégories de la tonte de pelouse.

— D'accord, voici la Bête ! dit-il en reprenant son sérieux. N'oublie pas le trou, entre les buissons de genévrier, où je me suis fait piéger, l'été dernier. Il y a aussi les racines des arbres, près de la clôture, qui ont un seul but : te faire déraper et caler. Sans compter les ornières, derrière la maison, et les souches cachées comme des mines. Mais je suis certain que tu te débrouilleras comme un chef, ma fille.

— Justement : laisse-moi.

Je fis démarrer la tondeuse et la poussai. Papa me suivit, sans cesser de se marrer.

Quelle chaleur dans notre jardin ! Le soleil m'aveuglait et cette satanée tondeuse à gazon faisait un boucan inimaginable. J'ai vite fatigué, et, forcément, j'ai oublié le célèbre trou qui avait vaincu papa l'an dernier. Je me suis tordu la cheville et je suis tombée tandis que la tondeuse dérapait et calait. À ce moment-là, mon père avait cessé de me suivre pas à pas, et il parlait gazon, golf ou je ne sais quoi, par-dessus la clôture, avec M. Perkins, notre voisin. Ni l'un ni l'autre ne remarqua que je m'étais cassé la figure, et que, de colère, je donnais des coups de pied à la tondeuse.

J'entendis klaxonner et me détournai au moment où un pick-up rouge avec une bâche verte se garait devant chez nous. C'était Tristan.

— Salut ! dit-il en claquant la portière de sa voiture. Ça va ?

— Super. En fait... non. Je viens de m'étaler dans le jardin.

Je regardai mon père, qui nous observait.

— C'est ton père ? demanda Tristan.

— Ouais.

Là-dessus, Tristan jeta un œil sur notre jardin, la bande de gazon que j'avais petitement tondue et l'herbe bien haute partout ailleurs, parce qu'il avait plu pendant toute la semaine.

— Je vois. Tu as besoin d'aide, me dit-il avec assurance.

— Mais tu ne vas tout de même pas...

Il revenait déjà près de son pick-up, en relevait la bâche sur une tondeuse à gazon deux fois plus grosse que la nôtre, qu'il fit descendre par une rampe de déchargement. Puis il tourna la visière de sa casquette

« Jardiservice, les Pros » vers l'arrière, vérifia l'essence et examina les roues de sa tondeuse.

— Tu ne sais pas ce qui t'attend ! lui dis-je. Ce jardin, c'est un champ de mines ! Il faudrait une carte pour éviter les endroits où tu risques ta vie.

— Tu doutes de mes talents ? demanda-t-il en levant les yeux vers moi. J'espère bien que non.

— Non, évidemment ! répondis-je très vite. Mais, tout de même, c'est super dur.

— Laisse-moi rire ! répondit-il en me faisant signe de reculer. Bon, ne reste pas là.

Il se releva, tira sur le cordon pour démarrer. La tondeuse rugit, et Tristan se mit au travail. Sa machine avala gloutonnement le gazon en faisant des bandes deux fois plus larges que celles effectuées par la Bête. Je tournai les yeux vers mon père : il observait Tristan, qui slalomait adroitement entre les racines des arbres et passait au-dessus du trou, puis continuait, sans mal, le long de la clôture.

— Halley ? hurla mon père pour couvrir le rugissement infernal. C'était censé être ton boulot...

— Ah, mais je bosse, moi aussi ! répondis-je en démarrant la Bête, qui couina comme un jouet mécanique, et en la poussant vers les buissons de genévrier. Ça ne se voit pas ?

Je n'entendis pas sa réponse, parce que Tristan repassait avec sa tondeuse exterminatrice, qui avalait le moindre brin d'herbe trop long et laissait derrière elle une belle bande bien nette. Il adressa un petit signe à mon père, en superpro, puis disparut derrière la maison. Le terrible grondement du moteur terrorisa les oiseaux dans la mangeoire de la véranda – ils s'envolèrent d'un coup.

— Qui c'est, ce garçon ? s'écria papa, qui se penchait pour le suivre des yeux.

— Hein ?

Je tondais le gazon autour des arbres près de notre clôture. L'odeur de l'herbe fraîchement coupée était douce et amère à la fois.

— Qui c'est ? hurla papa.

Je coupai le moteur de la Bête. Toujours derrière la maison, Tristan slalomait entre des souches cachées. Mon père le regardait, et je voyais bien que ça lui faisait un gros choc.

— C'est mon ami, répondis-je.

Je ne sais pas sur quel ton je l'ai dit, mais papa a tout à coup changé de couleur et j'ai compris que le gazon était devenu le dernier de ses soucis. Au même moment, ma mère sortit dans la véranda, sa tasse de café à la main.

— Brian ? Tu as vu ? Il y a un inconnu qui tond notre pelouse.

— Je sais. Ne t'inquiète pas, Julie, je maîtrise la situation.

— Je pensais pourtant que c'était le boulot de Halley, reprit maman, parlant de moi comme si j'étais à l'autre bout du monde.

— C'est vrai, répondit-il d'une voix lasse. Mais tout est sous contrôle.

— Je l'espère.

Maman rentra dans la maison, mais, méfiante, continua de nous observer par la porte moustiquaire.

— Je pensais que c'était ton boulot de tondre la pelouse, remarqua papa, répétant à la lettre le petit texte que maman venait de lui souffler.

— Ça n'est pas ma faute, je ne lui ai rien demandé, répliquai-je, alors que la tondeuse de Tristan rugissait près du garage. On en a juste parlé, hier soir, et il s'en est souvenu. Il tond le gazon partout dans le quartier, papa. Il a seulement voulu me donner un petit coup de main.

— N'empêche que c'était ton boulot, insista mon père, brave mais vaincu.

Tristan et son monstre étaient revenus, et il terminait de tondre le carré d'herbe près de notre allée. Enfin, il s'approcha de nous dans un boucan hallucinant et coupa le moteur. Tous les trois, on est restés à se regarder dans le silence revenu. Il y avait eu tant de bruit que mes oreilles bourdonnaient encore.

— Tristan, dis-je lentement, je te présente mon père. Papa, c'est Tristan Faulkner.

Tristan tendit la main et serra celle de mon père, puis s'appuya contre sa tondeuse et retira sa casquette.

— Tondre votre jardin, c'est presque mission impossible ! dit-il enfin. Vos souches, là-bas, elles ont bien failli me tuer !

Papa ne savait pas trop comment réagir. Il devait se demander ce que maman aurait fait ou pensé, mais, finalement, il a souri. Puis il a reculé, les mains dans les poches.

— Je confirme : ces souches en ont découragé plus d'un.

— Ça, je vous crois ! renchérit Tristan.

Par-dessus sa tête, je vis maman qui nous observait, du pas de la porte. Impossible de deviner ce qu'elle pensait.

— Cette tondeuse est équipée de capteurs de contact, ou capteurs de choc, si vous préférez : vous voyez, juste là ? reprit Tristan. Ça vous facilite drôlement le boulot.

— Des capteurs de contact ? De choc ? interrogea mon père, qui s'approcha pour examiner l'écran de contrôle de la tondeuse.

Papa était évidemment déchiré entre sa conscience, qui lui ordonnait de jouer les pères la morale, et sa folle passion pour le matériel de jardin.

— Oui. Regardez, là, reprit Tristan en pointant son index. Quand la tondeuse rencontre un obstacle, par exemple des roches ou des arbres, elle part dans une autre direction. Et, grâce à un capteur de coupe placé sur son disque de coupe, elle détecte les endroits où l'herbe est plus haute ; plus les brins sont longs, plus la résistance exercée est forte !

— Capteurs de contact, capteur de coupe, répéta mon père, ravi.

À cet instant, la porte d'entrée s'ouvrit et la voix de maman s'éleva, rompant net la douce rêverie de papa. Parfois, maman avait une voix qui ressemblait à un coup de sifflet dont elle ne pouvait doser la stridence.

— Brian ? Tu pourrais venir, s'il te plaît ?

Mon père obéit, regardant avec envie la tondeuse de Tristan.

— J'arrive.

Il tourna les yeux vers maman juste à l'instant où il arrivait en bas de l'escalier de la véranda. Maman lui parlait déjà, l'air en colère – ses lèvres bougeaient à toute vitesse.

— Merci, dis-je à Tristan. Tu m'as sauvé la vie.

— Pas de problème, dit-il en poussant sa tondeuse sur le trottoir. Bon, je dois la rendre. On se voit plus tard ?

— Oh oui, dis-je tandis qu'il remontait dans son pick-up.

Il retira sa casquette et la posa sur le siège.

— À plus.

Il partit et klaxonna deux fois dans le virage. Je remontai l'allée le plus lentement possible, vers la véranda où maman m'attendait.

— Halley, dit-elle avant même que j'atteigne la première marche. Je pensais avoir été claire : c'était ton boulot de tondre la pelouse du jardin.

— Oui, je sais. Il voulait juste m'aider.

Concentré sur un point éloigné au-dessus de ma tête, papa évitait mon regard.

— Qui c'est, ce garçon ?

— Juste un copain.

— Comment as-tu fait sa connaissance ?

— On est en gym ensemble, c'est tout.

J'ouvrais déjà la porte pour filer.

— Moi, je le trouve plutôt gentil, insinua mon père en observant tendrement sa pelouse.

— Ça, je ne sais pas, répondit maman, pensive. Vraiment pas...

Je montai dans ma chambre, feignant de ne pas l'avoir entendue. J'étais bien trop pressée de mettre mes secrets à l'abri.

DEUXIÈME PARTIE

QUELQU'UN COMME TOI

Chapitre 5

— Halley, j'ai besoin de toi, ça urge, me dit Scarlett pendant que je pesais les oranges et les prunes d'une cliente qui poussait ses deux braillards de gamins dans son chariot. Rendez-vous dans les toilettes.

— Hein ? demandai-je, distraite par le bruit, concentrée sur les fruits qui avaient eu la mauvaise idée de rouler sur le tapis de caisse.

— Dépêche, c'est tout ! souffla-t-elle en disparaissant dans le rayon des céréales sans me laisser le temps de protester.

Malheureusement, la file à ma caisse était longue et serpentait vers la tête de gondole « Spécial Halloween » et, de là, jusqu'au rayon des produits d'hygiène féminine. C'est donc un bon quart d'heure plus tard que je suis allée rejoindre Scarlett dans les toilettes.

Elle m'attendait, bras croisés devant le lavabo.

— Qu'est-ce qui se passe ?

Elle hocha la tête sans répondre.

— Quoi ? insistai-je. Parle, à la fin !

Pas de réponse. Elle a pris un truc derrière le distributeur d'essuie-main : un tube blanc avec un cercle au bout. Quand elle me l'a tendu, que j'ai vu une petite croix rose au milieu du cercle, j'ai tout de suite compris.

— Non ! Ça n'est pas possible !

Scarlett se mordait la lèvre.

— Si : je suis enceinte.

— Impossible !

— Puisque je te le dis. Regarde.

Elle secoua le stick devant mon nez jusqu'à ce que le petit signe rose s'embrume.

— Mais ces trucs-là, tout le monde sait que ça ne marche jamais ! dis-je, comme si je m'y connaissais en tests de grossesse.

— C'est le troisième que j'utilise.

— Et alors ?

— Et alors ? Trois tests de grossesse, trois tests positifs : les probabilités d'erreur sont minimes, non ? De plus, depuis trois semaines, je suis malade tous les matins et je n'arrête pas d'aller faire pipi. Tous les signes sont là : je suis enceinte, je te dis.

— Non ! C'est impossible.

J'entendis une voix dans ma tête, la voix de maman qui disait : « Déni de réalité ».

— Mon Dieu, qu'est-ce que je vais faire ? demanda-t-elle en s'agitant, les nerfs en boule. Et dire que je l'ai fait seulement une fois...

— Toi, tu l'as fait ?

Scarlett s'arrêta de trépigner.

— Bien sûr ! Mais enfin, Halley, atterris un peu ! J'ai besoin de toi, là !

— Pourquoi tu ne me l'as jamais dit ?

Elle poussa un gros soupir énervé.

— Je n'en sais rien. Peut-être parce que Michael est mort le lendemain. Imagine un peu dans quel état j'étais !

— Mais... vous n'avez pas utilisé de... enfin, des capotes ?

— Bien sûr que si ! Pourtant, il s'est passé un truc bizarre, je ne sais pas très bien. Le préservatif est parti, mais je l'ai compris seulement quand ça a été fini.

— Ah bon... parti ?

Ça n'était pas clair, mais je n'étais pas très au point sur le sujet.

Elle parlait de plus en plus vite, de plus en plus fort.

— Je pensais qu'on ne tombait jamais enceinte, la première fois. Que ça ne se pouvait pas.

— Oh là là !

— C'est fou ce qui m'arrive... Je ne peux pas avoir un bébé, Halley !

Elle pressa ses doigts sur ses tempes, un geste que je ne l'avais jamais vue faire.

— Non, c'est évident !

— Alors je dois me faire avorter ?

Elle secoua aussitôt la tête.

— Impossible... Alors je devrais peut-être le garder ?

— Oh là là ! répétai-je.

— Par pitié, arrête de dire « oh là là », ça me crispe !

Elle s'est assise contre le mur et a ramené ses genoux sous le menton. Je me posai à côté d'elle, puis passai mon bras autour de ses épaules. On est restées les fesses sur le carrelage des toilettes de chez Milton pendant que les haut-parleurs diffusaient de la musique de supermarché.

— Ça va aller, dis-je de ma voix la plus réconfortante. On va assurer sur ce coup-là, je te le jure.

— Oh, si tu savais, Halley…, murmura-t-elle en s'appuyant contre moi. Il me manque… Il me manque tellement.

On regardait le test de grossesse, toujours sous nos yeux, avec le signe + côté face.

— Je comprends…

Je savais que c'était à mon tour d'assurer et de prendre la situation en main.

— Mais ça ira, Scarlett. Je te le promets.

N'empêche, j'étais morte de trouille.

Ce soir-là, on a programmé une réunion de crise dans la cuisine de Scarlett. Marion, qui ne savait pas encore la nouvelle, a dîné tranquillement, alors que Scarlett et moi, on était des piles électriques. Steve, alias Vladimir, passant chercher Marion à 20 heures, on était au taquet.

— Il est bientôt l'heure, dis-je à Scarlett, qui remplissait le porte-serviettes vide.

Marion se détourna et consulta l'horloge de la cuisine.

— Ah bon ? Déjà ?

Elle prit ses cigarettes et se leva.

— Bon… il vaudrait mieux que j'aille me préparer.

Elle sortait. Je regardai Scarlett, qui me regarda. On s'est affrontées des yeux pendant quelques secondes, jusqu'à ce que Scarlett prenne la parole dans un misérable murmure destiné à tout le monde et à personne.

— Attends.

Marion n'a pas entendu. Scarlett a donc haussé les épaules, l'air de dire : « J'aurais essayé, hein ? » Je me levai, prête à rappeler Marion, qui avait atteint la troisième marche de l'escalier, celle qui craquait, lorsque Scarlett a soupiré et repris, d'une voix plus forte :

— Marion. Attends.

Sa mère est redescendue sur le seuil de la cuisine. Elle avait l'air lessivé, la pauvre. Il y avait de quoi : aujourd'hui, elle avait dû faire des photos de deux énormes bonnes femmes qui voulaient être aussi sexy que Penélope Cruz. Et, comme si ça ne suffisait pas, l'une des deux avait absolument tenu à se faire photographier en guêpière et porte-jarretelle.

— Oui ?

— Il faut que je te parle.

Marion soupira.

— Qu'est-ce qu'il y a, encore ?

Scarlett me regarda comme si elle voulait que je prenne le relais. Marion commençait à s'énerver.

— Bon, vous me dites ce qu'il se passe ? reprit-elle en nous observant l'une après l'autre.

— C'est que ça ne va pas. Mais alors, pas du tout, commença Scarlett, qui se mit à pleurer à chaudes larmes.

— Qu'est-ce qui ne va pas ? interrogea Marion, complètement paniquée. Scarlett, pour l'amour du ciel, dis-le-moi tout de suite !

— C'est que je ne peux pas…, déclara Scarlett en sanglotant de plus belle.

— Parle ! la pressa Marion, qui mit un poing sur sa hanche.

C'était l'attitude préférée de maman, mais elle semblait déplacée chez Marion. Un peu comme si elle venait de mettre un chapeau de clown et un nez rouge.

Scarlett a tout déballé.

— Je suis enceinte.

Dans le silence, j'entendis le robinet de l'évier qui gouttait. Puis Marion a repris la parole.

— Depuis quand ?

À ces mots, Scarlett a eu l'air perdu. Normal, elle s'était attendue à une autre réaction.

— *Quand ?* balbutia-t-elle.

— Oui : depuis quand ?

Marion évitait de nous regarder.

— Heu..., commença Scarlett en tournant les yeux vers moi, toujours déboussolée. Je dirais depuis août.

— Août, répéta Marion, comme si ça répondait à toutes les questions.

Elle poussa un énorme soupir.

— Alors ça va.

Au même instant, on sonna. Par la fenêtre de la cuisine, j'aperçus Steve, alias Vladimir, dans la véranda, avec un gros bouquet. Il nous fit un gentil petit coucou et sonna de nouveau.

— Oh, mon Dieu, c'est déjà Steve..., fit Marion.

— Écoute, commença Scarlett en s'approchant d'elle. Je ne l'ai pas fait exprès, on a utilisé...

— On en reparlera plus tard, la coupa sa mère qui essaya d'arranger ses cheveux d'un geste nerveux, puis tira sur sa jupe en allant ouvrir. Je ne... je ne peux pas en parler pour le moment.

Scarlett s'essuya les yeux. Elle allait ajouter quelque chose, mais elle est sortie de la cuisine comme une bombe, a pris l'escalier quatre à quatre pour monter dans sa chambre, dont elle a claqué la porte. Marion a poussé un gros soupir pour se calmer et ouvert à Steve, souriant et très élégant dans son blouson de sport et ses mocassins. Il lui a tendu ses fleurs.

— Bonsoir ! Tu es prête ?

— Non, pas encore, répondit Marion très vite et avec un sourire forcé. J'ai oublié quelque chose dans ma chambre. Attends-moi, je reviens.

Marion monta à toute vitesse. Je l'entendis frapper à la porte de la chambre de Scarlett, l'appeler d'une voix étouffée. Là-dessus, Steve entra dans la cuisine. Il semblait plus banal que jamais dans la lumière jaune.

— Salut, me dit-il, moi, c'est Steve.

— Et moi, Halley, dis-je en essayant d'entendre ce qui se passait à l'étage. Enchantée de faire votre connaissance.

— Tu es une amie de Scarlett ?

— Oui.

J'entendis la voix de Scarlett qui montait. J'ai bien eu l'impression qu'elle traitait Marion d'hypocrite.

— C'est une gentille petite, reprit Steve. Alors, comme ça, tu t'appelles Halley ? C'est un prénom assez peu courant.

— C'est celui de ma grand-mère.

La voix sévère de Marion s'élevant de nouveau, je décidai de raconter ma vie pour distraire l'attention de Steve.

— Son père l'a appelée Halley à cause de la comète.

— Ah bon ?

— Oui. Ma grand-mère est née en mai 1910, au moment où la comète de Halley est passée. Son père la regardait, des jardins de l'hôpital où sa femme accouchait. Et en 1986, quand j'ai eu six ans, la comète est repassée et on l'a regardée ensemble.

— C'est fascinant ! commenta Steve, l'air intéressé.

— En réalité, je ne me souviens pas l'avoir vue. Il paraît que le ciel était voilé, ce jour-là.

— Ah bon.

Il eut l'air soulagé d'entendre Marion redescendre.

— Prêt ? demanda-t-elle avec sang-froid, en évitant mon regard.

— Prêt ! répondit Steve sur un ton enjoué. Ravi d'avoir fait ta connaissance, Halley.

— Oui. Moi aussi.

Steve passa son bras autour de la taille de Marion, puis ils sortirent et remontèrent l'allée. Marion hochait la tête tandis qu'il lui parlait et lui ouvrait la portière. Lorsqu'il a fait marche arrière, elle a levé les yeux vers la fenêtre de Scarlett.

Là-dessus je suis montée dans la chambre de ma meilleure amie. Elle était assise sur son lit, genoux remontés sous le menton. Les fleurs de Steve, toujours enveloppées dans leur papier cellophane tout froissé, gisaient sur la commode.

— Ça aurait pu être pire, lui dis-je.

Elle se força à sourire.

— Tu aurais dû l'entendre ! Marion m'a fait un baratin pas possible sur ses erreurs de jeunesse qui auraient dû me servir d'expérience. Comme si j'avais fait *ça* exprès, pour lui prouver qu'elle était la pire des mères !

— Non, c'est la mienne qui a le titre.

— Faux. Ta mère aurait pris le temps de discuter posément et avec mesure de la situation. Ensuite, elle t'aurait conseillée pour que tu choisisses la meilleure solution. Elle ne serait jamais partie faire la fête avec Vladimir le Guerrier.

— Je crois surtout que maman aurait fait un infactus et serait morte sur le coup.

Scarlett se leva, s'approcha de sa coiffeuse et se regarda dans le miroir.

— Marion a dit qu'on irait au centre d'IVG, lundi, pour prendre un rendez-vous. Pour un avortement.

Je m'approchai et aperçus mon reflet, derrière le sien.

— C'est ce que tu veux ?

— On ne peut pas dire qu'on ait eu le temps d'en parler.

Elle posa la main sur son ventre.

— Marion a dit qu'elle s'était fait avorter, quand j'avais six ou sept ans. Elle a dit que c'était rien.

— Ça doit être dur d'avoir un bébé, dis-je pour l'aider à se décider. Surtout à seize ans et demi. Tu as toute la vie devant toi.

— Comme Marion quand elle était enceinte de moi. Mais elle m'a gardée.

— C'était différent, dis-je mais, au fond, je savais que non.

À l'époque, Marion était en terminale, et sur le point d'entrer dans une université réservée aux femmes, sur la côte Ouest. Le père de Scarlett jouait dans l'équipe de football et était président du conseil des élèves de son lycée. Après, il était parti étudier dans une grande université de la côte Est, et jamais plus Marion ne l'avait revu ni contacté.

— Me garder a sans doute été le seul acte égoïste de sa vie, déclara Scarlett.

— Arrête. Ne dis pas des horreurs pareilles.

— Mais c'est vrai ! Et puis, d'ailleurs, je me suis toujours demandé pourquoi elle l'avait fait.

Elle recula et laissa retomber ses mains. On avait passé des heures dans cette chambre, mais on n'avait jamais vécu une histoire pareille. Ce qui arrivait maintenant nous dépassait.

— Ça va aller.

— Je sais, dit-elle avec calme, en regardant nos deux reflets dans le miroir. J'en suis sûre.

C'était prévu pour vendredi prochain. On n'en parlait pas ouvertement, on en discutait à voix basse, sans prononcer le mot. Un grand silence était tombé sur la maison de Scarlett. Pour Marion, c'était déjà une affaire classée. Elle avait assisté à la consultation de l'équipe psycho-médicale du centre d'IVG avec Scarlett, et réglé tous les détails. Au fur et à mesure que la semaine s'écoulait, Scarlett devenait de plus en plus calme.

Vendredi matin, c'est maman qui m'a conduite au lycée. Je lui avais expliqué que Scarlett avait des trucs à faire ce jour-là. Manque de chance, on s'est retrouvées juste derrière la voiture de Marion à un feu, à la sortie de Lakeview. Marion et Scarlett ne nous ont pas vues. Scarlett regardait par la vitre et Marion fumait à la sienne, coude sur la portière. Je n'arrivais toujours pas à réaliser que Scarlett était enceinte et que, la prochaine fois que je la verrais, elle ne le serait plus.

— Tiens, c'est Scarlett, annonça maman. Tu m'avais pourtant dit qu'elle n'irait pas au lycée aujourd'hui.

— Elle n'y va pas. Elle a un rendez-vous.

— Oh. Elle est malade ?

— Non.

Je mis la radio. Tout de suite, la voix de mon père a envahi la voiture.

« Il est 8 heures passées de quatre minutes. Brian avec vous. Vous écoutez T104, la seule bonne raison de se lever le matin... »

— Elle doit tout de même avoir un problème de santé si elle se rend chez le médecin, reprit ma mère lorsque le feu repassa au vert.

Marion et Scarlett tournèrent à gauche, direction le centre-ville.

— Je ne crois pas qu'elle ait rendez-vous chez le médecin. Je ne sais pas où elle va.

— Alors peut-être chez le dentiste ? continua maman, pensive. Tiens, ça me rappelle que tu as bientôt une visite de contrôle et un détartrage.

— Si Scarlett va chez le dentiste ? Ça, j'en sais rien.

— Elle va manquer toute la journée, ou seulement la matinée ?

— Elle ne me l'a pas dit.

Je m'énervai sur mon siège en regardant le bus scolaire devant nous.

— Je pensais pourtant que vous n'aviez aucun secret l'une pour l'autre, reprit ma mère, qui me regarda en riant.

Était-ce une insinuation ?

Toutes les paroles de maman semblaient avoir un double sens, désormais : c'est un peu comme si elle avait parlé un langage impossible à décrypter sans décodeur, avec un alphabet spécial que je ne possédais pas. « Elle va se faire avorter, voilà, tu es contente, maintenant ? » eus-je envie de crier, rien que pour voir sa tête. J'imaginais maman se désintégrant, disparaissant dans un nuage de fumée ou se diluant comme la méchante sorcière de l'Ouest du *Magicien d'Oz*.

Quand on s'est garées sur le parking, je n'avais jamais été aussi contente de ma vie d'arriver au lycée.

— Merci, dis-je en l'embrassant rapidement sur la joue, trop pressée de filer.

— Surtout, rentre aussitôt après le lycée ! me rappela-t-elle. Je prépare un bon dîner, ce soir. De plus, nous devons parler de ton anniversaire, d'accord ?

Ah oui, demain, j'allais avoir seize ans. Ça m'était totalement sorti de la tête... Le plus drôle, c'est que, quelques mois plus tôt, je ne pensais qu'à cette étape pour passer mon permis, être libre et tout.

— D'accord. À ce soir.

Je m'éloignai. J'entrai dans le lycée, me perdis dans la foule des élèves. Je traversais le bâtiment administratif pour rejoindre la cour lorsque je vis Tristan. Il semblait toujours surgir de nulle part, c'était magique, je ne le voyais jamais s'approcher.

— Salut ! me dit-il en passant son bras derrière mes épaules.

Il sentait bon les Jolly Ranchers à la framboise, la fumée et l'après-rasage, un mélange assez rigolo que j'avais appris à aimer.

— Ça va ? fit Tristan.

— Ça irait mieux si ma mère ne me prenait pas tout le temps la tête. J'ai bien failli l'étrangler, sur la route !

— Ah bon, c'est elle qui t'a conduite au lycée ce matin ? Où est Scarlett ?

— Elle ne vient pas, aujourd'hui.

J'avais plus de mal à mentir à Tristan qu'à maman.

— Ah. Bon, réserve-moi l'intégralité de ta soirée, demain.

— Pourquoi ?

— Une balade surprise pour ton anniv !

— Où ça ?

Il me sourit.

— Tu verras bien.

— D'accord ! Je suis tout à toi, dis-je, refusant de penser à la fête que maman voulait organiser pour mes seize ans : vacherin glacé, dîner et tout le tralala avec les Vaughn chez Alfredo, mon restau préféré.

L'heure du premier cours a sonné. Tristan m'a accompagnée jusqu'à ma salle, mais il a opéré un demi-tour quand des chevelus à l'air pas bien réveillé lui ont fait signe de les rejoindre sur le parking. Je les avais rencontrés quelques jours plus tôt, alors que j'étais en vadrouille avec Tristan. Même si je connaissais Tristan de mieux en mieux, il gardait certaines choses de sa vie secrètes : il y avait des gens, des endroits et des activités dont j'étais exclue. Il me téléphonait tous les jours en début de soirée, comme ça, pour le plaisir de me faire coucou. Après... mystère !

— Il faut que j'y aille, me dit-il en m'embrassant à la hâte.

Je sentis qu'il glissait quelque chose dans la poche arrière de mon jean, avant de s'éloigner. Je savais déjà ce que c'était : un Jolly Rancher à la framboise. J'avais toute une collection de sucreries que je conservais comme un trésor dans une corbeille sur mon bureau.

— Tu sèches, aujourd'hui ? lui lançai-je.

Je me prétendais rebelle, mais je l'étais juste dans ma tête : je n'avais jamais séché le lycée. Tristan, lui, avait un taux d'absence bien supérieur à la moyenne, et je n'avais jamais osé lui demander quelles étaient ses notes. Les magazines féminins affirmaient qu'une femme ne pouvait pas changer un homme : je l'apprenais sur le vif.

— On se voit en gym, me dit-il seulement.

Il se dirigea vers le parking, son cahier encore tout neuf, parce qu'il ne l'avait sans doute jamais ouvert, sous le bras. Des filles de mon cours d'anglais ont rigolé bêtement quand elles sont passées devant moi, puis elles l'ont regardé s'éloigner. Tristan et moi, on faisait la une des bruits de couloir depuis deux semaines. Un mois plus tôt, j'étais « Halley, la copine de Scarlett » ; maintenant, j'étais « Halley, la petite amie de Tristan Faulkner ».

À la fin de mon cours de communication visuelle et de design graphique, qui précédait le cours de gym, un surveillant frappa à la porte et tendit un papier à Mme Pate. Elle le lut, leva les yeux sur moi et me dit de prendre mes affaires. Le surveillant me conduisit ensuite dans les bureaux de l'administration.

Je le suivais, angoissée, en me demandant ce qui allait me tomber sur le coin de la figure, et pourquoi. Lorsque j'arrivai au guichet, la réceptionniste me tendit le téléphone.

— C'est ta mère.

Flash. Papa était mort. Mamie Halley était morte. Je l'étais moi-même à moitié lorsque je pris le combiné.

— Allô, maman ? balbutiai-je.

J'entendis une voix de femme inconnue.

— Quittez pas, mon petit chou.

Puis j'entendis des voix étouffées. Et, enfin, celle de Scarlett.

— Allô ?

— C'est toi, Scar…

— Chuttt... N'oublie pas : tu es censée parler à ta mère.

— Ah oui.

Occupée à discuter avec un élève en retard, la réceptionniste ne faisait pas attention à moi.

— Que se passe-t-il ?

— Il faut que tu viennes me chercher au centre d'IVG.

Je regardai l'horloge. Il était seulement 10 h 15.

— C'est déjà fini ?

— Non.

Silence.

— J'ai changé d'avis. Je garde le bébé.

Elle semblait calme, sûre d'elle. Je ne trouvai rien à dire.

— Où est Marion ?

— Je lui ai dit de me laisser, parce qu'elle me stressait. Je devais lui téléphoner pour qu'elle vienne me chercher, quand tout serait fini.

— Je vois.

— Tu peux venir ? S'il te plaît.

— Bien sûr, dis-je tandis que la réceptionniste me regardait, mais tu sais, maman, il me faut une autorisation de sortie.

— Ah oui, c'est vrai ! s'exclama Scarlett. Écoute, je vais repasser le téléphone à ma copine Mary. Je suis sur First Street, tu te souviens ? Dépêche, Halley.

— J'arrive tout de suite ! répondis-je en me demandant comment j'allais arriver, puisque je n'avais pas de voiture.

J'entendis de nouveau un bruit de voix étouffées : Scarlett donnait ses instructions à la dénommée Mary, qui reprit le combiné.

— Ici Mme Cooke.

— Ne quitte pas ! dis-je.

Je tendis le téléphone à la réceptionniste.

— Maman veut vous parler.

Elle remit son stylo derrière l'oreille et prit le téléphone.

— Oui, allô, madame Cooke ?

Je me concentrai sur le registre des retards, grand ouvert sur le guichet, en essayant de garder mon calme.

— Si Halley peut quitter le lycée maintenant ? Bien entendu, ça ne pose aucun problème. Je vais lui donner une autorisation de sortie. Oui... Je vous en prie, madame Cooke.

Elle raccrocha et rédigea aussitôt mon autorisation de sortie.

— Tu la montreras au vigile, lorsque tu sortiras du parking. Et à tes professeurs, pour justifier ton absence.

— Oui, acquiesçai-je, alors que la sonnerie retentissait et que le couloir commençait à se remplir. Merci.

— J'espère que l'opération se déroulera sans encombre, conclut-elle en m'observant avec attention.

— Moi aussi. Merci...

Là-dessus, j'allai attendre Tristan devant le gymnase. Au moment où je le vis filer vers les vestiaires, je l'attrapai par l'ourlet de son T-shirt. Il se tourna et me sourit.

— Salut !

J'adorais quand il était aussi content de me voir : je me sentais toute chose.

— Qu'est-ce qu'il y a ?

— Il faut que tu m'aides, Tristan.

— Pas de problème. Dis-moi comment.

— Il faut que tu sèches le cours de gym avec moi.
Il réfléchit un quart de seconde.
— C'est bon. On file.
— Il faut aussi que tu me conduises au centre-ville.
— En ville ?
— Oui.
Il haussa les sourcils.
— Ça marche, on est partis !
On traversa le parking jusqu'à sa voiture. Arrivés là
il débarrassa le siège passager des câbles et du matériel
vidéo qui l'encombraient. Dedans, ça sentait la fumée
et les bonbons. Son odeur à lui. Tristan avait toujours
une voiture différente, ce qu'il ne s'était jamais donné
la peine de m'expliquer. Un jour, c'était une Toyota,
un autre, un pick-up ou une voiture étrangère qui
sentait le parfum de luxe. Mais, dans chacune, il y
avait des papiers de bonbons par terre et dans les
cendriers.
Aujourd'hui, Tristan avait la Toyota.
— Attends ! dis-je alors qu'il démarrait. Ça ne va
pas le faire, tu n'as pas d'autorisation de sortie.
— T'inquiète donc pas.
Il sortit un morceau de papier de derrière le pare-
soleil, y griffonna deux ou trois phrases, puis on roula
jusqu'à la guérite du gardien du parking. Le type, un
Afro-Américain que tout le monde appelait Mister Joe,
en sortit avec son grand registre et une expression
d'ennui difficile à ignorer.
— Attends, Tristan ! dis-je alors qu'il ralentissait.
J'étais certaine que son truc du Jedi ne marcherait
pas sur Mister Joe.
— Tu vas te faire choper, on devrait...

— Laisse, je te dis, coupa Tristan en baissant la vitre de sa portière alors que Mister Joe s'approchait.

Le soleil se reflétait sur son badge « Sécurité », un machin en plastique qu'il avait dû acheter en solde dans un supermarché.

— Salut, Joe ! Quoi de neuf ?

— Pas grand-chose, répondit Joe en me regardant avec méfiance. Tu as une autorisation de sortie, Faulkner ?

— Ouais, répondit Tristan en lui tendant son papelard.

Joe le parcourut et le lui rendit, puis me regarda.

— Et toi ?

— La voilà, dit Tristan gaiement en prenant mon mot, qu'il lui donna.

Joe l'examina avec méfiance, un long moment.

— Sois prudent, Faulkner, je ne plaisante pas, reprit Joe en me rendant mon autorisation.

— Bien entendu.

Joe marmonna je ne sais quoi, puis regagna sa chaise, dans sa guérite, tandis que Tristan et moi, on prenait la route, enfin libres.

— J'hallucine, c'est trop génial ! m'exclamai-je tandis qu'on roulait vers le centre-ville.

Aujourd'hui, un vendredi, je séchais les cours ! Pour la première fois de ma vie !

Je regardai autour de moi avec des yeux neufs ! Tout me semblait plus beau, plus coloré et plus sympa : c'était le monde tel qu'il était en semaine, de 8 h 30 à 15 h 30, un monde que je ne connaissais pas.

— Tu vois, je t'avais dit de ne pas t'inquiéter, me dit Tristan, tout fier.

— Tu as un stock d'autorisations ?

Je tendis la main vers le pare-soleil. Tout en riant, il me prit le poignet pour m'arrêter.

— Juste quelques-unes, pas une collection.

— Tu es incroyable !

J'étais vraiment très impressionnée.

— Le pire, c'est que Joe l'a à peine regardée...

— C'est parce qu'il m'aime bien. Bon, on va où ?

— First Street.

Il changea de file et mit son clignotant.

— Qu'est-ce qu'il y a, sur First Street ?

Je le contemplai. Il était trop mignon, je pouvais, non, je *devais* lui faire confiance. Scarlett et moi, on n'avait pas le choix.

— Scarlett qui nous attend.

— C'est toi qui commandes, beauté !

Je regardai par la vitre de la portière. On fonçait sur la route, c'était fantastique. Les maisons, la route et le ciel bleu formaient un long ruban qui semblait ne pas avoir de fin...

Scarlett était assise sur un banc en face du centre d'IVG, à côté d'une très grosse femme qui portait un pull en laine et un chapeau de paille.

— Scarlett ! C'est nous, criai-je dès que Tristan eut ralenti.

La femme serrait sur ses genoux un petit chien, qui portait une collerette en plastique.

— Ça va ?

— Ça va, dit-elle rapidement en saisissant son sac, posé sur le banc.

Puis elle sourit à la bonne femme.

— Merci de tout cœur, Mary.

La dénommée Mary caressait son chien.

— Tu es une gentille petite cocotte.

— Merci..., répéta Scarlett.

Je lui ouvris la portière et elle monta sur le siège arrière.

— Je lui ai donné cinq dollars, me confia-t-elle ensuite.

Le chien nous regarda en bâillant.

— On y va, Tristan, je t'en prie, murmura Scarlett.

Tristan démarra. Nous abandonnâmes Mary et son toutou sur leur banc pour nous engager dans la circulation. Scarlett s'installa confortablement sur la banquette arrière, passa ses mains dans ses cheveux. J'attendis qu'elle parle la première.

— Merci d'être venus me chercher, déclara-t-elle après un moment.

— C'est normal, répondit Tristan.

— C'est normal, répétai-je en me détournant.

Mais Scarlett regardait par la vitre de la portière, perdue dans ses pensées. Quand Tristan s'arrêta au 7 Eleven et sortit faire le plein, je me retournai de nouveau.

— Scarlett ? Ça va ?

— Ça va...

— Alors ? demandai-je, hésitante. Que s'est-il passé, au juste ?

— Je n'ai pas pu, répondit-elle avec élan, comme si elle avait retenu son souffle en attendant que je l'interroge. J'ai essayé, Halley, je te le jure. Je connais tous les arguments contre : je suis jeune, j'ai la vie devant moi et l'université qui me tend les bras, et patati et patata. Mais, pendant que j'étais sur ce lit, pendant que je regardais le plafond en attendant le médecin, j'ai compris que je ne pouvais pas. C'est sûr, plus rien ne sera normal, désormais. Mais est-ce que ma vie a un jour été normale ? Grandir avec Marion ne l'a pas été. Perdre Michael non plus.

J'observai Tristan, qui faisait la queue devant la caisse en tripotant un paquet de Red Hots (des bonbons à la cannelle extraforts). Il y a deux mois, au moment de la mort de Michael, je ne le connaissais même pas...

— C'est sûr, ça ne sera pas facile, dis-je.

J'essayai de nous imaginer avec un bébé, mais je ne voyais qu'une espèce de brume, une forme vague dans les bras de Scarlett.

— J'imagine, oui..., déclara-t-elle en soupirant tout comme maman. Tout le monde va penser que je suis cinglée, carrément arriérée, mais je m'en fiche. C'est ma décision, et je sais que c'est la bonne. Tant pis si personne ne me comprend.

Je contemplai Scarlett, ma meilleure amie, qui m'avait si souvent encouragée, motivée et parfois même botté les fesses pour que j'ose vivre de jolies choses.

— Sauf moi. Moi, je te comprends.

— Sauf toi, murmura-t-elle en souriant.

À partir de cet instant, je n'ai plus remis son choix en question.

Nous avons passé la journée à glandouiller en voiture, à nous empiffrer de pizzas dans l'une des planques de Tristan, à chercher un mec pour une raison qui est restée floue et à écouter la radio, en bref, à tuer gentiment le temps. Scarlett a aussi téléphoné à Marion pour lui annoncer qu'elle rentrait à la maison en taxi. À ce moment-là, ça roulait. On maîtrisait la situation.

En fin d'après-midi, Tristan nous a déposées à quelques rues de la nôtre pour que j'aie l'air de rentrer en bus scolaire. Puis il a repris la route et donné un dernier coup de klaxon dans le virage. Scarlett s'est armée de courage pour rentrer et attendre Marion. Moi, j'ai été accueillie à la maison par un silence pesant, et par mon père, qui a décampé dès qu'il a vu le bout de mon nez. Mais j'avais eu le temps de comprendre, à sa tête, que j'allais avoir besoin d'un Milkshake Choco Keep Cool. Sinon deux. Et méga chocolaté. Je me suis donc préparée au pire.

— Coucou, c'est moi ! lançai-je.

Ça sentait bon les lasagnes dans le couloir. Qu'est-ce que j'avais faim !

Cette pensée m'a distraite le temps que maman sorte de la cuisine, un torchon de vaisselle à la main. Elle avait son regard de grand inquisiteur, signe que ça allait chauffer.

— Salut, toi, me dit-elle d'une voix égale en pliant son torchon. Tu as passé une bonne journée au lycée ?

— Heu, c'était…, commençai-je tandis que papa se glissait comme une ombre dans la cuisine.

— Si j'étais à ta place, j'y réfléchirais à deux fois avant de répondre, coupa maman de la même voix. Parce que, si tu mens, ta punition sera pire.

J'étais piégée. J'étais fichue.

— Je t'ai vue, Halley, aujourd'hui, à environ 10 h 45, enchaîna maman posément. C'est l'heure à laquelle tu es censée être en cours d'EPS. Tu étais en voiture et tu quittais First Street.

— Écoute, maman, je peux…

— Non ! dit-elle en levant la main pour me réduire au silence. Avant, tu vas me laisser terminer. Évidemment, j'ai tout de suite téléphoné à ton lycée, où l'on m'a appris, à ma plus grande stupéfaction, tu imagines, que *je* venais de demander à l'une des secrétaires de t'autoriser à rentrer à la maison, pour cause d'urgence familiale !

J'en avalai ma salive de travers.

— Je n'arrive pas à croire que tu aies menti. Et avec cette impudence !

Je fixai le carrelage. Que faire d'autre ?

— Tu as séché les cours pour parcourir la ville, en voiture, avec un garçon que je ne connais pas, et avec Scarlett, que j'ai connue plus raisonnable ! J'ai immédiatement contacté Marion, au studio. Inutile de te dire qu'elle était furieuse !

— Tu as dit à Marion que Scarlett était avec nous ?

Donc Marion savait. Scarlett, déjà jugée et condamnée, n'aurait ni le temps ni les moyens d'assurer sa défense.

— Oui ! Et nous sommes tombées d'accord sur un point : si sécher, c'est votre nouvelle lubie, nous allons tout de suite y mettre un terme ! Je ne veux pas de ça, Halley, tu m'entends ? Tu as déjà dépassé les bornes, cet été, en fréquentant cette Ginny Tabor, et en abrégeant ton séjour au camp, mais, aujourd'hui, c'est la goutte d'eau qui fait déborder le vase. Je n'accepterai pas que tu défies impunément mon autorité. Alors, maintenant, tu vas monter dans ta chambre et tu y resteras jusqu'à ce que je t'autorise à en sortir.

— Mais...

— Il n'y a pas de « mais » ! Monte dans ta chambre, Halley. Et tout de suite !

Maman était dans une telle colère qu'elle tremblait. Au cours de l'été, un malaise assez difficile à expliquer était né entre nous, comme un début d'irritation. Ou d'inflammation. La période d'incubation était finie :

ce soir, ça explosait. Et encore, maman ignorait le quart de la moitié de la vérité.

Je montai dans ma chambre, me postai à ma fenêtre et décrochai le téléphone, puis formai le numéro de Scarlett. Tandis que ça sonnait, je vis la voiture de Marion tourner en haut de notre rue. Scarlett décrocha au moment où Marion ralentissait pour entrer dans le garage.

— Fais gaffe, murmurai-je en vitesse. On nous a repérées aujourd'hui. Marion sait tout.

— Quoi ? Mais non, elle ne sait rien ! Elle pense que j'ai pris un taxi pour rentrer à la maison !

— Je te dis que non.

J'entendis maman qui montait.

— Ma mère lui a téléphoné, déballai-je à toute vitesse. Elle sait.

— Elle... quoi ? s'exclama Scarlett tandis que Marion entrait dans le parking.

— Halley, raccroche *tout de suite* ! s'écria ma mère de l'autre côté de la porte, en s'énervant sur la poignée – car, alléluia, je m'étais enfermée à clé.

— Faut que je te laisse..., dis-je en raccrochant rapidement.

De la fenêtre de ma chambre, j'observai Scarlett dans sa cuisine, qui tenait toujours le téléphone et regardait dans ma direction tandis que Marion entrait, le doigt déjà pointé sur elle.

Maman, devant ma chambre, continuait de me gronder. Moi, je ne voyais que Scarlett qui essayait de s'expliquer, dans la lumière trop vive de la cuisine, avant que Marion ferme le store d'un coup sec et m'éjecte d'un procès qui se déroulait désormais à huis clos.

Chapitre 6

J'attendis dans ma chambre que maman vienne m'annoncer ma punition. Dans la cuisine, mes parents conféraient : j'entendais papa parler bas, avec calme, et maman, d'une voix sonore en montagnes russes qui rebondissait et résonnait. Au bout d'une heure, maman est remontée à l'étage. Poings sur les hanches, elle a prononcé ma sentence.

— À la suite de ton attitude irresponsable d'aujour-d'hui, nous avons décidé, ton père et moi, que tu serais privée de sortie pendant un mois. Et de téléphone pour une période illimitée. Ta petite fête d'anniversaire sera toutefois maintenue et aura lieu demain, comme prévu. Tu iras au lycée, chez Milton, et nulle part ailleurs.

J'observai maman. Impressionnant, comme la colère la changeait. Sa coupe au carré, sa coiffure depuis toujours, rendait son visage plus sévère et plus géométrique. C'était maman et, en même temps, c'était une autre.

— Halley, tu m'écoutes ?

— Quoi ?

— Qui c'est, ce garçon ? Le conducteur de la voiture ?

Je revis instantanément le visage souriant de Tristan.

— Pourquoi tu veux le savoir ?

— Je t'ai posé une question : qui c'est, ce garçon ? C'est celui qui a tondu notre gazon, l'autre jour ?

— Non.

Soit papa avait zappé que « ce garçon » s'appelait Tristan, soit il avait prudemment choisi de ne pas se mouiller.

— Ça n'était pas lui. C'était mon...

— C'est avec lui que tu as quitté le lycée, je dois donc savoir qui c'est. Il aurait pu t'arriver n'importe quoi et je suis certaine que ses parents aimeraient être au courant de ce qui s'est passé.

Cette seule pensée m'horrifia.

— Oh non, maman ! Surtout pas ! Ce type, c'est personne ! Et, d'ailleurs, je le connais à peine !

— Tu le connais assez pour quitter le lycée en sa compagnie, alors tu vas me donner son nom.

— Maman, s'il te plaît...

— Il habite à Lakeview ? Dans ce cas, je dois le connaître. Son nom, Halley !

— Non.

Et, en même temps, je pensais : « Tu ne connais pas tout de ma vie. Et puis, tout le monde n'habite pas Lakeview. »

Elle s'approcha, son regard implacable fixé sur moi.

140

— Je perds patience. Pour la dernière fois, comment s'appelle ce garçon ?

À cette minute, je l'ai haïe. Haïe parce qu'elle partait du principe qu'elle devait connaître tous mes amis. Et parce qu'elle me pensait incapable d'avoir une existence loin d'elle et sans elle. J'ai donc soutenu son regard.

Silence de mort.

Soudain, le téléphone sur ma table de nuit a sonné. J'ai sursauté. J'allais décrocher, quand je me suis souvenue que j'étais interdite de téléphone. Je suis donc restée immobile. Aucun doute, c'était Tristan. Le téléphone continuait de sonner. Maman me fixa sans bouger jusqu'à ce que papa, toujours en bas, décroche.

— Julie ? appela-t-il ensuite. C'est Marion.

— Marion ? répéta ma mère.

Elle décrocha mon téléphone.

— Marion ? Oui, bonsoir. Halley et moi, nous parlions justement de ce qui s'est passé aujourd'hui... Comment ? Maintenant ? C'est d'accord. Calme-toi, Marion, j'arrive. Bien entendu. À tout de suite.

Maman raccrocha.

— Je vais chez Marion, mais cette conversation n'est pas terminée, tu peux me croire.

— Oui, oui, répondis-je, sachant que la donne serait différente quand elle reviendrait.

Marion vint à la rencontre de maman au bout de l'allée, à la hauteur des épineux. Là, elles se parlèrent pendant cinq bonnes minutes, disons plutôt que c'est Marion qui parla. Elle était sur les nerfs, lissait sa minijupe toutes les deux secondes, martelait le béton à petits coups de talons aiguilles et fumait en accéléré.

Maman écoutait en faisant régulièrement des signes de tête. Scarlett les observait aussi de sa chambre. Je posai ma main sur la vitre, un signal entre nous qui signifiait : « Coucou, je suis là » ; hélas, elle ne regarda pas une seule fois dans ma direction.

Après, maman suivit Marion chez elle et y resta une heure et demie. Tout ce temps, je ne quittai pas la maison de Scarlett des yeux. Je m'attendais à voir ses murs frissonner, trembler ou être carrément secoués par une onde de choc lorsque Marion annoncerait la nouvelle à maman, mais rien ne se passa. Ce fut le calme complet, comme tous les vendredis soir dans notre quartier.

À 19 heures, les Vaughn débarquèrent. Un peu avant huit heures, je sentis des odeurs de pop-corn monter de la cuisine. À 20 heures pile, le téléphone sonna de nouveau. Papa répondit plus vite que moi et ça devait être Tristan, car il raccrocha illico. À 20 heures passées, j'entendis le bruit du mixeur : papa préparait un milk-shake, son rameau de la paix personnel.

À 20 h 15, Marion raccompagna maman dans la véranda, où toutes les deux stationnèrent, bras croisés. Puis maman la serra dans ses bras et revint chez nous, où papa et les Vaughn regardaient déjà le DVD du vendredi soir, un truc infâme où les dialogues, c'était rien que des coups de feu. Enfin, maman est montée dans ma chambre et a frappé à ma porte.

J'ouvris. Maman tenait un bol de pop-corn et, bien entendu, un milk-shake tellement épais et bétonné en chocolat qu'il était noir et laissait une grosse marque sur les bords de la tasse. Maman avait retrouvé son calme : elle était redevenue maman.

— En signe de paix..., dit-elle, me tendant pop-corn et milk-shake, tandis que je reculais pour la laisser entrer.

— Merci.

J'aspirai sur la paille, mais ce fut comme d'aspirer du béton. Maman s'assit sur mon lit.

— Pourquoi ne m'as-tu rien dit, au sujet de Scarlett ?

— Je ne pouvais pas. Elle voulait que personne ne sache.

— Tu redoutais ma réaction, n'est-ce pas ? Ma colère ? reprit-elle, pensive.

— Non. J'ai plutôt pensé que tu paniquerais.

Elle sourit et prit du pop-corn.

— J'aurais aussi paniqué.

— Scarlett va garder son bébé, maintenant ?

Maman soupira et se massa la nuque.

— Tel est son désir, mais Marion espère qu'elle changera d'avis et choisira de le faire adopter. Avoir un bébé, c'est une grosse responsabilité, Halley. Sa vie va changer du tout au tout.

— Je sais.

— Avoir un petit être rien qu'à soi qui vous aime d'un amour inconditionnel, c'est fantastique, mais devenir mère, c'est aussi affronter de nombreuses charges : financières, émotionnelles et physiques. Son choix de garder cet enfant affectera ses études, son avenir. Son existence entière. Assumer des responsabilités si importantes à son âge est déraisonnable. D'autant que, j'en suis certaine, c'est sa façon de garder Michael. Lors du travail de deuil, il y a une phase où la personne endeuillée recherche, veut retenir, faire revenir à la vie, d'une façon ou d'une autre, celui ou celle qu'elle a aimé et qui n'est plus, mais un bébé, ça n'est pas un produit de substitution. Il sera toujours là lorsque le travail de deuil sera terminé.

Maman était lancée. Elle avait pris sa voix de psy : assurée, distincte et bien placée.

— Maman, arrête : je ne suis pas Scarlett.

Maman prenait une grande inspiration avant de poursuivre, mais elle se contenta de soupirer.

— Je sais, chérie. En réalité, je me sens frustrée et impuissante, parce que je suis consciente de l'erreur qu'elle va commettre.

— Pourtant, Scarlett ne pense pas que ce soit une erreur.

— Pour l'instant, oui. Mais, plus tard, elle regrettera son choix. Par exemple, quand elle devra s'occuper de son bébé, tandis que toi et ses autres amies entrerez à l'université, voyagerez et vivrez vos vies.

— Moi, je ne veux pas aller à l'étranger, dis-je tranquillement en prenant une poignée de pop-corn.

Maman passa son bras autour de mes épaules.

— Ce que j'essaie de t'expliquer, c'est que tu as toute la vie devant toi. Scarlett aussi. Vous êtes trop jeunes pour assumer la charge d'un bébé.

Du rez-de-chaussée s'éleva un nouveau concert de coups de feu, suivi par le rire de papa.

Soirée DVD du vendredi soir à la maison, avec les Vaughn : ma vie avant Tristan…

— Pour ce qui est arrivé aujourd'hui, je ne peux pas laisser passer, chérie, me dit-elle, mais sans la colère de tout à l'heure, où elle m'aurait volontiers hachée menu. Ta punition est maintenue, même si tu pensais aider Scarlett.

Voilà : maman était tellement soulagée que je ne sois ni enceinte ni disposée à devenir mère qu'elle devenait tout à coup clémente. Merci, Scarlett. D'une façon ou d'une autre, elle me sauvait toujours la mise.

Maman se leva et lissa son pantalon. Je l'imaginais dans la cuisine chez Marion et Scarlett, assise à la place que je considérais comme la mienne, en train de négocier une trêve. Ma mère était une pacificatrice-née. Sauf avec moi.

— Tu viens regarder le DVD avec nous ? Les Vaughn ne t'ont pas vue depuis longtemps. Et puis Clara te trouve fabuleuse !

— Clara a cinq ans, maman, dis-je en aspirant de toutes mes forces, en vain, sur ma paille.

Je renonçai à boire mon milk-shake et le posai sur ma table de nuit. Maman s'appuya à l'embrasure de la porte.

— Je sais, mais si tu changes d'avis...

— On verra.

Elle sortait, quand elle se ravisa et ajouta à voix basse :

— Marion affirme que ce garçon s'appelle Tristan. Elle prétend aussi que c'est ton petit ami.

Merci, Marion et sa grande gueule... Je m'allongeai sur mon lit, tournai le dos à maman et ramenai mes genoux sous mon menton.

— C'est juste un copain.

— Tu ne m'en as jamais parlé. Pourquoi ? insista-t-elle comme si c'était obligatoire.

— Parce que c'est pas important.

Je ne pouvais pas la regarder, je préférais fixer la fenêtre, c'était plus sûr : sa voix était si triste... Dans le ciel, un avion se rapprochait, avec ses lumières

145

rouges et vertes qui clignotaient. À ce stade, le bruit était encore supportable.

Nouveau soupir de maman.

Parfois, elle soupirait si fort que je me demandais s'il lui resterait assez de souffle pour respirer.

— Comme tu veux, Halley... Bon...

Mais maman ne bougea pas pour autant. Voulait-elle me faire croire qu'elle était partie ? En attendant, l'avion se rapprochait, avec ses voyants semblables à des flashs et dans un grondement infernal. La maison a tremblé, mes fenêtres ont vibré. J'aperçus bientôt le fuselage : on aurait dit qu'une baleine blanche survolait la maison. Et c'est dans ce raffut assourdissant que maman se décida à sortir de ma chambre et à redescendre : au moment où je me suis détournée dans le silence revenu, elle s'était éclipsée.

Chapitre 7

Je bossais chez Milton et subissais le rush infernal du samedi, lorsque Tristan se pointa à ma caisse. Il me sourit.

— Salut ! Bon anniversaire !

— Merci, dis-je, en traînant le plus possible pour scanner son Pepsi et ses quatre Kit Kat Chunky.

Scarlett se pencha pour lui tapoter l'épaule. Il lui fit coucou.

— Alors, comment ça s'est passé ce matin ? me demanda-t-il ensuite. Tu as eu ton permis ?

Je le regardai comme s'il tombait de la lune.

— Évidemment ! Qu'est-ce que tu crois !

Il éclata de rire.

— Halley a son permis ! Je vais éviter de prendre le volant pendant un bon bout de temps !

— Ha ha, morte de rire...

Il sourit.

— Tu n'as pas décroché, hier soir, lorsque je t'ai téléphoné, murmura-t-il en se penchant sur ma caisse. Parce que je t'ai appelée, tu sais.

— J'ai été punie, expliquai-je en appuyant sur la touche « Total ».

— À cause de quoi ?

— À ton avis ?

Il réfléchit.

— Parce que tu as séché les cours ? Ou parce que tu as aidé Scarlett à se faire la belle ?

— Les deux.

Je tendis la main.

— Ça fera cinquante-neuf cents.

Il me tendit un billet de cinq dollars tout froissé qu'il tira de sa poche arrière.

— Tu es punie un peu, beaucoup… ?

— Beaucoup : je suis privée de sorties.

— Pendant combien de temps ?

— Un mois.

Il soupira et secoua la tête.

— C'est dommage.

— Pour qui ?

La cliente derrière lui commençait à s'énerver. Lorsque je rendis sa monnaie à Tristan, il me prit la main, la serra dans la sienne, avant de se pencher par-dessus ma caisse et de m'embrasser si vite que je n'ai pas eu le temps de réagir.

— Dommage pour moi !

De sa main restée libre, il fourra un Kit Kat Chunky dans la poche de mon tablier.

— C'est vrai ? demandai-je.

Il prit ses courses et s'éloigna, mais il se détourna une dernière fois pour me sourire.

Les clients de ma file s'impatientaient, au bord de la crise, mais je m'en fichais bien.

— Oui, c'est vrai ! dit-il en marchant à reculons, sans cesser de me sourire.

Puis il s'est détourné et est sorti du supermarché, pendant que je restais immobile, muette de bonheur.

— Eh ben ! Tu m'en diras tant..., déclara Scarlett alors que mon client suivant posait une cartouche de cigarettes sur le tapis de ma caisse.

— Je crois qu'il est amoureux de moi...

Je sentais toujours ses lèvres sur les miennes. Ce souvenir me consolerait de tous les samedis soir où je resterais privée de sortie.

Le même soir, on a fêté mon anniversaire chez Alfredo : il y avait mes parents, Scarlett et, bien entendu, les Vaughn.

Scarlett était assise à côté de moi. Selon elle, maman avait carrément sauvé la vie de son bébé. Hier, Marion était rentrée en trombe et lui avait annoncé qu'elle avait déjà repris rendez-vous pour le lendemain au centre d'IVG : cette fois, elle resterait dans la salle d'attente, sa chaise contre la porte s'il le fallait, pour l'empêcher de fuir de nouveau !

Là-dessus s'était produit un énorme clash. Scarlett s'était écriée qu'elle allait *tout de suite* faire sa valise et se tirer ailleurs, n'importe où, quand maman était arrivée, pimpante dans son petit pull rouge, prête à prendre la situation en main, façon émissaire de l'ONU. Pendant les débats, elle avait tenu la main de Scarlett dans la sienne, passé les mouchoirs en papier, calmé Marion, puis décortiqué et analysé l'attitude de Scarlett. À la fin, elles avaient passé un accord : Scarlett garderait le bébé mais réfléchirait sérieusement à la possibilité, soulevée par Marion, de le faire adopter dès la naissance. Elles n'avaient pas encore signé la paix, mais au moins elles avaient accepté la trêve.

— Je te le dis : ta mère a réalisé un beau miracle ! répéta Scarlett tandis que je mangeais mes pâtes.

— Parle pour toi ! Moi, elle m'a privée de sorties pendant un mois, lui murmurai-je. Alors ce soir, après le restaurant, c'est direction ma chambre.

— Pas grave, c'est une si belle fête ! Et puis, Noah semble tellement content pour toi.

— Oh, pitié !

Mon anniversaire me saoulait.

— Je voudrais porter un toast, dit tout à coup maman, se levant, un verre à la main.

À côté d'elle, papa souriait tendrement.

— À ma fille Halley et à ses seize ans !

— À Halley !

Tout le monde me sourit, sauf Noah, qui évitait mon regard.

— Que l'année de tes seize ans soit la plus belle ! continua ma mère, toujours debout, alors qu'on avait déjà vidé nos verres. Et n'oublie pas que nous t'aimons !

C'était reparti pour un tour : on a de nouveau trinqué. Mais maman ne se décidait pas à se rasseoir. Elle continuait de me sourire, toute rose, comme si elle n'avait jamais fait que mon bonheur, comme si elle ne m'avait à aucun moment privée de sorties pendant un mois et, par-dessus le marché, de téléphone pour une période indéterminée.

Là-dessus, on est rentrés à la maison et j'ai ouvert mes cadeaux. J'ai eu des sous de la part de mes parents et un livre par les Vaughn. Noah m'a collé son paquet (un bracelet en argent) entre les mains quand personne ne regardait et a ensuite agi comme si j'étais morte jusqu'à la fin de la soirée. Scarlett m'a offert des boucles d'oreilles et un porte-clés pour mes clés de voiture. Avant que l'on ne se quitte, elle m'a serrée fort dans ses bras, soudain toute chose, pour me confier que j'étais la meilleure amie du monde.

Je l'ai pressée contre moi. J'essayais de l'imaginer enceinte, et avec un bébé, mais je n'y arrivais toujours pas.

J'étais prête à aller me coucher, vers 23 heures, quand j'ai entendu une voiture passer lentement dans notre rue, puis s'arrêter et repartir. Je suis allée à la fenêtre et j'ai scruté l'obscurité. Deux secondes plus tard, la voiture est revenue devant ma fenêtre. Ses phares ont clignoté. Deux fois.

J'ai mis une veste sur mon pyjama et enfilé mes chaussures. Je suis passée sur la pointe des pieds devant la porte, entrouverte, de la chambre de mes parents, où se trouvait déjà maman, et ensuite au rez-de-chaussée, devant le salon, où papa ronflait devant la télé en marche. Enfin, j'ai ouvert la porte de la cuisine, qui donnait sur le jardin, le plus doucement possible – parce que cette saleté grinçait. J'ai traversé le jardin, longé les buissons de genévrier et traversé la rue.

— Salut ! me dit Tristan, tandis que je me penchais sur la vitre de sa portière. Monte vite !

Pas besoin de le dire deux fois. Il faisait bien chaud, à l'intérieur. Les voyants verts, sur le tableau de bord, créaient une ambiance un peu psychédélique.

— Prête à recevoir ton cadeau ?

— Mais oui ! dis-je en m'installant confortablement. Qu'est-ce que c'est ?

Il démarra.

— Tu verras quand on y sera. On a quelques bornes à faire.

— On a... ?

Je lançai un regard paniqué vers chez moi.

Je m'étais tirée en douce, ça craignait déjà... mais plus longtemps je restais absente, plus je risquais de me faire piquer. J'imaginais mon père venant me souhaiter bonne nuit et découvrant avec horreur que j'avais disparu.

— Écoute, laisse tomber.

— Ah bon, pourquoi ? demanda Tristan surpris.

— J'ai déjà pas mal de galères, en ce moment, alors si en plus je me fais choper...

Je m'entendais parler et j'avais honte d'être aussi dégonflée.

— Oh, arrête un peu ! Vis ta vie, merde ! C'est quand même ton anniv, non ?

Je regardai de nouveau ma maison plongée dans l'obscurité. Il me restait une heure avant minuit, c'était le jour de mes seize ans, alors j'avais bien le droit de me faire plaisir !

— D'accord, on y va !

Tristan sourit. Il accéléra, prit le virage dans un crissement de pneus, m'emportant vers l'inconnu.

Tristan conduisit jusqu'à Topper Lake, qui se trouvait à vingt bonnes minutes de Lakeview. À mi-chemin, c'est moi qui ai pris le volant. Lorsque j'ai accéléré, il s'est tortillé sur son siège, exactement comme papa.

— Alors, on a peur ? plaisantai-je.

On traversa le pont. Dessous, la rivière ressemblait à de l'encre.

— Tu parles !

Mais il avait la trouille, et ça se voyait. J'ai souri. Je roulais à quatre-vingts kilomètres-heure, pas plus !

On a longé le port, les quais, tous ces fichus pièges à touristes. Puis on a descendu une route sombre et sinueuse, bourrée de nids-de-poule, encore assombrie par des arbres et parsemée de panneaux « Propriété privée, défense d'entrer » qui émergeaient des ténèbres. De loin, je vis la tour de la station de radio où mon père travaillait : ses voyants rouges et verts clignotaient sur fond de ciel nocturne.

Alors on a laissé la voiture, et j'ai suivi Tristan, qui avait pris ma main, sur un sentier. J'entendais le glou-glou de l'eau, pas loin, mais je n'arrivais pas à savoir où on était.

— Surtout, fais attention où tu mets les pieds, me dit-il tandis qu'on montait.

Je le suivais avec peine, en trébuchant. De plus, je mourais de froid dans ma petite veste et mon pyjama. J'étais déboussolée et hors d'haleine lorsque je sentis qu'on arrivait enfin sur du plat. Cela dit, je ne savais toujours pas où on était.

— Tristan, où on va ?

— On y est presque, me lança-t-il par-dessus l'épaule. Mais reste bien derrière moi, d'accord ?

— D'accord.

Je gardai les yeux fixés sur ses cheveux blonds. C'est tout ce que je voyais dans le noir. Soudain, Tristan s'est arrêté.

— On est arrivés.

Je ne savais pas où on était arrivés, parce que je ne voyais absolument rien. Tristan s'assit et laissa ses jambes pendre dans le vide. Je l'imitai. J'entendis mieux le bruit de l'eau qui coulait en dessous de nous.

— Mais on est où ? dis-je en grelottant.

— Un coin que j'ai découvert avec Sherwood, il y a deux ans. On y venait tout le temps.

C'était la première fois qu'il me parlait de Michael depuis qu'on était ensemble. J'avais beaucoup pensé à lui, ces derniers temps, à cause du bébé. Scarlett répétait qu'elle devait trouver le courage d'écrire à sa mère. D'accord, elle avait déménagé en Floride, mais c'était son droit de savoir qu'elle allait avoir un petit-fils.

— Il te manque ?

— Oui.

Il s'appuya contre le mur.

— C'était un mec bien.

— Moi, si Scarlett mourait, j'ignore ce que je ferais, dis-je, sans savoir si cette réflexion était bien inspirée. Je ne crois pas que je pourrais vivre sans elle.

La réponse de Tristan me parvint, enveloppée par la nuit.

— Oui. C'est ce qu'on pense, au début.

Il détourna la tête, pour éviter de me regarder.

On est restés assis dans le noir qui nous engloutissait, avec le bruit de l'eau sous nos pieds. Je pensais toujours à Michael Sherwood. Je me demandais comment aurait été la fin de l'été, puis ce début d'automne, s'il n'avait pas pris cette route-là, cet après-midi-là. S'il vivait toujours. Scarlett aurait-elle gardé le bébé ? Aurais-je rencontré Tristan ? Serais-je allée avec lui au milieu de nulle part, le soir de mon anniversaire ?

Tristan a regardé sa montre lumineuse.

— Prête ?

— Prête à quoi ?

— Tu verras !

Au même moment, il a passé son bras autour de ma taille et m'a attirée à lui. Il m'a embrassée dans le cou et, lorsque j'ai tourné la tête pour lui rendre son baiser, tout s'est illuminé d'un seul coup. C'était une lueur aveuglante, éblouissante, effrayante, un peu comme le flash d'un appareil photo géant.

Je m'écartai de Tristan, et me vis assise sur un carré de béton, entourée de panneaux « Attention danger », « Défense d'entrer à toute personne non autorisée ». Mes jambes pendaient dans le vide. Tristan me retint par la taille tandis que je me penchais, hallucinée par ce que je voyais. L'eau dont j'avais entendu le flot frémissait à plus de mille mètres en dessous de nous. Je croyais ouvrir les yeux pour la première fois de ma vie et j'avais l'impression de tomber dans les airs. Le barrage grondait en s'ouvrant et moi, je serrai le bras de Tristan, terrorisée par le bruit, les lumières et ce monde qui bouillonnait au-dessous de nous.

— Tristan ! m'écriai-je, essayant de reculer pour me replier vers le sentier. Je devrais...

Mais il me reprit dans ses bras et m'embrassa passionnément ; ses mains n'en finissaient plus de caresser mon visage et mes cheveux. Je fermai les yeux face à la lumière, au bruit, à l'eau en dessous. Pour la première fois de ma vie, je sentis l'euphorie, le sentiment enivrant du danger, tout en étant à l'abri du péril, dans un monde qui était devenu vertigineux. Et tandis que je rendais ses baisers à Tristan, je me libérai de la petite fille que j'avais été au Grand Canyon, au début de l'été. À cet instant, suspendue entre ciel et terre, mais aussi en pleine chute, je la sentis me quitter pour toujours.

Chapitre 8

— D'accord, récapitulons... Tu as des fringales ?
— Oui.
— Manque d'appétit et dégoût de certains aliments ?
— Berk. Oui.
— Maux de tête ?
— Oui.
— Sautes d'humeur ? Attends, là, c'est moi qui réponds, et je dis oui !
— La ferme !

Scarlett m'arracha le livre des mains et le jeta contre le dossier de son siège.

Ce matin-là, on était dans sa voiture, sur le parking du lycée, en attendant la sonnerie du premier cours. Depuis que j'avais mon permis, Scarlett me laissait conduire.

Ce matin, elle mangeait des bretzels et buvait du jus de fruits (c'est tout ce que son estomac pouvait garder), pendant que j'essayais de croquer mes chips le plus discrètement possible.

— Attends, dis-je en avalant une chips. Ce bouquin affirme que les nausées matinales disparaissent au début du quatrième mois de grossesse ! Super, non ?

— Alléluia ! jeta-t-elle, énervée.

Scarlett avait vraiment d'épouvantables sautes d'humeur.

— Excuse-moi de te le dire, Halley, mais tes chips puent tellement que je vais vomir dans deux secondes.

— Oh, pardon.

Je baissai la vitre de ma portière et tendis exagérément mon paquet de chips dehors, puis m'écartai au maximum pour les manger tranquille, sans que leur odeur empeste et pollue Scarlett.

— Souviens-toi de ce que la doctoresse a dit : les nausées fréquentes, c'est normal.

— J'avais percuté, merci bien.

Elle avala un autre bretzel, qu'elle fit passer avec une gorgée de jus de fruits.

— Ce qui se passe est tout simplement hallucinant ! Je n'ai jamais eu de brûlures d'estomac de ma vie, et maintenant j'en ai, disons, toutes les trois secondes. Plus aucun vêtement ne me va. Je transpire sans cesse comme une malade, va savoir pourquoi. Et, même quand j'ai faim, la bouffe me rend malade. Ça n'a pas de sens !

— Tu te sentiras mieux à partir du cinquième mois, dis-je en reprenant *Vous êtes enceinte... et maintenant ?*

Ce bouquin, c'était notre bible. On le consultait tout le temps, et ma mission, c'était d'en citer des passages (bien) choisis pour nous redonner le moral et du courage.

Scarlett me lança un regard assassin. Depuis le début du deuxième mois, il y avait des jours où je ne la reconnaissais plus.

— J'aimerais que tu te taises et que tu laisses le quatrième mois là où il est.

Bon, alors je me tus.

Tristan m'attendait devant ma classe, appuyé contre l'un des extincteurs. Depuis le soir de mon anniversaire, ça avait doucement évolué entre nous : c'était devenu plus sérieux. Chaque fois que je le voyais, une même sensation m'envahissait : je me découvrais suspendue dans les airs, dominant le monde...

— Salut ! me dit-il. Tu étais où ?

— Avec Scarlett. Elle est drôlement à cran, en ce moment.

— Tu pourrais être plus sympa avec elle, elle est enceinte !

Je le lui avais dit, le soir de mon anniversaire. Il était le seul à le savoir, avec moi, mes parents et Marion.

— Je sais. N'empêche, c'est difficile.

Je me rapprochai de lui et poursuivis à voix plus basse :

— Motus et bouche cousue ! Scarlett veut la paix.

— Je n'ai rien dit à personne. Tu me prends pour un nain ou quoi ?

Derrière moi, mes camarades de classe entraient et me donnaient des coups de coude et de sac à dos au passage.

— Immensément.

Mais Tristan ne rit pas.

— Scarlett veut le dire le plus tard possible, au moment où elle ne pourra plus le cacher.

— C'est bon, j'ai compris.

— Faulkner ! s'écria une voix. Magne-toi, il faut que je te parle et ça urge !

— J'arrive ! répondit Tristan.

— Tu avais dit que tu ne sécherais pas, aujourd'hui, notai-je. Tu te souviens ?

— C'est vrai... Désolé, il faut que je file.

Il m'embrassa rapidement sur le front et s'éloigna sans me laisser le temps de le retenir.

— À plus, en gym !

— Tristan !

Mais il s'éloignait déjà dans la foule bruyante. Je ne vis bientôt que sa chevelure blonde, son polo rouge, puis plus rien... Pendant l'appel, je cherchais un stylo dans la poche de mon sac à dos, lorsque je découvris une poignée de bouchées au chocolat Hershey's Kisses. Comment avait-il fait pour les glisser là sans que je m'en aperçoive ?

Plus tard dans la matinée, j'ai eu communication visuelle et design graphique. C'était mon seul cours commun avec Scarlett. J'étais partie dans la réserve chercher du papier Canson violet lorsque j'entendis quelqu'un entrer. Je me détournai et vis Élisabeth Gunderson qui farfouillait dans un tas de feuilles de Canson orange. Depuis la mort de Michael, elle avait changé, et pas en bien. Elle avait envoyé balader les pom-pom girls, fumait trop et sortait avec un musicos barbichu qui avait un piercing sur la langue et chantait dans un groupe de notre lycée. Toutes ses copines clones l'avaient imitée. Elles avaient donc lâché leurs twin-set en cachemire, très chics, pour des sapes qui leur donnaient un look grunge et gothique : jeans déchirés et le reste tout noir. Elles prenaient des airs sinistres et morbides, au volant de leur BMW.

— Alors, il paraît que tu sors avec Tristan Faulkner ? demanda-t-elle en s'approchant, sa feuille de Canson roulée sous le bras.

Je regardai dans la classe et vis Scarlett, qui coupait et collait des lettres pour notre projet de composition graphique sur l'alphabet.

— Oui, dis-je en me concentrant sur mon Canson violet.

Elle prit une feuille de Canson rouge.

— Il est cool. Mais, entre nous, tu devrais faire gaffe.

Je dévisageai Élisabeth Gunderson. Même avec son jean déchiré et ses mèches rouges et bleues, elle restait l'ex-capitaine des pom-pom girls élue reine du lycée, la nana qui avait le look sans effort et une peau parfaite – on aurait dit qu'elle sortait des pages de *Seventeen*. Élisabeth et moi, on n'était pas pareilles. D'ailleurs, elle ne me connaissait même pas.

— En un sens, il est adorable, mais c'est un vrai salaud avec ses copines, continua-t-elle en reculant et en roulant sa feuille de Canson. Tiens, mon amie Rachel, par exemple. Il est sorti avec elle et tout, puis il l'a carrément jetée. Tu vois ?

— Oui.

J'aurais aimé sortir de la réserve, mais elle me barrait la route et continuait de me toiser.

— J'ai appris à le connaître, quand je sortais avec Michael, reprit-elle.

Elle avait prononcé lentement son prénom, au cas où j'aurais oublié qu'elle avait souffert comme personne au moment de sa mort.

— Je voulais que tu saches quel genre de mec il est avec ses copines et tout.

Je ne savais pas quoi dire, et encore moins comment contre-attaquer, alors j'ai choisi la fuite : je suis passée devant elle si vite que je me suis cogné l'épaule.

— Je pensais que tu devais être au courant, avant que tu te retrouves vraiment accro, me rappela-t-elle. Moi, à ta place, j'aurais besoin de savoir !

Je rentrai en trombe dans la salle de classe. Et, lorsque je me suis détournée, j'ai vu Élisabeth qui traînait maintenant près du massicot. Elle me fixait en parlant avec Ginny Tabor, qui avait un nez ultrasensible pour renifler les gros mélos. Je posai ma feuille de Canson sur la table de Scarlett et je m'assis.

— Tu ne devineras jamais ce qui vient de se passer. J'étais dans la réserve et...

Tout à coup, Scarlett a reculé, la main plaquée sur sa bouche, et est sortie au pas de course, sans doute pour rejoindre les toilettes.

— Scarlett ? appela Mme Pate, notre prof.

Mme Pate était stressée de naissance et les mouvements trop brusques la rendaient folle. Elle ne quittait jamais le massicot des yeux, tant elle avait peur qu'un élève se coupe le doigt.

— Halley ? me dit-elle ensuite. Scarlett va bien ?

— Elle a la grippe. Je vais aller voir.

— Bien, fit Mme Pate.

Elle reporta son attention sur Michelle Long, qui avait deux mains gauches et semblait sur le point de s'en trancher une avec le massicot.

— Michelle ! Regarde donc ce que tu fabriques. Tu vois ? Non, bien sûr, tu ne vois rien !

Je trouvai Scarlett agenouillée sur le carrelage dans le WC du fond. Je mouillai des essuie-mains et les lui tendis.

— Allez, courage.

Elle renifla, s'essuya les yeux du revers de la main. J'avais mal pour elle.

— Tu es seule, au moins ? chuchota-t-elle.

Je vérifiai les autres WC, me baissant pour regarder sous les portes fermées. Personne. Il n'y avait que nous, dans le décor de béton peint en bleu des toilettes des filles, et un vieux robinet qui gouttait.

Scarlett s'assit sur ses talons et s'essuya le visage avec un essuie-mains.

— Ces nausées, c'est le pire, confia-t-elle en reniflant et d'une voix tremblotante.

— Je comprends.

J'évitai de lui parler du bien-être du quatrième mois, de la joie de la naissance ou encore de la petite vie qui s'éveillait miraculeusement dans son ventre : ces arguments l'énervaient.

Elle s'essuya la bouche avec le dos de sa main et ferma les yeux.

— Chaque fois que je vois des femmes enceintes, elles ont l'air survitaminé. On dirait de grands soleils, tant elles rayonnent. Pareil à la télé, quand elles tricotent gaiement des brassières dans leurs belles robes de grossesse. Je n'ai jamais entendu dire qu'être enceinte, ça rendait malade, grosse et débile. Et dire que j'en suis seulement au troisième mois ! Ça sera bientôt pire !

— Mais la doctoresse a dit que...

Elle m'interrompit d'un geste.

— De toute façon, ça n'est pas le problème, murmura-t-elle en se remettant à pleurer. Ce serait différent si Michael était là. Ou si j'étais mariée. Marion ne veut pas que j'aie ce bébé, Halley. Elle ne me soutient pas. C'est à moi de tout assumer, tu comprends ? Je suis seule. C'est l'angoisse totale.

— Mais non, tu n'es pas seule ! répliquai-je avec énergie. Je suis là ! Je te soutiens quand tu vomis, je t'apporte des bretzels et j'accepte même que tu me pinces, lorsque tu as besoin de te défouler. Un mari ne ferait pas mieux !

— C'est pas pareil...

Dans la lumière fluorescente des néons, son visage était livide.

— Il me manque tellement... Cet automne sans lui a été affreux.

— Oui mais. Tu as été très courageuse, Scarlett.

— Tu sais quoi ? S'il avait été là, je ne sais même pas ce qui se serait passé. On ne sortait ensemble que depuis le début de l'été, après tout. Peut-être qu'il serait devenu un con fini ? Je l'ignorerai toujours... Cela dit, quand je suis dans cet état, quand je suis si malheureuse, je me dis : il aurait tout fait comme il faut. C'est le seul qui aurait compris.

Je me mis à genoux à côté d'elle.

— On y arrivera. Je te le jure.

Elle renifla.

— Et puis, tu as pensé aux cours de préparation à l'accouchement ? Et à l'accouchement, quand ça fera mal et tout ? Et à l'argent ? Comment vais-je élever un enfant en étant caissière chez Milton ?

— On en a déjà parlé, Scarlett : tu as l'argent que tes grands-parents ont mis de côté pour toi. Tu pourras l'utiliser.

— Mais c'est pour la fac...

— Comme si la fac, c'était le plus important. Tu

vas avoir un bébé, Scarlett ! Tu vas devoir t'en occuper, il aura besoin de toi à cent pour cent.

— Mon bébé..., répéta-t-elle, et sa voix résonna dans les toilettes.

Soudain, j'entendis le grincement d'une porte qui s'ouvrait. Pas la porte du couloir, non, celle des WC à côté.

J'ai posé les yeux dessus, paniquée d'avance. J'avais évidemment loupé une paire de pieds, et une fille du lycée avait tout entendu. Si encore ça avait été une nana lambda, passe, mais non, il avait fallu qu'on tire le gros numéro : Ginny Tabor.

Elle nous a dévisagées, très princesse dans son petit pull blanc. Sa bouche formait un rond parfait.

— Oh, mon Dieu ! s'exclama-t-elle. *Oh, mon Dieu !*

Scarlett, consternée, ferma les yeux et se couvrit le visage. J'entendais les néons grésiller dans le silence.

— Je ne le dirai à personne ! promit Ginny à toute vitesse.

Son regard trop mobile, trop brillant passait de moi à Scarlett.

— Je le jure. Pas un mot !

— Écoute, Ginny, ça n'est pas...

— Je ne dirai rien ! Rien du tout ! hurla-t-elle.

Elle recula tant et si bien qu'elle se cogna à la porte, dont elle chercha frénétiquement la poignée.

— Je le jure ! répéta-t-elle en sortant.

Son petit pull blanc fit comme un éclair éblouissant dans l'ombre du couloir, puis la porte s'est refermée sur elle.

À l'heure du déjeuner, on a eu droit à des regards hallucinés quand on s'est dirigées vers la voiture de

Tristan : les gens semblaient fixer le ventre de Scarlett, comme si, depuis le cours de communication visuelle et de design graphique, elle avait été sur le point d'accoucher. On a ensuite déjeuné dans la Toyota de Tristan, planquée derrière les poubelles du 7 Eleven.

— C'est marrant, mais, depuis que je sais que les gens sont au courant, je crève de faim ! déclara Scarlett en avalant son deuxième hot-dog.

— Vas-y doucement sur les hot-dogs, lui dis-je avec inquiétude. Sinon, tu sais ce qui va arriver.

— Je me sens super bien !

Tristan me pressa le genou, complice et apaisant.

Pendant le cours de gym, j'avais été malheureuse comme les pierres. C'était ma faute si Ginny Tabor avait entendu et révélé le secret de Scarlett à tout le lycée. J'aurais dû mieux regarder dans les toilettes pour ne pas me faire avoir.

— Je ne suis pas en colère, alors arrête de culpabiliser et ne me regarde pas comme si j'allais t'étrangler !

— Je suis tellement désolée…, répétai-je pour la centième fois.

— Mais enfin, pourquoi ? Ça n'est pas ta faute, c'est celle de Ginny et de sa grande gueule, un point c'est tout ! Oublie cette histoire, Halley. Au moins, c'est fini, maintenant.

— Mon Dieu, Scarlett, je te demande pardon…

Cette fois, Tristan leva les yeux au ciel. Moi, au cours de la matinée, j'avais réfléchi à la meilleure façon de tuer Ginny.

— Tais-toi et passe-moi plutôt les chips, fit Scarlett en me tapant sur l'épaule.

— Passe-les-lui, renchérit Tristan, qui prit le paquet de chips sur mes genoux. Sinon, elle va dévorer la banquette.

— Mais j'ai faim ! s'exclama Scarlett, la bouche pleine. C'est que je mange pour deux, maintenant !

— Je te préviens, tu devrais éviter de bouffer des hot-dogs, déclara Tristan en se détournant. Enfin, moins souvent. Il te faut des fruits, des protéines et des yaourts. Et puis de la vitamine C. C'est hyper important ! Il y en a dans le melon et les oranges. Et même dans le poivron vert. Tout ça, je te jure, c'est bourré de vitamine C !

On l'a regardé, babas.

— Qu'est-ce qu'il y a ?

— Depuis quand es-tu un spécialiste de l'alimentation des femmes enceintes ? lui demandai-je.

— Je n'y connais rien, mais tout le monde sait ça, répondit-il, un peu gêné.

— Du melon ? Tiens donc ? fit Scarlett en terminant le paquet de chips.

— Oui, de la vitamine C, répéta Tristan en démarrant. C'est très important.

Quand on est revenus au lycée, après la pause déjeuner, tout le monde nous fixait bel et bien, et les conversations s'arrêtaient sur notre passage. Tristan s'en fichait, mais Scarlett avait un petit air pincé qui m'inquiétait. Avait-elle envie de vomir ses hot-dogs ? Mon Dieu, pourvu que non !

— C'est pas croyable, on dirait que ces andouilles n'ont jamais vu une femme enceinte ! marmonna Tristan lorsqu'on passa près de miss Grande Gueule en personne, Ginny Tabor, et d'Élisabeth Gunderson, qui nous lorgnaient, en pensant, c'est sûr, à Michael.

— Arrête, Tristan, ça n'est pas la peine d'en rajouter, dis-je.

Scarlett regardait droit devant elle, comme si, grâce à sa force d'âme, elle ne voyait et n'entendait personne, comme si tous les cancans lui passaient au-dessus de la tête. Je me demandais ce qui était le plus choquant, en définitive : que Scarlett soit enceinte, ou que le bébé soit de Michael ? Il y avait évidemment souvent des filles qui tombaient enceintes, dans notre lycée : elles manquaient pendant quelques mois, puis revenaient avec des photos de leur bébé dans leur portefeuille. Certaines le confiaient fièrement à la crèche du lycée, où on les voyait crapahuter sur les modules de jeux Jungle Gym, qui se trouvaient juste à droite de la cour, ou se précipiter vers la barrière en voyant leur mère aller au bahut. Mais les filles comme nous, les filles comme Scarlett ne tombaient pas enceintes. Du moins, si ça leur arrivait, on gérait leur cas dans le plus grand secret et avec diplomatie. On n'entendait que des rumeurs, on n'avait jamais de preuves.

Le cas de Scarlett était nouveau.

Beaucoup parmi nous avaient commencé à oublier Michael Sherwood, mais maintenant, avec ce bébé, son souvenir renaissait. Il faudrait du temps avant que l'on fasse son deuil à jamais.

Chapitre 9

Là-dessus, c'est Mamie Halley qui nous a donné bien du souci. Mamie déclinait comme la lumière du jour en hiver : très vite.

En réalité, elle avait commencé à s'affaiblir quelques mois plus tôt, à la fin du printemps. Ce furent d'abord des trous de mémoire : il lui arrivait par exemple de m'appeler Julie ou d'oublier son propre prénom. Mamie égarait souvent les clés de la maison et restait à la porte de chez elle. Maman l'avait convaincue de les porter autour du cou, mais c'était peine perdue. Ses clés disparaissaient, se volatilisaient mystérieusement dans la rue, dans les magasins, n'importe où.

Puis la situation a empiré. Un jour, Mamie est sortie de chez Hallmarks en oubliant de payer sa carte de vœu. Les alarmes se sont déclenchées, elle a paniqué. Elle s'est mise aussi à nous téléphoner au beau milieu de la nuit, angoissée : elle était en effet certaine que nous avions promis de lui rendre visite le lendemain ou la veille, et, cependant, il n'en avait jamais été question…

Chaque fois que Mamie téléphonait, sa voix suraiguë et mal assurée m'effrayait. Je tendais peureusement le combiné à maman, qui faisait ensuite les cent pas dans la cuisine en la réconfortant, en l'assurant que tout allait bien, qu'on était tous en grande forme et qu'il n'y avait aucune raison de s'effrayer.

Mais, à la fin du mois d'octobre, on n'en a plus été aussi sûrs.

J'avais toujours été proche de Mamie. On portait le même prénom, on avait donc un lien. De plus, quand j'étais encore trop petite pour partir avec mes parents dans leurs virées de l'été, je passais les grandes vacances chez elle. Mamie vivait seule près de Buffalo, dans une petite maison victorienne au joli vitrail, avec un gros chat qui s'appelait Jasper. Dans l'escalier en colimaçon qui montait à l'étage, il y avait une fenêtre en haut de laquelle Mamie avait suspendu une clochette. J'aimais bien la faire tinter et en écouter le son. D'ailleurs, lorsque j'entendais parler de Mamie, je pensais toujours au tintement de la clochette avant même de songer à son visage ou à sa voix.

Maman avait son regard pétillant, son petit menton et, quand on l'écoutait bien, son joli rire mélodieux. Mais Mamie était tout de même plus fofolle et excentrique que maman, et l'était davantage depuis la mort de grand-père, survenue voilà dix ans. Elle jardinait dans un bleu de travail, coiffée d'un grand chapeau de paille genre capeline. Elle bidouillait ses épouvantails pour qu'ils ressemblent aux voisins qu'elle n'aimait pas, surtout à M. Farrow, qui vivait deux maisons plus bas, avait des dents de lapin et des cheveux carotte, ce qui faisait de lui un épouvantail idéal. Mamie ne mangeait que des produits bio et elle avait adopté vingt enfants par l'intermédiaire de l'ONG Save the Children. Elle m'avait aussi appris à danser le step box, quand j'étais en CM2. On branchait son magnéto à cassettes et on dansait comme des folles dans son salon.

Mamie était née en mai 1910, au moment où la comète de Halley passait dans le ciel de sa petite ville de Virginie. Son père, qui l'observait des jardins de l'hôpital, y avait vu un signe : il avait donc baptisé sa fille Halley. C'est à cause de la comète que Mamie m'avait toujours semblé différente, plus mystique. Magique. Et, comme je m'appelais Halley, je me disais que j'avais moi aussi reçu de la magie. Enfin, je l'espérais.

L'hiver de mes six ans, en janvier 1986, on est allés à Buffalo pour assister au retour de la comète de Halley. Je me souviens qu'on m'avait enveloppée dans une couverture et assise sur les genoux de Mamie. Tout le monde était très excité, mais, pour être honnête, je n'ai pas vu grand-chose : à peine une lueur dans le ciel qu'on fixait de toutes nos forces. Mamie Halley me serrait contre elle avec un calme parfait. C'était la seule qui semblait distinguer la comète. Elle m'avait pressé la main et murmuré à l'oreille : « Regarde, Halley, tu la vois ? » Maman ne cessait de dire que personne ne pouvait rien distinguer, parce que le ciel était bien trop brumeux, mais Mamie répétait qu'elle se trompait. Ma grand-mère avait un pouvoir magique, elle pouvait tout créer, même une comète qu'elle faisait danser devant vos yeux.

Au cours de cet automne, maman a été de plus en

plus soucieuse. Elle téléphonait tout le temps à Buffalo. Je l'entendais parler longuement de Mamie avec
papa, une fois que j'étais au lit. Moi, ma vie était bien
remplie, avec le lycée, les devoirs et Tristan. Ma punition ayant pris fin, je me débrouillais pour passer le
plus de temps possible avec lui. J'accompagnais aussi
Scarlett chez la doctoresse, je lui lisais la bible de la
grossesse en lui rappelant de manger plus de vitamine
C, des oranges ainsi que des poivrons verts. On s'habi-
tuait à son état : on n'avait pas le choix. On avait fait
la une de la gazette des cancans juste pendant deux
semaines, parce qu'un nouveau scoop lui avait suc-
cédé. Le mec d'Élisabeth Gunderson, le musicos avec
le piercing à la langue, l'avait trompée avec Maggie,
sa meilleure amie. Dans ces conditions, Scarlett et le
bébé avaient vite été oubliés.

Chaque fois que Mamie, paniquée, téléphonait,
maman prenait cette expression soucieuse qui lui était
devenue familière. Et, chaque fois, je pensais seulement à la comète qui passait tandis que Mamie me
serrait contre elle sur ses genoux. « Regarde, tu la
vois ? » Je fermais les yeux pour essayer de la voir dans
mes souvenirs, mais je ne voyais rien du tout.

Là-dessus, la mi-novembre arriva. Marion sortait
avec Steve le comptable depuis presque aussi longtemps que moi avec Tristan. Et, peu à peu, Steve a
révélé son autre nature, son autre moi, médiéval : Vladimir le Guerrier.

Ça a commencé aux alentours de son troisième ou
quatrième rendez-vous avec Marion. C'est Scarlett
qui le remarqua la première. Ce soir-là, on était
assises sur les marches de la véranda et on lui faisait

la conversation pendant qu'il attendait Marion, lorsque Scarlett me donna un coup de coude.

Steve portait toujours des cravates en soie et des chemises Oxford, d'élégantes vestes sport ou en tweed sur des pantalons en laine ou en lin, et des mocassins avec des lacets à glands. Mais, aujourd'hui, il y avait un petit plus qui faisait la différence : une cordelette en cuir marron autour du cou, cachée sous sa cravate. Au bout dansait une espèce de je-ne-sais-quoi rond et en argent.

— Ça n'est pas une médaille, c'est un bijou, dis-je à Scarlett une fois qu'il nous eut laissées, après s'être poliment excusé, pour aller aux toilettes.

— Mais non, c'est une médaille. Tu as vu les symboles, dessus ? C'est un truc de guerrier !

— Mais non.

— Mais si ! C'est la face cachée de sa personnalité ! Il ne peut plus la contenir plus longtemps. Il se transforme à vue d'œil !

— Arrête, Scarlett ! Steve est comptable, ce type est tout ce qu'il y a de plus normal !

— Non, il est cinglé !

Elle ramena ses genoux sous son menton.

— Tu verras, j'ai raison.

Marion descendit, la fermeture Éclair de sa robe à moitié remontée et en essayant de clipper sa deuxième boucle d'oreille. Une fois devant nous, elle se détourna sans dire un mot et, dans la foulée, Scarlett remonta sa fermeture Éclair.

— Marion, regarde ce qu'il a autour du cou, lui dit-elle à voix basse tandis qu'on entendait la porte des toilettes s'ouvrir.

— Regarder quoi ? demanda Marion alors que Steve

revenait, impec dans sa veste sport, avec son cordon en cuir à peine visible sous sa belle cravate.

— Non, rien, marmotta Scarlett. Bonne soirée.

— Merci.

Marion embrassa Steve sur la joue.

— Tu sais où est mon sac à main, Scarlett ?

— Sur la table de la cuisine, répondit-elle. Et tes clés, sur le plan de travail.

— Merci.

Marion disparut dans la cuisine et revint avec son sac calé sous le bras.

— Bonne soirée, les filles ! Soyez sages et ne vous couchez pas trop tard.

Marion était devenue plus maman poule depuis qu'elle sortait avec Steve le Guerrier, un esprit conservateur attaché aux traditions médiévales. Une façon de se préparer à devenir grand-mère ? On n'était pas bien sûres.

— Promis, dis-je.

— Oh, lâche-nous un peu ! répondit Scarlett, l'air de rien. À t'entendre, c'est comme si on allait faire des bêtises, coucher avec des garçons et tomber enceinte !

Marion la regarda de travers : Steve n'était toujours pas au courant, pour le bébé. Elle pensait que c'était encore trop tôt pour le lui annoncer : après tout, ils n'étaient ensemble que depuis un mois et demi. Personnellement, je crois qu'elle avait encore du mal à s'y faire. Elle parlait à peine du bébé, et, les fois où ça lui arrivait, le mot « adoption » arrivait toujours en tête ou en queue de phrase, cela dépendait des jours.

Près de la porte, Steve souriait un peu bêtement pour un féroce guerrier, et sans cruauté. Je guettais un signe d'apparition de Vladimir l'Empaleur : j'aurais tellement aimé que Steve se transforme d'un coup sous mes yeux.

— Bonne soirée ! leur lançai-je en les regardant partir.

Marion, toujours mécontente, ne répondit pas, mais Steve nous adressa un gentil petit signe.

— Je trouve qu'il craint, déclara Scarlett, maussade.

— Moi, je le trouve plutôt sympa.

Scarlett s'adossa à la marche et posa les mains sur son ventre. On ne voyait toujours rien, et pourtant, la semaine dernière, quelque chose en elle avait commencé à changer.

C'était difficile à décrire.

La meilleure comparaison, ce sont les films stop-motion qu'on voit sans cesse en SVT, où des fleurs en bouton s'ouvrent image après image. À chaque nano-seconde, il se passe un petit bidule que personne ne remarquerait en temps réel : la pousse croît, sort de la terre, puis les pétales se déploient peu à peu... À l'œil nu, on découvrait seulement qu'il y avait une fleur là où on n'avait vu qu'un bouton, mais, en vrai, ça se construisait tranquillement. Ça devenait ce que c'était.

Cet automne-là, Cameron Newton fut sans doute le seul élève à attirer autant de regards zarbi que Scarlett. Cameron avait été transféré dans notre lycée en septembre, donc, côté adaptation, ça avait été un brin galère, mais en plus le pauvre était à peine plus épais qu'une brindille et, par-dessus le marché, blanc comme de la pâte à pain. Et, vu qu'il était toujours habillé en noir, on avait l'impression d'être devant un mort-vivant, ou un vivant à moitié mort, cela dépendait si on était optimiste ou pas. Bref, pour lui, ça n'était pas la fête tous les jours, alors évidemment il s'était rapproché de Scarlett pendant le cours de communication visuelle et de design graphique de Mme Pate.

Un matin, j'avais manqué le lycée, parce que j'avais rendez-vous chez le médecin, et le lendemain, quand on est entrées dans la salle du cours de communication visuelle, etc., Cameron Newton était assis à notre table.

— Regarde, c'est Cameron Newton, murmurai-je.

— Oh oui, je sais ! dit Scarlett d'un ton joyeux en lui faisant un petit coucou.

Aussitôt mal à l'aise, Cameron a baissé les yeux sur son pot de colle.

— Il est vraiment sympa, tu sais. Je lui ai dit qu'il pouvait s'asseoir avec nous.

— Hein ?

Elle n'a pas eu le temps de me répondre, car on arrivait à notre table et Cameron levait les yeux sur nous, dans son col roulé noir et son jean, noir lui aussi. Même son regard semblait noir.

— Salut, Cameron ! lança Scarlett en s'asseyant à côté de lui. Elle, c'est Halley.

— Salut, dis-je.

— Salut.

C'est marrant, mais il avait une voix de basse alors qu'il était maigre comme un coucou. De plus, il parlait avec un drôle d'accent, ce qui obligeait à se concentrer pour le comprendre. Il avait de longs doigts minces et il était en train de travailler un bloc d'argile avec un ébauchoir.

— Cameron a passé ces cinq dernières années en France, m'expliqua Scarlett alors qu'on sortait et disposait les quatre lettres de l'alphabet de notre projet de composition graphique. Son père est un chef étoilé hyper célèbre.

— Ah ? Sympa, soufflai-je.

J'étais mal à l'aise : Cameron, c'était le genre solitaire timide qu'on ne savait pas par quel bout prendre. Scarlett me donna un coup de pied sous la table et me regarda avec indignation, comme si je m'étais fichu de lui, ce qui était bien entendu archifaux. Là-dessus, Cameron se leva d'un bond et se dirigea vers la réserve. C'est drôle, il marchait comme un petit vieux misérable, d'un pas lent et prudent : on aurait dit qu'il avait peur de se casser la figure. Lorsqu'il est passé devant le massicot, des filles se sont moquées juste assez fort pour qu'il les entende.

— Tu ne m'avais pas dit que tu étais devenue la meilleure copine de Cameron Newton, dis-je à voix basse à Scarlett.

— Parce que je n'avais aucune raison de le crier sur les toits, déclara Scarlett en découpant un O au cutter. D'ailleurs, ça s'est passé de la façon la plus mignonne du monde ! J'étais toute seule, hier, et Maryann Lister et ses copines ont commencé à déblatérer sur moi. J'entendais tout ce qu'elles disaient : elle parlaient de Michael et de moi, « cette espèce de pute », et bla-bla-bla.

— Elles ont vraiment dit que tu étais une pute ? demandai-je en regardant Maryann Lister, qui se pétrifia et me fixa dans le blanc des yeux jusqu'à ce que je me détourne.

— Bah, je m'en fiche, maintenant. Mais, hier, j'avais eu des nausées pendant toute la matinée, j'avais le blues, tu n'étais pas là, donc ça m'a fait beaucoup de peine. Alors je me suis mise à pleurer. J'ai essayé de le cacher, mais je n'ai pas réussi. Et, au moment où je sentais que je devenais pitoyable, Cameron s'est levé et a posé un petit bloc d'argile devant moi. Et tu sais quoi ? C'était Maryann Lister.

— Qu'est-ce qui était Maryann Lister ?

— Ben, la figurine en argile ! Elle représentait Maryann Lister : son visage, avec tous les détails. Bluffant ! Cameron n'avait pas oublié le petit grain de beauté sur son menton, et il avait même reproduit le motif de son sweat !

— Pourquoi est-ce qu'il a fait cela ? dis-je en tournant la tête vers la réserve, où Cameron, son ébauchoir à la main, semblait chercher quelque chose.

— À ce moment-là, je n'en avais aucune idée. Bon, je lui ai dit que c'était gentil et très joli. Il ne m'a pas écoutée, il a pris son livre d'histoire et me l'a collé entre les mains. Ça m'a surprise, je le lui ai donc rendu. Puis les autres dindes ont dit un truc sur Cameron et moi, genre on formait un couple parfait.

— Je déteste Maryann Lister !

— Attends la suite !

Scarlett riait.

— Alors Cameron, hyper solennel, a levé son bouquin, visé la figurine qui représentait Maryann au milieu de la table, puis il l'a écrabouillée, paf ! C'était à mourir de rire, je te jure, Halley, j'ai même failli faire pipi dans ma culotte ! J'ai repris son livre et je l'ai moi aussi aplatie. Et de nouveau lui. On en a fait une crêpe ! Je t'assure, il est déchaîné !

— Déchaîné ? dis-je alors que Cameron sortait de la réserve avec un bloc d'argile. Bof, je n'en suis pas certaine.

Il revenait, le regard fixe et, cette fois, le pas raide, comme s'il avait été en mission commando.

— Moi, je te dis que si ! insista Scarlett. Tu verras !

Le reste de la semaine, j'ai appris à mieux connaître Cameron Newton, que je ne voyais qu'au cours de communication visuelle et de design graphique. Scarlett avait raison : il était tordant. À sa façon bizarre, imperturbable, il nous donnait une envie de rire mortelle – alors qu'on n'aurait peut-être pas dû ? C'était surtout un artiste virtuose. Il pouvait vous sculpter n'importe quel visage dans de l'argile en dix minutes et rendre ses moindres détails. Il réalisa le joli visage de Scarlett, avec son sourire et ses cheveux étalés sur les épaules : c'était absolument magnifique. Il façonna aussi mon visage, très ressemblant, avec un drôle de sourire en coin. Cameron avait un don pour reproduire le monde en miniature.

Scarlett avait offert son amitié à Cameron comme elle me l'avait offerte, plusieurs années auparavant. Et j'appréciais de plus en plus Cameron, sa voix de basse toujours égale, ses vêtements noirs et son rire étrange, un peu nerveux. Cameron Newton et moi, on n'avait rien en commun, sauf Scarlett. Cela suffisait pour que nous devenions amis.

En attendant, maman était toujours contrariée que Tristan gravite dans mon orbite. Il était très présent dans notre vie ; quoique toujours invisible et incognito. Maman le soupçonnait pourtant d'être l'auteur de certaines nuisances. Par exemple, ces coups de fil journaliers en début de soirée. Quand ça n'était pas moi qui répondais, Tristan raccrochait au nez de papa ou de maman sans laisser de message. En plus, il appelait tard le soir. Et, dans le silence, la première sonnerie (il n'y en avait jamais deux, je décrochais avant) ressemblait à une explosion. Maman aussi décrochait. J'étais à moitié endormie, mais j'entendais sa respiration au bout du fil.

— C'est pour moi, lui disais-je, et elle raccrochait.

J'entendais Tristan se marrer, pendant que je me planquais sous mes couvertures pour poursuivre la conversation à voix basse.

— Ta mère me déteste ! déclarait-il.

Le plus étonnant, c'est que ça paraissait lui faire plaisir.

— Mais non, elle ne te connaît même pas !

— Et me connaître, comme tu l'as découvert, c'est m'aimer.

Je l'entendais sourire. Et c'est à cause de ces histoires de téléphone et d'autres frustrations que maman s'est creusé la tête pour imaginer de nouvelles mesures disciplinaires.

— Plus de coups de fil après 22 h 30, me dit-elle un matin en buvant son café. Tes amis devraient savoir qu'on ne téléphone plus au-delà d'une certaine heure.

— Je ne peux tout de même pas leur interdire de m'appeler.

— Alors dis-leur que tu n'auras plus le téléphone dans ta chambre. C'est clair ?

— C'est clair.

Ça n'a pas empêché Tristan de continuer à téléphoner tard. Tant qu'il n'avait pas appelé, je ne pouvais pas m'endormir : j'avais toujours la main sur le combiné. C'était un sacré stress, mais tant pis : j'avais besoin d'entendre sa voix et de lui souhaiter bonne nuit, où qu'il soit et quoi qu'il fasse.

Et s'il n'y avait eu que le problème du téléphone...

Certains soirs, lorsque Tristan savait que je ne pouvais pas me tirer en douce, il passait dans notre rue et klaxonnait, ou stationnait sans couper le moteur sous ma fenêtre. Je savais qu'il m'attendait – en vain. Je savais qu'il le savait, mais ça ne l'empêchait pas de venir et d'espérer.

Je souriais, seule dans mon lit, toute contente à l'idée qu'il pensait à moi pendant ces quelques minutes, avant de redémarrer sur les chapeaux de roue. C'est d'ailleurs à cet instant que les Harper, nos voisins, alertés par le boucan, allumaient la lumière. M. Harper, le président du comité de surveillance de notre quartier, sortait sur le pas de la porte pour regarder dans la rue. J'ignore pourquoi Tristan faisait un foin pareil. Il savait que je marchais sur des œufs, que mes parents étaient sévères, mais la notion de « parents sévères » le dépassait complètement. En tout cas, chaque fois que j'entendais son coup de klaxon ou le crissement de ses pneus, je ressentais toujours le même frisson délicieux et délicat dans mon ventre : cinquante pour cent d'euphorie et cinquante pour cent de peur. Et, chaque fois, maman levait le nez de son livre, de son journal ou de son assiette pour me toiser, comme si c'était moi la terroriste responsable du dérapage contrôlé ou du démarrage en trombe qui affolait tout le quartier.

J'ai donc dû trouver de nouvelles combines pour rejoindre Tristan. Je sortais tous les samedis soir, soi-disant pour passer la soirée chez Scarlett, mais en réalité je traversais le bosquet qui s'élevait au-delà de sa piscine et retrouvais Tristan dans Spruce Street. Ensuite, peu importait où nous allions. Je découvrais peu à peu des tranches de sa vie.

Un soir où on avait roulé sans but pendant des heures, on s'est subitement garés sur le parking d'un petit immeuble construit sur le flanc d'une colline. Il semblait y avoir une fête à tout casser, au dernier étage : par les baies vitrées, on voyait des gens qui, un verre à ma main, dansaient et riaient.

— On est où ? demandai-je, alors que nous gravissions la pente qui menait à un escalier en fer avec une rampe en acier.

— Chez moi, répondit Tristan avant de franchir une porte à double vitrage.

Elle donnait sur un couloir aux murs couleur crème avec un énorme lustre, comme dans un château.

— Chez toi ?

Il me tint la porte. Dans l'entrée, ça sentait Chanel N° 5, le parfum que maman mettait, les grands soirs de fête. Je regardai ma montre : 23 h 06. J'avais la permission de minuit : il me restait cinquante-quatre minutes.

Je suivis Tristan jusqu'à l'ascenseur. Du dos de la main, il pressa sur l'un des boutons en forme de triangle. Les portes s'ouvrirent avec un petit bip élégant. L'ascenseur avait une belle moquette verte et une banquette pour se poser le temps du voyage. Tristan pressa sur le bouton P comme « penthouse », et l'ascenseur est monté.

— Sans blague, tu habites dans un penthouse ? demandai-je en pivotant pour me regarder dans les quatre miroirs.

— Ouaip, me dit-il, le regard fixé sur les chiffres qui défilaient. Ma mère, c'est une bourge qui aime parader et étaler son fric.

C'est la première fois que Tristan me parlait de sa mère. Je ne savais pas grand-chose sur elle, sauf ce que j'en avais entendu dire, quelques années plus tôt, quand elle habitait encore dans notre quartier. Elle possédait une agence immobilière et avait été mariée au moins trois fois. Son dernier mari était le gérant d'une chaîne de restaurants.

— C'est génial ! m'exclamai-je. Cet ascenseur est plus chouette que toute ma maison !

Nouveau bip discret. L'ascenseur s'ouvrit sur un autre couloir, plus petit celui-là.

Par une porte entrouverte, je vis des gens qui dansaient et discutaient. Leurs voix se mêlaient aux tintements des verres et à la musique d'un piano.

— Viens par là, me dit Tristan, et il me conduisit vers une porte qui semblait donner accès à un cagibi ou à une chambre de bonne.

Il sortit une clé de sa poche pour l'ouvrir, puis alluma la lumière et me fit signe d'entrer.

— Viens. On n'a pas toute la nuit.

Il me chatouilla les côtes, là où j'étais mortellement chatouilleuse.

Sa chambre était dans les tons bleu clair, petite, avec un lit à une place (fait), une commode et un bureau qui semblaient neufs. En face, il y avait une autre porte, par où on entendait la musique. Au bout du lit, une télévision était posée sur une chaise, un papier scotché sur l'écran.

— Alors, comme ça, c'est ta chambre ? déclarai-je en m'approchant pour regarder.

On aurait dit une photo.

— Ouaip.

Il entrouvrit la porte d'en face pour observer la fête, la referma.

— Bouge pas, je reviens.

Je m'assis sur le lit devant la télé et regardai mieux la photo, qui me rappelait quelque chose. Normal : c'était celle que papa avait prise de moi et maman, au Grand Canyon, et qui se trouvait sur la cheminée de notre salon. Mais maman n'était plus dessus : Tristan avait soigneusement découpé la photo pour ne garder que mon image. Mon bras coupé au niveau du coude reposait désormais dans le vide...

J'observais toujours la photo lorsque Tristan revint avec deux verres et une assiette garnie d'amuse-gueule.

— J'espère que tu aimes le caviar, parce que c'est ce qu'il y a de meilleur ce soir.

— Tu l'as eue où ? l'interrompis-je, lui montrant la photo.

Il m'a dévisagée avant de – si, c'est vrai ! – rougir, mais pas longtemps.

— Quelque part.

— Où ?

Je n'aurais pas été étonnée, en rentrant chez moi, de ne découvrir que le cadre, sans la photo, sur la cheminée : Tristan était un tel magicien !

— Quelque part, répéta-t-il en me tendant un verre de vin et une assiette en carton.

— Où, Tristan ? Dis-moi !

— Je l'ai prise, enfin, empruntée, à Scarlett. Elle était sur son miroir.

— Oh, tu aurais pu m'en demander une, dis-je, tandis que je reportais les yeux sur la photo.

— Ouaip, je sais.

Il avala un minitoast sans me regarder.

— Je suis contente : tu tiens à moi au point de voler ma photo, dis-je en l'embrassant sur la joue, là où c'était le plus doux, où ça sentait l'après-rasage.

Dans le salon, la musique continuait de jouer. Isolés dans la petite chambre de Tristan, on avait l'air de deux clandestins.

— Tu n'es pas souvent chez toi, on dirait, repris-je.

— C'est juste.

Il se leva et vida son verre.

— À quoi tu le vois ?

— On a l'impression que tu n'es jamais ici. Où vis-tu donc ?

— Par-ci, par-là. Je ne sais pas... Avant, ça m'arrivait de crécher chez Sherwood, dans la chambre d'amis. Son père était toujours en voyage d'affaires et sa mère n'en avait rien à battre. Et puis, j'ai d'autres endroits, d'autres potes. Enfin bon, tu sais ce que c'est.

Non je n'en savais rien. La jouer nomade, taper l'incruste, c'était l'inconnu. Je pensai à ma propre chambre, avec mes petits trésors et mes photos, les rubans que j'avais remportés au Spelling Bee* ainsi que mes livres de classe, enfin, tout ce qui me représentait. C'était le seul endroit au monde qui était et resterait mon royaume.

Nos regards se croisèrent dans le silence. Il m'embrassa aussitôt, tandis que je fermai les yeux et m'allongeai contre lui. Il m'enlaça. On s'embrassa longtemps sur son lit bien douillet, avec, en fond sonore, la musique de la fête et les bruits de voix plus

---

* Compétition d'orthographe où l'on épelle des mots. Son équivalent français est les championnats d'orthographe (Dicos d'or). (*N.d.T.*)

ou moins forts. Les draps avaient son odeur : un mélange de bonbons et de fumée. Et puis, il embrassait si bien... Évidemment, je ne pouvais pas comparer, mais j'en étais sûre. Cela dit, j'évitais de penser qu'il devait être expert.

Après ce qui me sembla le bonheur total, je vis l'heure sur les chiffres lumineux de sa montre. Merde, 0 h 09 !

— Il faut que je rentre ! dis-je en me redressant.

Mon T-shirt était froissé, j'étais sens dessus dessous et j'avais la bouche carrément engourdie.

— Je suis en retard !

— En retard ? dit-il, complètement perdu. Mais en retard pour quoi ?

— Je devais être rentrée à minuit !

J'attrapai ma veste et remis mes chaussures en vitesse, pendant qu'il se levait et allumait la lumière sur la table de nuit. Je ne me rappelais pas quand il l'avait éteinte.

— Ma mère va me tuer ! ajoutai-je en secouant la tête avec fatalisme.

On a couru jusqu'à l'ascenseur, dévalé la pente jusqu'au parking, puis sauté dans sa voiture. Il a speedé, prenant les virages en épingle et brûlant les stops avant de se garer dans ma rue à 0 h 21 exactement. À travers les arbres, je vis de la lumière chez Scarlett, où j'étais censée passer la soirée.

— Je file ! lui dis-je en ouvrant la portière. Merci et à plus !

— Je t'appelle demain ! lança-t-il par la vitre.

Je le vis qui me souriait dans la nuit.

— J'espère bien !

En dépit des précieuses secondes que cela me faisait perdre, je pris le temps de lui rendre son sourire. Après un dernier petit signe, je revins chez Scarlett par le bosquet, et longeai sa piscine. J'entendis Tristan qui klaxonnait.

Je montai l'escalier à l'arrière et déboulai dans la cuisine. Scarlett était attablée devant un sundae nappé de *fudge* chaud, *Vous êtes enceinte... et maintenant ?* appuyé contre le sucrier devant elle.

— Tu es en retard..., me dit-elle distraitement.

Elle avait une trace de chocolat sur le menton, que j'essuyai, avant de traverser la cuisine à toute vitesse.

— Je sais ! À demain ?

— Oui, oui, à demain.

Elle se remit à lire, tandis que j'ouvrais la porte d'entrée avant de piquer un dernier sprint jusque chez moi.

Maman m'attendait au pied de l'escalier. Au moment où je refermai la porte, Tristan démarra sa voiture dans un affreux boucan pour provoquer, comme toujours, la colère des dieux. Il n'aurait pas pu choisir plus mauvais moment.

— Tu es en retard de vingt minutes, Halley, commença maman d'une voix égale.

— Oui, je sais, mais on regardait un film. On n'a vraiment pas vu le temps passer, répondis-je en me cramponnant à mon mensonge.

— Tu n'étais pas chez Scarlett.

C'était une affirmation.

— Scarlett a passé la soirée seule dans son salon. Bien joué mais raté, Halley.

Dehors, j'entendais toujours la voiture de Tristan.

Il n'avait pas l'air de capter que ça n'arrangeait pas mes affaires, mais alors pas du tout.

— Où étais-tu ? reprit maman. Où es-tu allée, avec lui ?

— On s'est baladés, c'est tout.

— Où étais-tu, Halley ?

Sa voix montait. Mon père a surgi en haut des marches et, immobile, nous a observées.

— Nulle part, répondis-je tandis que Tristan faisait vrombir son moteur plus fort.

Je serrai les poings, impuissante et désespérée. Impossible d'arrêter cet enfer.

— On était chez lui. On a traîné, voilà.

— Il habite où ?

— Ça n'est pas important, maman.

Maman avait de nouveau son visage de pierre et ce regard qui annonçait la tempête.

— Pour moi, ça l'est. Je ne sais pas ce que tu as en ce moment, Halley. Tu sors et rentres en douce. De plus, tu mens effrontément. À cause de ce Tristan, ce garçon que tu refuses de nous présenter et que nous ne connaissons même pas.

Dans la rue, le moteur tournait de plus belle. Je fermai les yeux.

La voix de maman montait, elle aussi, si bien amplifiée par le hall d'entrée que je me sentais cernée.

— Pourquoi nous mens-tu sans cesse, Halley ? Pourquoi es-tu si insolente ?

Elle n'était plus en colère, tout à coup, seulement très triste. Ça m'a tuée. Enfin, je veux dire : ça m'a tuée que ma sensibilité me trahisse.

— Tu ne comprends pas, dis-je, je ne...

Et le moteur, aussi incroyable que ça paraisse, vrombit encore plus fort. Ça n'était pas possible ! Tristan

187

voulait ma mort ? Que je sois punie jusqu'à la fin des temps ? Il était bouché ou quoi ? Enfin, j'ai entendu ses pneus crisser. Il a démarré puis descendu la rue à toute vitesse, freinant dans le virage pour klaxonner. Je connaissais le rituel par cœur, même pas besoin de regarder par la fenêtre. Je savais aussi que M. Harper avait déjà allumé la lumière de sa véranda et sortait sur le seuil, en pantoufles et robe de chambre, en pétard à cause de la fumée du pot d'échappement qui devait empester la rue.

— Non mais tu as entendu le raffut que fait ce garçon ? demanda maman en se tournant vers mon père, qui se contenta de hocher la tête. Il est inconscient ! Il pourrait tuer quelqu'un ! Oui, *tuer* quelqu'un !

Sa voix tremblait et était presque aussi affolée que celle de Mamie ces derniers temps.

— Maman, laisse-moi te...

— Monte tout de suite dans ta chambre, Halley, intervint mon père avec calme en descendant l'escalier.

Il prit ma mère par le bras et l'entraîna dans la cuisine, puis il éteignit la lumière du couloir.

J'ai obéi, le cœur débordant d'émotion. Puis, en passant devant le miroir du couloir, je me suis regardée.

Ce soir, je portais une veste en jean délavé. Mes cheveux retombaient sur mes épaules. Mes lèvres étaient gonflées par nos baisers. Je fis face à mon reflet et enfermai ce visage dans ma mémoire : la fille qui s'était révélée à elle, lors de la nuit au barrage de Topper Lake, la fille qui était amoureuse de Tristan Faulkner, qui brisait le cœur de sa mère et ne regrettait pas le passé.

La fille que j'étais.

Chapitre 10

— Regarde ça, dit Scarlett en me passant son magazine. Au quatrième mois, le bébé apprend à sucer et à avaler. Ses dents se forment. Ses mains et ses doigts de pied sont déjà bien distincts.

— C'est dingue, quand on pense que ton futur bébé ne vit que de hot-dogs et de jus d'orange.

On était le lendemain, samedi, et nous nous trouvions chez la doctoresse pour la visite du quatrième mois.

Scarlett avait toujours eu la trouille des stéthoscopes et des médecins. Comme elle avait besoin de soutien moral, j'avais obtenu la permission exceptionnelle de l'accompagner, même si j'étais de nouveau punie et privée de sortie parce que : 1) j'avais menti pour passer la soirée avec Tristan ; 2) je n'avais pas respecté la permission de minuit. J'étais devenue une grande spécialiste des punitions : j'aurais pu écrire des livres sur le sujet.

— Je me nourris tout de même mieux ! s'indigna Scarlett en s'énervant sur sa table d'examen.

Elle portait une chemise d'hôpital, qui laisse les fesses à l'air, et essayait malgré tout de garder sa dignité et sa décence.

Derrière elle, sur le mur, était scotché un poster très graphique intitulé : « L'appareil reproducteur féminin ». J'évitais de regarder de ce côté-là, et m'intéressai plutôt à la déco, des minidindes en plastique ou en forme de bougie, entourées de colons : dans deux semaines on fêterait Thanksgiving.

— Tu ne manges pas assez de légumes verts. La laitue dans les hamburgers, ça compte... pour du beurre.

— Oh, la ferme ! me dit-elle en se rallongeant et en croisant les mains sur le ventre.

Ces dernières semaines, on commençait à voir qu'elle était enceinte. Son ventre avait grossi, mais le plus spectaculaire, c'était ses seins : ils avaient doublé de volume. Scarlett disait d'ailleurs que là se trouvait le seul avantage de la grossesse.

On frappa, la doctoresse Roberts (selon son badge) entra, un porte-bloc à pince sous le bras. Elle était cool, avec son jean délavé, ses Converse rose Barbie et son petit chignon flou, bas sur la nuque.

— Bonjour ! lança-t-elle.

La doctoresse consulta ses notes et ajouta :

— Scarlett. Comment vas-tu aujourd'hui ?

— Oh, bien, répondit mon amie.

Mais elle se tordait les mains : elle mourait de peur. Je me concentrai sur mon numéro de *Life*. C'était un numéro spécial consacré à Elvis.

— Tu es enceinte de seize semaines, reprit la doctoresse en lisant son dossier. Tu as des problèmes ? Des inquiétudes ?

— Pas du tout, répondit Scarlett à voix basse.

Je lui lançai un regard en coin.

— Enfin, pas vraiment, reprit-elle.

— Pas de migraines, ni de saignements de nez ? Constipation ?

— Non.

— Menteuse ! m'exclamai-je.

— Toi, dégage ! me lança-t-elle.

Et elle continua, à l'adresse de la doctoresse :

— Ne l'écoutez pas, elle dit n'importe quoi.

— Qui es-tu ? me demanda la doctoresse, qui tourna les yeux vers moi. Sa sœur ?

— Non, sa meilleure amie. Je vous préviens, Scarlett a une peur bleue des médecins. Elle ne vous dira donc rien.

— D'accord, répondit la doctoresse en souriant. Écoute, Scarlett, je sais que la situation est un peu effrayante, surtout pour une fille de ton âge. Mais il faut que tu sois franche avec moi. C'est pour ton bien, et pour le bien de ton bébé. Je dois savoir très précisément comment ta grossesse se déroule.

— Scarlett, elle a raison, renchéris-je.

Scarlett me regarda d'un œil noir. Je me replongeai dans *Life*.

Scarlett tripota l'ourlet de sa chemise d'hôpital, avant de se décider à parler.

— Bon, d'accord. J'ai des brûlures d'estomac. Et puis, j'ai des vertiges depuis quelque temps.

— C'est normal, lui dit la doctoresse, qui la fit se rallonger sur la table d'examen.

Elle glissa ses mains sous sa chemise d'hôpital pour l'ausculter.

— As-tu remarqué un changement en ce qui concerne ton appétit ?

— Oui : je mange tout le temps.

— C'est bien. Mais favorise des aliments riches en protéines et en vitamine C. Je te donnerai des brochures d'information sur l'alimentation de la femme enceinte, tout à l'heure, quand nous aurons terminé. Nous pourrons en reparler, si tu en as envie.

Elle remit son stéthoscope autour du cou, consulta de nouveau le dossier de Scarlett et tapota sur son porte-bloc.

— Ta tension artérielle est normale, nous avons bien eu un échantillon de ton urine. Il y a un sujet que tu aimerais évoquer ? As-tu des questions ?

Scarlett me jeta un regard oblique, mais je tournai la page de *Life*, pour lire un article sur la politique intérieure, et fis comme si je n'avais pas entendu.

— J'ai bien une question…, déclara enfin Scarlett. Ça fait mal ?

— Qu'est-ce qui fait mal ?

— L'accouchement. Quand le bébé naît, on souffre beaucoup ?

La doctoresse sourit.

— Cela dépend, Scarlett, mais je mentirais si j'affirmais qu'un accouchement est sans douleur. Tout dépend aussi du type d'accouchement que l'on choisit. Certaines femmes refusent toute médication : elles choisissent ce qu'on appelle l'accouchement naturel. Il existe également des cours de préparation à l'accouchement que je peux te conseiller : les exercices de respiration qu'on y apprend t'aideront, le moment venu.

— Vous dites que ça fait mal quand même...

— Ça dépend, précisa la doctoresse avec douceur. Mais honnêtement, oui, dans l'ensemble, un accouchement est douloureux. Cela dit, depuis toujours, les femmes donnent la vie en surmontant leurs souffrances. Un accouchement, c'est aussi très beau.

— Si vous le dites, déclara Scarlett d'un air sombre en posant ses mains sur son ventre.

Après, on a repris la route pour aller chez Milton faire notre service de 12 heures-18 heures. C'est moi qui conduisais.

— Tu vas tout de même avoir besoin d'un max de médicaments, fis-je remarquer. Ils te mettront complètement K-O, comme si tu avais été assommée par une batte de base-ball.

Scarlett soupira.

— Je sais, et ça n'est pas bon pour le bébé.

— Quoi, la batte de base-ball ?

— Mais non, les médicaments, andouille ! Il vaudrait mieux que je suive les cours de préparation à l'accouchement. Pour apprendre à bien respirer, tu vois.

— Le truc de la respiration du petit chien ?

— Oui, enfin, un machin qui me rendra zen.

Elle feuilleta les brochures que la doctoresse lui avait données, et dont les couvertures représentaient des femmes enceintes et contentes de l'être.

— Peut-être que Marion acceptera de m'accompagner ?

— Évidemment qu'elle t'accompagnera ! De cette façon, elle sera présente à l'accouchement. Moi, je trouve que c'est une bonne idée !

— Bof, je ne sais pas... Marion continue de parler

de l'adoption : elle y croit dur comme fer. Elle a même déjà contacté une agence et tout.

— Elle finira par changer d'avis.

— Non, elle pense plutôt que c'est moi qui finirai par changer d'avis.

On se gara sur le parking de chez Milton, comme tous les samedis noir de monde.

— Tôt ou tard, il faudra bien que l'une ou l'autre cède...

Dans l'après-midi couvert par les braillements de milliers d'enfants, et après avoir vu défiler des packs de lait, je ne sais combien de régiments de bananes et de bouteilles de Diet Coke, j'aperçus maman qui faisait la queue devant ma caisse. Elle feuilletait *Good Housekeeping* et avait acheté une bouteille de vin, qu'elle avait coincée sous son bras. Elle m'a fait signe avec un sourire. Ma mère était toujours folle de bonheur quand elle me voyait à ma caisse chez Milton.

— Bonjour ! me lança-t-elle joyeusement en posant sa bouteille sur le tapis.

— Bonjour.

Je passai la douchette sur le code-barres, puis pressai sur la touche « Total » de ma caisse.

— À quelle heure termines-tu ? me demanda-t-elle.

— À 18 heures.

Derrière moi, j'entendais Scarlett débattre du prix du raisin avec un client.

— Ça te fera sept dollars quatre-vingt-neuf.

Maman me tendit un billet de dix.

— Parfait. Je t'invite à dîner ! déclara-t-elle.

— Une autre fois, maman. Je suis super fatiguée.

— Mais j'aimerais te parler.

La file devant ma caisse n'en finissait pas et les clients s'énervaient : les embrouilles de maman leur faisaient aussi perdre leur temps.

— Alors je passe te chercher ?

— Mais maman..., commençai-je tandis qu'elle prenait son vin et sa monnaie, et sortait.

— À tout à l'heure, à 18 heures ! coupa-t-elle gaiement en se détournant.

Impossible de la rattraper, j'étais coincée, d'autant qu'un type gros et gras s'approchait comme s'il avait peur de perdre son tour et déposait en vitesse deux boîtes de bretzels Super Snax et une bouteille d'Old English 800 sur le tapis de ma caisse.

Ces derniers temps, maman était obligée de ruser pour me piéger, parce que je filais entre ses doigts comme une anguille. Cette fois, elle avait bien manœuvré : j'étais faite comme une souris dans une souricière. Tout le reste de l'après-midi, je me suis creusé la tête pour savoir quelle nouvelle entourloupette elle me réservait.

Maman est venue me chercher chez Milton comme prévu à 18 heures. Elle s'est garée dans la zone de livraison et m'a attendue dans la voiture, sans couper le moteur. Quand je me suis assise à côté d'elle et qu'elle m'a souri de tout son cœur, l'air trop heureux, j'ai eu honte d'avoir flippé en pensant à notre dîner.

On est allées dans le petit restau italien près de chez nous, où il y avait des tables avec des nappes à carreaux et un buffet à pizzas. Après avoir mangé une part de pizza peperroni et blablaté sur Milton et le lycée, maman s'est penchée vers moi et a commencé son grand numéro.

— J'aimerais te parler de Tristan, Halley.

Elle avait prononcé son prénom comme si elle le connaissait mieux que moi. Comme s'il avait été son meilleur copain.

— Tristan ? Ah bon.

— Oui.

Maman but une gorgée de vin.

— Je vais être franche avec toi, Halley : tes relations avec ce garçon ne me plaisent pas.

« Mais enfin, de quoi je me mêle ? Ça n'est pas ta vie ! » pensai-je à l'instant. Mais je gardai un silence prudent. Je l'avais compris, nous n'aurions pas un vrai échange, avec de vrais dialogues, où mon avis serait aimablement requis et discuté : j'aurais droit à un monologue ininterrompu. Je connaissais trop bien maman, les expressions de son visage et les intonations de sa voix. Je savais même traduire le sens caché, souvent subtil, de ses moindres soupirs.

— Depuis que tu connais ce garçon, tu sèches les cours et tu ne respectes pas les horaires que nous te fixons, reprit-elle avec assurance. De plus, ton attitude est souvent provocante. Tu es insolente. Honnêtement, Halley, je ne te reconnais plus.

Maman avait bossé le sujet à fond et bien potassé son discours. Sans doute l'avait-elle même écrit sur le bloc jaune où elle prenait des notes pour son prochain bouquin.

Je restai silencieuse et continuai de manger ma pizza. J'avais pourtant déjà perdu l'appétit.

Maman continua. C'est qu'elle était lancée, maintenant.

— Tu as beaucoup changé, dit-elle bien trop fort.

Mortifiée, je me fis toute petite sur ma chaise, sans oser regarder les tables autour de nous. Sacrée stratégie, de choisir un endroit public pour me faire la morale et me réduire au silence, à la honte...

— Tu sens la cigarette. Tu es apathique, indifférente. Tu ne nous racontes plus tes journées au lycée. Tu es également distante.

Distante.

Dès qu'elle ne pouvait plus contrôler ma vie, elle m'accusait d'indifférence.

— Tous les signaux d'alarme sont là, continua-t-elle. Ces signaux que je conseille chaque jour aux parents de guetter et de débusquer.

— Je ne fais rien de mal. L'autre soir, je suis rentrée avec vingt minutes de retard seulement.

— Ça n'est pas le problème et tu le sais.

Maman se tut au moment où le serveur revenait déposer une corbeille de pain sur notre table.

Puis elle reprit, plus bas :

— Tristan t'est néfaste.

Comme si Tristan avait été un aliment – pas un poivron vert ou une orange, mais un Bounty calorique et hautement toxique.

— Qu'est-ce que tu en sais ? Tu ne le connais même pas !

— Et pour cause : tu refuses de parler de lui.

Maman plia sa serviette et la posa sur son assiette maintenant vide.

— Je t'ai sans cesse tendu des perches pour ouvrir le dialogue, reprit-elle.

— Mais je n'ai pas envie de « dialoguer » avec toi ! coupai-je. De toute façon, tu t'es déjà fait ton idée sur lui. Tu le hais. Et puis, d'ailleurs, ça n'est pas Tristan, le problème.

— C'est ce que je sais sur lui qui me pose problème.

Par exemple, son imprudence folle au volant, enchaîna maman, se penchant davantage vers moi. De plus, il n'est pas de notre quartier. Et, enfin, tu es tellement aveuglée par ce garçon que tu es prête à tout pour lui, même à nous mentir, à moi et à ton père. Ce que je ne sais pas, en revanche, c'est ce que vous faites lorsque vous êtes ensemble. Si vous êtes allés trop loin, par exemple. S'il y a une histoire de drogue là-dessous, ou Dieu sait quoi...

— Une histoire de drogue ?

J'éclatai de rire.

— C'est fou, ça, il faut toujours que tu penses à la drogue !

Mais maman ne riait pas.

— Ton père et moi, poursuivit-elle, baissant enfin la voix, nous en avons beaucoup parlé et, d'un commun accord, nous avons décidé que tu ne le verrais plus.

— *Quoi ?* Mais vous n'avez pas le droit !

J'en avais mal au ventre.

— Avec les derniers événements en date, je crois, hélas, que tu ne nous laisses pas le choix, Halley.

Maman se redressa, s'adossa à sa chaise, le dos bien droit, et croisa les bras. Elle semblait contrariée que je me rebiffe. Ah ça, c'est sûr, on n'était pas dans son cabinet de psy. Je n'étais pas une de ses patientes dociles à qui elle pouvait dicter sa conduite. Mais à quoi s'était-elle donc attendue ? À ce que je la remercie ? C'est ça, oui !

— Écoute, Halley, tu ne comprends pas à quel point c'est facile de commettre une erreur qu'on regrettera ensuite toute sa vie. Un seul faux pas et...

« Nous y voilà », pensai-je en hochant la tête.

— C'est une allusion à Scarlett, hein ?

Ras le bol de me battre et d'inventer une tactique pour me défendre. Autant foncer dans le tas.

— Non, je te parle de toi, Halley. Tu as actuellement de mauvaises fréquentations. Tu pourrais subir des influences malheureuses et, de là, commettre des actes qui ne sont pas de ton âge. Auxquels on te pousserait. Tu ne sais rien de Tristan, en fin de compte.

Je détestais qu'elle prononce son prénom.

— La vie est semée d'embûches, Halley. Tu es naïve. Tu n'as aucune expérience. De plus, au contraire de moi, tu ne vois pas les gens sous leur véritable jour : tu es influençable et rêveuse.

Raide, contenant ma colère, je fixai maman, tandis qu'elle décortiquait mes pensées et mes sentiments sans aucune gêne. J'avais l'impression d'être une devinette dont elle était l'auteur et dont elle seule connaissait la réponse. Vu qu'elle ne pouvait pas me coller comme mon ombre, elle m'étiquetait comme si j'étais sa chose, me classait dans un dossier qu'elle garderait toujours sous le coude, pour me voler ma vie.

— C'est faux ! dis-je en détachant bien mes mots.

Je me levai. Je savais déjà que j'allais dire quelque chose d'affreux.

— Je ne subis pas d'influences malheureuses. Je ne suis pas naïve ou inexpérimentée Et je ne suis pas comme toi.

Ce sont mes derniers mots qui l'ont frappée. Elle a pâli, et a eu l'air aussi choquée que si je lui avais donné une claque.

« Tu voulais de la distance ? Tiens, prends ça dans les gencives ! » me dis-je.

Maman s'est redressée sur sa chaise et a repris à voix basse :

— Assieds-toi, s'il te plaît, Halley.

Mais je restai debout. J'avais envie de me tirer, de me perdre dans les mystérieux labyrinthes de Tristan : salles de jeux vidéo, petites rues et allées ; ou bien je courrais m'enfermer dans sa chambre, dans le penthouse de sa mère, et y resterais pour toujours.

— J'ai dit : *assieds-toi*, Halley.

Maman fixait le parking derrière moi. Elle n'arrêtait pas de cligner des yeux et prenait de grandes inspirations comme pour se calmer.

J'obéis pendant qu'elle tamponnait ses lèvres avec sa serviette et faisait signe au serveur. Là-dessus, elle a payé, on est rentrées. En route, je n'ai pas dit un mot. J'observais les maisons qui défilaient par la vitre de la portière. Je pensais au Grand Canyon, vaste et infranchissable, comme tant de choses dans ma vie, désormais.

En arrivant devant chez nous, on a croisé Steve, qui sortait de sa Hyundai, garée juste devant chez Scarlett. Il avait un bouquet de fleurs, comme d'habitude, et portait l'une de ses vestes en tweed avec des pièces de cuir aux coudes.

Cette fois, je n'ai pas eu besoin de Scarlett pour remarquer le tout dernier signe d'émergence de Vladimir : les bottes. De grandes et grosses bottes en cuir avec un talon bien épais et des boucles qui devaient cliqueter à chaque pas, et pourtant, je n'entendais rien, même par ma vitre de portière ouverte. J'imaginais ses bottes de guerrier piétinant la tête de ses ennemis morts au combat. Steve, alias Vladimir, nous adressa un petit signe amical. Maman leva la main, et assura bien, même si elle était encore en rage.

On n'avait toujours pas décroché un mot lorsqu'on entra dans la cuisine, où mon père était au téléphone. À notre arrivée, il se détourna : à sa tête, je compris tout de suite que quelque chose de grave était arrivé.

— Ne quittez pas, dit-il à la personne à l'autre bout du fil.

Il mit la main sur le combiné.

— Julie, c'est à propos de ta mère.

Maman posa son sac.

— Quoi ? Que se passe-t-il ?

— Elle est tombée et elle est gravement blessée, chérie. Ce sont les voisins qui l'ont découverte, au bout de plusieurs heures.

— Elle est tombée ? répéta ma mère d'une voix tremblante et trop aiguë.

— Je te passe le docteur Robbins, il va tout t'expliquer.

Mon père tendit le téléphone en ajoutant :

— Je vais te réserver un vol pour Buffalo sur l'autre ligne.

Maman lui prit le combiné des mains, inspira profondément tandis que papa lui pressait l'épaule avec tendresse, avant de se rendre dans son bureau. Moi, je restai immobile devant la porte d'entrée, que je n'avais pas pensé à refermer.

— Oui, bonjour, ici Julie Cooke, commença maman. Mon mari vient de m'expliquer la situation. Vous savez quand ça s'est passé ? Oui... Bien entendu...

Tout en parlant, elle me fixait sans s'en rendre compte, sans me voir, mais comme si elle n'avait eu que moi à qui se raccrocher.

— Mon mari est en train de me réserver un billet d'avion, j'arriverai aussi vite que possible. Souffre-t-elle ?... Oui, je comprends. L'opération a lieu demain matin, à 6 heures ? Je serai sur place au plus vite. Merci. Au revoir.

Elle raccrocha et me tourna le dos, puis resta immobile, la main serrée sur le combiné. Son dos était raide, ses épaules crispées.

— Ta grand-mère s'est blessée, murmura-t-elle sans se retourner. Elle est tombée et s'est cassé quelques côtes. Elle va devoir subir une opération de la hanche, demain. Elle est restée seule pendant plusieurs heures avant qu'on la découvre.

Elle s'étrangla à ces derniers mots. Sa voix chancela.

— Elle va guérir ? demandai-je, inquiète.

Du fond du couloir s'élevait la voix de mon père. Il posait des questions sur les horaires des avions, les tarifs éco ou business, les possibilités de stand-by.

— Maman ?

Maman s'affaissa, puis se redressa, prit une grande inspiration et se retourna, le visage composé et égal.

— Je ne sais pas, chérie. On verra.

— Écoute, maman, il faut que je te dise..., commençai-je.

J'avais envie de faire la paix, de tendre la main au-dessus du gouffre que j'avais creusé entre nous, en refusant de lui parler de Tristan. J'avais soudain envie de tout lui confier.

Au même instant, la voix de mon père retentit dans le couloir.

— Julie ? Il y a un vol pour Buffalo dans une heure, avec une escale assez longue à Baltimore. Je n'ai pas trouvé mieux, hélas.

— Ça ira, réserve-le, dit-elle de sa voix toujours égale. Je vais préparer mon sac.

— Maman, repris-je, il faut que...

— Écoute, ça n'est pas le moment, chérie, me coupa-t-elle en tapotant mon épaule distraitement. Je dois aller préparer mes affaires.

Alors je suis montée dans ma chambre. J'ai laissé ma porte ouverte et je me suis assise sur mon lit. Puis j'ai ouvert mon cahier de maths sur mes genoux pour faire mes devoirs. J'entendais l'armoire de la chambre de mes parents s'ouvrir et se refermer, maman qui préparait son sac, papa qui lui parlait tout bas, pour la consoler. Mais le pire, c'était les silences soudains, quand je devais me pencher pour tendre l'oreille, dans l'espoir d'entendre un mot, un son plutôt que ces petits bruits étouffés qui m'indiquaient que maman pleurait.

Avant de partir, maman est venue me dire au revoir. Elle m'a serrée fort dans ses bras et ébouriffé les cheveux, comme quand j'étais petite. Elle m'a dit de ne surtout pas me faire de souci. Elle a aussi promis de téléphoner très vite, répétant que tout irait bien. Elle avait oublié que je voulais lui parler, tout à l'heure. Et, d'ailleurs, elle semblait aussi avoir oublié l'horrible scène du restau. Il avait suffi d'un coup de fil, et maman était redevenue une petite fille, inquiète pour sa mère.

Chapitre 11

Maman partie, j'ai eu l'impression d'avoir une remise de peine. L'émission de papa était toujours au top des audiences selon Arbitron, l'agence de mesure d'écoute des médias, donc presque tous ses après-midi et soirées étaient occupés par des promos parfois ringardes, parfois pipoles.

Au cours de ces derniers mois, papa avait déjà perdu un pari *on air* avec le mec qui donnait les infos sur la circulation routière, résultat, il avait dû faire un strip-tease très embarrassant (sans aller jusqu'au bout, heureusement !) dans une boîte de nuit du centre-ville. Papa avait aussi assisté à des centaines de cocktails en l'honneur d'heureux gagnants de concours variés. Il avait participé à une partie de catch rocambolesque avec un certain Dominator, lors d'une soirée au Hilton. Mais c'était pour la bonne cause : rassembler des fonds. Pauvre papa, il s'était tout de même retrouvé presque en mille morceaux et couvert de bleus : il avait dû porter une attelle sur le nez pendant une semaine. Mais il avait adoré, au point d'en faire largement profiter ses auditeurs : il parla ainsi de ses deux tampons de gaze au fond du nez, et, là-dessus, de ses problèmes pour respirer et se moucher. Enfin, il fut l'auteur d'au moins un million de blagues nullissimes, qui me donnaient toutes envie de hurler à la mort quand je les entendais en allant au lycée.

Chez nous, le téléphone n'arrêtait pas de sonner, car Lottie, un allumé qui organisait la vie de papa dès le saut du lit et à la seconde près, appelait toutes les quatre secondes. Le gars Lottie alignait les obligations de papa comme des perles sur un collier : promos au centre commercial, événements en tout genre ou compètes acrobatiques débilissimes où papa se bousillait la santé et faisait le clown de service. Je voyais à peine mon père, dont ma mère disait qu'il était trop âgé et trop fin pour des bêtises pareilles. En attendant, papa ne se mêlait pas de ma vie. Au pire, on se rencontrait, tard le soir, quand je passais devant sa chambre pour me brosser les dents et lui souhaitais bonne nuit. On avait un accord tacite : je devais bien me conduire et être à la maison à l'heure convenue ; en échange, il ne me fliquerait pas. La situation ne durerait que quatre jours, en fin de compte, et papa n'avait pas envie de se prendre la tête pour si peu.

J'étais donc tout le temps avec Tristan. Il passait me prendre à la maison pour aller au lycée et, l'après-midi, me conduisait chez Milton ou à la maison. Quant à Scarlett, elle était encore plus occupée que mon père. Elle faisait des heures sup chez Milton afin d'acheter de la layette et des meubles pour la nurserie. Elle passait aussi beaucoup de temps avec Cameron, qui mettait du rose à son moral et lui massait les pieds. Enfin, Mme Bagbie, l'une des CPE, l'avait convaincue de se joindre aux Teen Mothers, un groupe de parole et de soutien destiné aux mères adolescentes, qui venait de se créer au lycée et se réunissait deux fois par semaine. Au début, Scarlett avait dit non, mais elle affirmait maintenant que, grâce aux filles des Teen Mothers, enceintes ou déjà mères, elle se sentait redevenir normale. De toute façon, Scarlett avait un don pour se faire des amis.

Tristan et moi, on avait la belle vie.

Le lundi, on a séché les cours et passé la journée à buller : rouler, manger au fast-food et se balader au bord de la rivière. Quand le lycée a téléphoné chez nous, en fin d'après-midi, papa n'était pas à la maison. J'ai expliqué que j'avais été malade et que maman était en déplacement. Tristan, qui savait déjà imiter la signature de ma mère, signait avec panache tout ce que je voulais.

Maman appelait chaque soir et me posait les questions types : « Et le lycée ? », « Et chez Milton ? ». Elle s'inquiétait de savoir si papa n'oubliait pas de me nourrir. Elle disait que je lui manquais et répétait sans cesse que Mamie irait bientôt mieux. Elle regrettait qu'on se soit disputées et exprimait sa tristesse. Maman se doutait bien que j'avais eu du mal à rompre avec Tristan, mais elle affirmait qu'un jour, bientôt, je comprendrais qu'elle avait eu raison.

Et moi, à l'autre bout du fil, je répétais : « Oh oui, bien sûr », en regardant Tristan faire marche arrière, prendre la route et klaxonner dans le virage pour un dernier coucou. Je me répétais que je ne devais pas culpabiliser, que c'était la faute de maman si on en était arrivées là : c'est elle qui avait imposé *sa* discipline parce que ça l'arrangeait. Autrefois, je lui aurais peut-être obéi. Plus maintenant.

La veille de mon départ à Buffalo avec papa, où on allait passer les fêtes de Thanksgiving, Tristan est passé me prendre chez Milton et m'a déposée à la maison. Il était encore tôt, et papa n'était pas rentré.

— Où est ton père ? me demanda-t-il en coupant le moteur.

— Aucune idée. Sans doute à la radio.

Je pris mon sac à dos sur le siège arrière et ouvris ma portière. Je me penchais pour l'embrasser, mais Tristan recula, fixant toujours ma maison plongée dans l'obscurité. Chez Scarlett, par contre, il y avait de la lumière : je voyais Marion devant la télévision, pieds nus sur la table basse. Dans la cuisine, Scarlett remuait quelque chose dans une casserole.

— Bon, à plus, quand je rentrerai de Buffalo, dis-je à Tristan en nouant mes mains derrière sa nuque.

— Tu ne m'invites pas à entrer ? coupa-t-il.

— T'inviter ?

Je le dévisageai, étonnée. Il ne me l'avait jamais demandé.

— Tu en as envie ?

— Ben oui !

Il m'a donc suivie dans notre allée bordée par les chers chrysanthèmes de maman.

Le journal était devant la porte d'entrée. Quelques feuilles voletaient dans la véranda. Il allait bientôt pleuvoir.

Je ramassai le journal, cherchai mes clés dans mon sac et ouvris la porte. Au même moment, j'ai entendu un grondement. Pas la peine de lever les yeux, je savais qu'un avion se rapprochait. Et, d'ailleurs, les carreaux des fenêtres vibraient déjà.

— C'est vachement fort ! s'exclama Tristan.

— À cette heure-là, c'est l'horreur : il y a toujours beaucoup de vols, en début de soirée.

Dans l'entrée, il faisait sombre et j'ai allumé à tâtons. Au même moment, j'entendis un « pop », et on s'est retrouvés dans le noir.

— L'ampoule a grillé. Attends, je vais allumer dans la cuisine.

Je posai mon sac à dos, il me suivit, traînant quelques feuilles qui s'étaient collées sous ses semelles. Tout à coup, je sentis son bras autour de ma taille et sa main, un peu froide, sur mon ventre. Après, il m'a embrassée. Chez moi ! Chez nous ! Dans la pénombre de notre couloir ! L'obscurité ne lui a pas posé le moindre problème pour s'orienter et me conduire direct dans le salon, sur notre canapé et les jolis coussins brodés de maman. Je lui ai rendu ses baisers, j'ai glissé les mains sous son T-shirt pendant que nos jambes se mêlaient. C'était bon, tout plein de fougue… Un autre avion a survolé la maison à grand fracas.

— Écoute, Tristan, il faut que tu t'en ailles, mon père va bientôt rentrer, dis-je en reprenant mon souffle.

Mais il continua de m'embrasser, ses lèvres dans mon cou, sur ma bouche tandis que ses mains avaient l'air d'être partout à la fois. Sur mes épaules, dans mon dos, sous mon T-shirt. Manifestement, le retour de mon père ne lui faisait pas plus peur que ça. Je le repoussai un peu plus fort.

— Arrête, Tristan ! Je suis sérieuse.

— Bon, d'accord.

Il se redressa et s'adossa contre un autre tas de coussins (maman adorait les coussins).

— Cool, Halley. Où est passé ton goût du risque ?

— Tu ne connais pas mon père ! dis-je, comme si papa était un ogre qui poursuivait les garçons avec un fusil de chasse.

Cela dit, c'était tout de même drôlement dangereux d'avoir invité Tristan chez nous. Si jamais papa nous découvrait seuls dans le noir, ça barderait.

Je me levai et allumai la lumière de la cuisine. Bizarre, mais notre maison, que je connaissais si bien, me semblait différente, maintenant que Tristan s'y trouvait. Et lui ? C'était quoi, son sentiment actuel ?

— Tu veux boire quelque chose ? lui demandai-je en ouvrant le réfrigérateur.

Il s'assit.

— Nan, rien.

Je regardais dans le réfrigérateur quand j'entendis la voix de mon père, exactement comme s'il venait d'entrer dans la cuisine. J'ai eu si peur que mon cœur s'est arrêté de battre pendant une demi-seconde.

« Salut, ici c'est Brian ! Je suis actuellement à la teinturerie Simpson, qui vient d'ouvrir ses portes au centre commercial de Lakeview. Les teintureries, tout le monde connaît, mais cette teinturerie-là, je vous assure qu'elle a du cachet. Pour commencer, Herb et Marjorie Simpson sont de véritables experts du nettoyage à sec... »

C'était la radio, mais, même le choc passé, j'ai continué d'avoir chaud aux joues et le sang en ébullition. Tristan, lui, souriait comme le chat du Cheshire, la main sur le bouton de la radio.

— Tu n'es pas drôle du tout ! lui dis-je en m'asseyant à côté de lui.

Il baissa le volume. Je n'entendis bientôt plus que le murmure de papa, qui parlait maintenant de service express et d'amidonnage.

Après, Tristan a voulu voir ma chambre. J'ai vite compris pourquoi, mais je l'ai pris par la main et on est montés. Il a fait le tour du propriétaire, s'est penché sur le miroir de ma coiffeuse pour observer de plus près les rubans bleus que j'avais reçus en compète de gym, en primaire, ainsi que les photos « pose spécial sourire » que Scarlett et moi on avait prises au Photomaton du centre commercial. Enfin, il s'est allongé sur mon lit, comme s'il avait été chez lui, et, quand il s'est penché pour m'embrasser, je n'ai pas fermé les yeux. Je regardais par-dessus sa tête la poupée de collection que Mamie m'avait offerte pour mes dix ans et qui se trouvait en haut de mon étagère. Elle représentait Scarlett O'Hara, dans sa légendaire robe vert et blanc, et avec un grand chapeau. Et rien que de la regarder, juste avant de fermer les yeux, je me suis sentie coupable. J'ai même entendu dans ma tête la voix de maman qui affirmait que je commettais à présent une grave et terrible erreur.

Dehors, les avions continuaient de survoler le quartier et d'ébranler les vitres. Tristan glissait sa main toujours plus bas, et maintenant, sous la ceinture de mon pantalon, direction ma petite culotte. Jamais il n'avait été aussi audacieux. Et moi, je continuais d'écarter sa main.

On avait mis mon radio-réveil, pour suivre la trace de mon père, mais, au bout d'un moment, ça a coupé, le silence est tombé. Je sentais les lèvres de Tristan sur mes oreilles, ses caresses sur ma nuque. J'entendais les petits mots qu'il me chuchotait à l'oreille. C'était vraiment bon. Je me sentais tomber, glisser dans l'oubli et me perdre dans mes sensations, jusqu'à ce que soudain...

— Non ! Arrête ! dis-je en saisissant sa main tandis qu'il essayait de déboutonner la braguette de mon jean.

— Pourquoi ? s'étonna-t-il d'une voix étouffée.

— Tu sais très bien pourquoi.

— Non, je ne sais pas.

— Arrête, je te dis !

— Mais enfin, Halley, c'est quoi ton problème ? demanda-t-il en se mettant sur le dos, posant la tête sur mon oreiller.

Sa chemise était déboutonnée et sa main, immobile, à proximité de ma petite culotte.

— Le problème, c'est que je suis chez moi, dans mon lit, et que mon père ne va pas tarder ! Je n'ai pas envie de me faire piquer, figure-toi.

Tristan roula sur le flanc et ralluma mon radio-réveil. La voix de mon père emplit ma chambre.

« Précipitez-vous à la teinturerie Simpson : on y propose des prix défiant toute concurrence, des offres spéciales, et même du gâteau, eh oui ! Qui refuse une part de gâteau ? Pas moi, en tout cas ! Brian avec vous jusqu'à 21 heures... »

Tristan resta immobile et me regarda fixement pour me prouver que j'avais tort.

— Je te dis de laisser tomber, répétai-je en allumant la lumière de ma lampe de chevet.

Ma chambre sortit de la nuit et me redevint familière. Tout était à sa place : le lit, le tapis, mes peluches

211

alignées sur le troisième rayon de mon étagère. Il y avait aussi un petit cochon vert, au milieu. C'est Noah Vaughn qui me l'avait offert, deux ans plus tôt, pour la Saint-Valentin. Noah n'avait jamais caressé que ma nuque. Il n'avait jamais trouvé les moyens les plus ingénieux pour atteindre des endroits que je surveillais avec vigilance et dont je défendais l'accès avec sévérité. Noah Vaughn était déjà bien trop content de tenir ma main.

— Écoute, Halley, reprit Tristan à voix basse, j'ai été patient jusqu'à maintenant, mais cela fait tout de même trois mois qu'on sort ensemble.

— C'est pas beaucoup, dis-je en tripotant le bout de ma housse de couette, qui était déchiré.

— Pour moi, ça l'est.

Il se rapprocha et posa sa tête sur mes genoux. Et, dans un flash, j'ai compris que lui, il l'avait déjà fait.

— Penses-y, d'accord ? On fera attention, je te le jure.

— D'accord, dis-je en caressant ses cheveux.

Il ferma les yeux.

S'il avait su… J'y pensais tout le temps. Mais, chaque fois que j'étais tentée et que j'avais envie de capituler, je songeais à Scarlett. Logique, Scarlett aussi avait pensé faire attention, avec Michael.

Après ça, Tristan ne s'attarda pas. Il n'avait pas envie de regarder la télévision, ni même de rester. Quelque chose avait changé, je le sentais bien, même si je n'avais jamais vécu ce genre de situation. C'était l'instinct qui me le soufflait : je *savais* que je perdrais Tristan si je ne couchais pas avec lui, de la même façon que les bébés tortues *savent* qu'ils doivent rejoindre la mer dès leur naissance.

Un petit bisou plus tard, il fila. Je restai dans la véranda, le suivant des yeux alors qu'il donnait un dernier coup de klaxon, comme d'habitude, dans le virage.

Tandis qu'il s'éloignait, je pensai à l'image que j'avais de moi : cette petite silhouette aux contours noirs de l'album de coloriage. Eh bien, elle commençait à s'étoffer et à prendre des couleurs. La fille que j'avais été, la fille que j'étais maintenant... Il y avait déjà eu pas mal de chamboulements dans ma vie, au cours de ces derniers mois, alors un de plus, un de moins, quelle différence ? Mais, aussitôt après, je pensais à Scarlett, toujours à Scarlett, à cette nouvelle nuance qu'elle avait ajoutée à sa palette et que je n'étais pas encore prête à accepter.

Quand je suis passée dire au revoir à Scarlett, le même soir, elle était accroupie sur le carrelage de sa cuisine avec un seau et une éponge, et nettoyait l'intérieur du réfrigérateur avec énergie. Il y avait de la bouffe partout sur la table de la cuisine et sur les plans de travail.

— Tu *sens* ça ? me demanda-t-elle.

Elle ne s'était même pas retournée. La grossesse avait affiné tous ses sens. Parfois, je me disais que Scarlett était devenue extralucide.

— Hein ? Sentir quoi ?

Elle se détourna et pointa son éponge sur moi. Puis elle inspira et ferma les yeux.

— *Ça*. Cette odeur de pourri.

Mais je ne sentais que l'odeur d'eau de Javel.

— Non.

Scarlett se leva, en s'appuyant sur la porte du réfrigérateur. Elle avait du mal à se relever maintenant, car son centre de gravité avait changé, à cause de son ventre.

— Cameron non plus n'a rien senti ! Il a dit que j'étais folle, mais ça pue tellement que j'ai envie de dégobiller. Je retiens mon souffle depuis que je nettoie ce foutu réfrigérateur.

Je regardai la bible de la grossesse sur la table, grande ouverte à la page du cinquième mois, qui approchait à grands pas. Je la feuilletai tandis qu'elle mettait le nez dans le bac à légumes et, avec une grimace, se remettait à frotter comme une dingue.

— Page 74, paragraphe du bas, lus-je à voix haute, suivant les phrases avec mon doigt : « Votre odorat peut devenir plus fin au cours de votre grossesse, ce qui provoque une aversion envers certains aliments. »

— Je n'arrive pas à croire que tu ne sentes pas une horreur pareille ! me coupa-t-elle sans m'écouter.

— Tu ne vas tout de même pas nettoyer la maison du sol au plafond ? demandai-je, alors qu'elle sortait le beurrier, l'examinait et le mettait à tremper dans le seau.

— S'il le faut...

— Tu es complètement cinglée !

— Non, je suis enceinte et j'ai le droit d'être excentrique, a dit la doctoresse. Alors la ferme.

Je m'assis et m'accoudai à la table. Chaque fois que j'étais dans la cuisine de Scarlett, je pensais à toutes les années qu'on y avait passées, attablées, avec la radio allumée. L'été, on faisait des cookies aux pépites de chocolat et on dansait sur le lino, pieds nus, avec la musique à fond.

Je feuilletai le chapitre sur le cinquième mois.

— Écoute-moi ça ! Le menu pour décembre : constipation non-stop, crampes aux jambes et chevilles enflées à surveiller.

— Super.

Elle s'assit sur ses talons et laissa tomber son éponge dans le seau.

— Quoi d'autre ?

— Humm, les varices, et peut-être des difficultés ou, au contraire, des facilités à avoir un orgasme.

Elle se détourna et dégagea son visage.

— Pitié, Halley.

— Je lis juste ce qui est écrit.

— Tu es tout de même bien placée pour savoir que les orgasmes, c'est le dernier de mes soucis. Tout ce qui m'intéresse pour l'instant, c'est de découvrir ce qui pue autant dans cette cuisine !

Je n'avais toujours pas repéré d'odeur de pourri, mais autant la boucler.

Scarlett gérait bien sa grossesse, maintenant. J'étais fière d'elle. Elle s'alimentait mieux, et, chaque jour, elle marchait une petite demi-heure dans le quartier : elle avait entendu dire que la marche, c'était bon pour le bébé. Elle lisait tout ce qui lui tombait sous la main sur l'éducation des enfants. En revanche, elle ignorait les articles et les brochures sur l'adoption, que Marion laissait régulièrement sur la table de la cuisine, avec la carte de visite du conseiller Bidule, prêt à discuter des options qui se présentaient à elle. Scarlett jouait le jeu parce qu'elle n'avait pas le choix, mais elle voulait garder son bébé. Elle avait pris sa décision et s'y tenait, comme elle l'avait toujours fait dans la vie, et tant pis pour les autres : qu'ils aillent se faire voir !

— Scarlett ?
— Oui ?

Sa voix était étouffée. Elle avait maintenant la tête sous le bac à viande et fromage, et inspectait le fond du frigo.

— Pourquoi tu as décidé de coucher avec Michael ?

Elle se redressa lentement et m'observa.

— Pourquoi tu me poses la question ?
— Je n'en sais rien.

Je haussai les épaules.

— Parce que je m'interroge.
— Tu l'as fait avec Tristan ?
— Non, évidemment !
— Mais lui, il veut coucher avec toi.
— Pas exactement.

Gênée, je fis pivoter le plateau tournant au milieu de la table d'un geste machinal.

— Mais, tout de même, il en parle.

Elle s'assit en face de moi et dégagea de nouveau son visage. Ses mains sentaient l'eau de Javel.

— Qu'est-ce que tu lui as dit ?
— Que je réfléchirais.

Elle se tut un instant, songeuse.

— Tu en as envie ?
— Je ne sais pas. Mais lui, il aimerait bien. Il ne comprend pas pourquoi j'en fais tout un fromage.
— Ça, c'est des conneries, Halley : il le sait parfaitement.
— Bon, mais ça n'est pas la question. Parce que je l'aime beaucoup. Vraiment. Et je pense que, pour des types comme lui, enfin dans ce style, c'est rien. C'est juste un truc qu'on fait, point.

Elle secoua la tête.

— Écoute, Halley. Il ne s'agit pas de lui, mais de toi. Si tu n'es pas prête, il ne faut pas que tu le fasses.

— Ah, mais je suis prête.

— Tu en es certaine ?

— Pourquoi, toi, tu l'étais ?

Ça l'a stoppée net. Elle a posé les mains sur son ventre, on aurait dit qu'elle avait avalé un melon ou une citrouille.

— Je ne sais pas. Mais je ne crois pas. J'aimais Michael, et, un soir, c'est allé plus loin. C'est arrivé. Après, je me suis rendu compte que ça avait été une erreur, et plus grosse que je ne l'avais pensé.

— Parce que le préservatif est parti ?

— Oui, mais pas seulement. Enfin bon, je ne vais pas te faire la morale, parce qu'au moment où j'ai fait l'amour avec lui, j'étais sûre de le vouloir. Je ne savais pas que, le lendemain, Michael disparaîtrait. Littéralement. Mais tu dois y penser.

— Penser que Tristan pourrait mourir ?

— Non, Halley, pas mourir, murmura-t-elle, et je vis cette ombre qui surgissait sur son visage à chaque fois qu'elle parlait de Michael.

Trois mois qu'il était mort, et toujours cette terrible tristesse dans ses yeux...

— J'aimais Michael de tout mon cœur, mais je ne le connaissais pas bien. Un été ensemble, qu'est-ce que c'est ? Il aurait pu se passer beaucoup de choses, au cours de l'automne. Je ne le saurai jamais.

— Je sais que Tristan voudrait. Sincèrement. Il insiste, tu vois.

— Si tu couches avec lui, ça changera tout. Forcément. Et, s'il te quitte, il n'y aura pas que lui que tu auras perdu. Alors il vaudrait mieux que tu sois sûre de toi, Halley. Sûre de sûre.

Chapitre 12

Mamie était maintenant dans une maison de repos qui s'appelait les Evergreen. La plupart des résidents passaient leurs journées alités, mais d'autres arrivaient à se déplacer. Des bonnes femmes en fauteuil motorisé allaient et venaient dans le couloir, sac à main serré sur leurs genoux, comme si elles avaient peur qu'on le leur pique au passage. Partout, ça sentait le désodorisant, une odeur de sucré dégueu et chimique. Il y avait aussi des décorations de Thanksgiving dans tous les coins : dindes, pères pèlerins et épis de maïs en plastoc, en papier, en guirlande ou en bougie. On avait l'impression que les fêtes étaient importantes, obligatoires même, parce qu'il n'y avait plus rien d'autre à attendre de la vie.

J'avais dormi pendant la quasi-totalité du trajet, car papa avait décidé de partir à 4 heures du matin pour éviter le gros des départs. Papa était en effet obsédé par les bouchons, et par sa volonté d'être plus futé que les autres automobilistes. Par-dessus le marché, il changeait sans cesse de station de radio, pour espionner la concurrence. Franchement, c'était saoulant : jamais je ne réussissais à écouter une seule chanson en entier.

Avant de me lever au petit matin, j'avais écouté le passage des voitures dans notre rue. J'étais certaine que Tristan reviendrait pour donner un dernier coup de klaxon, me faire un ultime coucou avant mon départ. Il savait que j'angoissais pour ma grand-mère, mais bon, les histoires de famille, ça ne lui parlait pas plus que ça. Surtout, je ne voulais pas partir à Buffalo sur un froid. Je l'imaginais dans l'un de ses QG, avec les potes que j'avais rencontrés. J'essayais de me convaincre qu'il m'aimait assez pour ne pas demander à une autre ce que je lui refusais.

Lorsqu'on est entrés dans la chambre de Mamie, je l'ai trouvée toute petite dans son lit. Elle était immobile, les yeux fermés. Le beau soleil qui passait par la fenêtre caressait son visage, dont le teint clair, transparent et fragile rappelait celui d'une poupée de porcelaine.

— Bonjour, vous deux !

Ma mère se leva de sa chaise, près de la fenêtre. Je ne l'avais pas vue.

— Vous avez fait bonne route ?

— Normal, dis-je tandis que maman m'embrassait.

— Excellente, renchérit papa en la prenant par la taille. On s'est débrouillés comme des chefs : on a précédé la cohue des grands départs !

Ma mère posa un doigt sur ses lèvres.

— Sortons, dit-elle à voix basse. Maman a passé une mauvaise nuit. Elle a besoin de repos.

Dans le couloir, les bonnes femmes en fauteuil roulant passaient et repassaient en riant et en jacassant. La porte de la chambre voisine de Mamie était entrouverte. Les stores avaient été baissés, la pièce était sombre. Le vieux monsieur dans le lit était intubé et relié à une machine.

— Alors, comment ça va ? me demanda maman en me serrant contre elle. Vous m'avez manqué, tous les deux !

— Et toi, comment vas-tu ? l'interrogea papa.

Comme moi, il avait remarqué que maman avait l'air très fatiguée et aussi plus âgée. C'est à croire que passer des journées entières dans cet endroit sinistre vous vieillissait de cent ans.

— Ça va, dit-elle à papa, son bras toujours autour de ma taille.

J'avais des fourmis dans le bras, mais je ne me suis pas dégagée, parce que je ne voulais pas faire de peine à maman.

— Elle va mieux, aujourd'hui. Tous les jours, il y a du mieux.

À chaque mot qu'elle prononçait, maman pressait mon épaule, comme pour leur donner de la force et de la vérité.

Là-dessus, on est revenus dans la chambre. J'ai parlé avec Mamie pendant quelques minutes seulement. Quand elle a ouvert les yeux et qu'elle m'a vue, j'ai tout de suite compris qu'elle ne me reconnaissait pas, et ça m'a fait flipper. Étais-je déjà devenue une autre Halley, avec une voix, des manières et une expression désormais méconnaissables ?

— C'est Halley, maman, l'informa doucement ma mère, qui se tenait de l'autre côté du lit.

Et, comme elle ne pouvait pas me presser l'épaule, de là-bas, elle me lança un regard d'encouragement.

Enfin, un éclair de lucidité passa sur le visage ancestral, lointain et tourmenté de Mamie. Elle savait maintenant que l'inconnue qui se penchait sur elle, c'était moi.

— Halley…

Elle me fit une drôle de grimace, comme si j'avais été une vieille copine qui se serait amusée à lui faire une blague.

— Comment vas-tu, ma minette ?

— Bien. Je suis contente de te voir, tu sais.

Je pris sa main fluette comme celle d'un enfant dans la mienne et mêlai mes doigts aux siens. J'en sentis les petits os fragiles tandis qu'elle me serrait et que je la serrais, moi aussi, avec délicatesse, pour la rassurer de mon mieux, avec tout mon cœur.

On a regardé Mamie pendant qu'elle mangeait son déjeuner de Thanksgiving : blanc de dinde accompagné de gelée de canneberge, le tout disposé sur un plateau-repas en plastique orange décoré comme une corne d'abondance. Les couloirs des Evergreen étaient bondés de parents qui faisaient leur pèlerinage de Thanksgiving. À un moment donné, je suis passée devant la chambre voisine, et j'ai vu du monde au chevet du vieux monsieur relié à une machine par des tubes. Ses proches étaient rassemblés autour de son lit et parlaient doucement. Dans le couloir, une petite fille en belle robe chasuble et sandales jouait à la marelle sur les carreaux du lino. Aujourd'hui, l'odeur dans les couloirs était différente : la puanteur du désodorisant avait été vaincue par les senteurs des centaines de parfums et de laque des visiteurs venus en masse rendre visite à leurs anciens.

Le soir, mes parents et moi, on est allés dans un hôtel du centre où, pour vingt dollars par personne, on avait droit à un buffet monstre spécial Thanksgiving. Il y avait des rangées de tables avec des plats au fumet appétissant : purée de pommes de terre, sauce de viande, sauce gravy ou à la canneberge, et tartes au potiron. Les autres convives étaient habillés comme pour aller à un bal et mangeaient en petits comités, à l'une ou l'autre des petites tables éparpillées dans la salle. On aurait dit qu'une immense famille s'était fragmentée pour former une multitude de micro-familles. Mon père a mangé comme un ogre (il s'est resservi trois fois), et maman, épuisée, le regard cerné, a parlé sans arrêt, comme si l'accumulation de mots dessinait un décor qui rendait ce Thanksgiving moins étrange, en tout cas à peine plus différent des autres. Maman me posa donc des tonnes de questions sur Scarlett, le lycée et Milton. Mon père raconta une histoire interminable sur un auditeur qui s'était foutu à poil et avait couru dans Main Street pour obtenir des tickets de concert gratis : c'était le dernier coup de pub, génial, de sa station. Je mangeai ma purée de pommes de terre, fondante comme du beurre, sans appétit, en me demandant ce que Tristan fabriquait. Mangeait-il de la dinde ou avalait-il un vieux Big Mac, seul dans sa chambre, avant d'aller faire la fête ? Tristan me manquait, la purée de pommes de terre avec grumeaux spécial Thanksgiving de maman me manquait aussi.

Après, on s'est installés chez Mamie Halley, moi dans la chambre que j'occupais quand je venais passer

222

l'été chez elle et mes parents, en bas tout au fond du couloir, dans la chambre d'amis avec le papier peint bleu à fleurs. Rien n'avait changé dans la maison de Mamie. Jasper le chat était toujours gras comme un petit cochon, les tuyaux de la plomberie vibraient et grondaient toujours, la nuit. Chaque fois que je passais près de la clochette dans l'escalier, je la faisais tinter pour m'annoncer à l'escalier désert.

Le soir, je relus pour la énième fois les magazines que j'avais emportés et j'appelai Scarlett. Elle avait préparé un dîner traditionnel de Thanksgiving pour Cameron (sa famille avait fêté Thanksgiving à l'heure du déjeuner), Marion et Steve, alias Vladimir. Elle me raconta que Steve-Vladimir avait débarqué en costume, mais chaussé de cuissardes comme au Moyen Âge, avec sa fameuse médaille et vêtu de ce qu'elle avait qualifié de « tunique ». Et encore, elle était polie en lui donnant ce nom, parce que c'était un truc ni fait ni à faire.

— Une tunique ?

— Mais oui : une espèce de grande chemise avec un cordon au col qui arrive au milieu des cuisses.

— Il l'a fourrée dans son pantalon ?

— Non : *sur* son pantalon. Marion n'a rien remarqué.

— Fascinant. Et toi ? Qu'est-ce que tu as dit ?

— À ton avis ? Rien ! Je l'ai accueilli, puis je lui ai proposé le bol de cacahouètes que j'avais préparé pour l'apéro. C'est hallucinant : Marion est raide dingue de ce type. Elle s'en ficherait complètement, s'il allait cul nu !

J'éclatai de rire.

— Parle pas de malheur !

— Ah, je te jure !

Elle soupira.

— En tout cas, le dîner a été génial. Cameron a entretenu la conversation et tout le monde m'a félicitée pour ma purée ! Manque de chance, je n'ai pas pu en manger une bouchée. Mon dos me fait un mal de chien et j'ai des nausées depuis la semaine dernière. C'est clair, il y a quelque chose de pourri dans la cuisine ! Je te l'ai déjà dit, je crois.

— Oui. Il y avait des grumeaux ?

— Où ?

— Dans la purée.

— Bien sûr ! La purée est bonne seulement si elle a des grumeaux !

— Tu me rassures... Tu m'en garderas un peu ?

— D'accord. Promis.

Sa voix était lointaine et accompagnée de parasites, mais toujours aussi réconfortante.

Au cours de notre week-end à Buffalo, j'appris à mieux connaître Mamie, et ce ne fut pas grâce à nos visites à la maison de repos, où je me contentais de lui serrer gentiment la main. Mamie souffrait toujours des suites de son opération et était un peu déconnectée de la réalité. Elle me confondait parfois avec maman et m'appelait Julie. Elle me racontait des histoires qui restaient inachevées parce que, tout à coup, elle se taisait. Mais maman, qui était assise derrière moi ou à côté de moi – ça dépendait –, terminait ses phrases à sa place : c'était sa façon de donner l'illusion que tout allait pour le mieux dans le meilleur des mondes.

Dans ma chambre, chez Mamie, il y avait une vieille armoire décorée de roses peintes dont le bois sentait très bon. Un soir où je m'ennuyais à crever, j'ai regardé dedans. J'ai vu des boîtes en carton, des photos, des lettres, enfin tout un bazar : des bidules que ma grand-mère, un vrai petit écureuil, n'avait jamais pu se résoudre à jeter. Il y avait des photos d'elle à mon âge, en robe de bal très chic, posant avec d'autres filles souriantes. Les longs cheveux noirs de Mamie étaient nattés pour former une couronne où avaient été piquées de petites roses. Il y avait aussi une boîte remplie de carnets de bal. Chacun contenait les signatures de ses cavaliers, chaque danse était soigneusement numérotée. Je découvris aussi une photo de mariage de Mamie : elle posait avec mon grand-père au moment de couper le gâteau, et tous deux tenaient le couteau. C'était captivant ! Je lus même les lettres qu'elle avait écrites à sa mère, pendant son premier voyage à l'étranger. Elle racontait, sur presque quatre pages !, sa rencontre avec un bel Indien dans un parc londonien. Elle avait rapporté leur conversation au mot près, allant jusqu'à préciser que le ciel était très bleu, ce jour-là. Quelques années plus tard, elle avait adressé à sa mère des lettres où elle confiait qu'elle aimait grand-père à la folie. Après la mort de sa mère, ces lettres lui avaient été rendues, dans leurs enveloppes d'origine, et joliment nouées par un ruban.

Je descendis dans la cuisine, où maman buvait une tasse de thé, installée près de la fenêtre dans le grand fauteuil de Mamie. Elle ne m'avait pas entendue et elle tressaillit lorsque je posai ma main sur son épaule.

— Tu n'es pas encore couchée, Halley ?

— Non, j'ai lu les lettres de Mamie pendant toute la soirée, dis-je en m'asseyant à côté d'elle. Regarde !

Je lui montrai un carnet de bal, que j'avais noué

autour de mon poignet, une photo du mariage où Mamie et grand-père valsaient, avec l'orchestre en fond, et le faire-part de ma naissance, soigneusement conservé dans son enveloppe. Je n'avais pas vu le temps passer pendant que je déballais les souvenirs que Mamie avait soigneusement conservés dans des boîtes en carton ou dans leurs enveloppes. Ça me plaisait de penser qu'elle les avait tout bien rangés pour moi.

— C'est difficile d'imaginer qu'elle a été adolescente, puis jeune femme, déclara maman en orientant la photo de mariage vers la lumière, pour mieux voir les détails. Tu as vu son collier ? Elle me l'a offert, le jour de mon mariage.

— Quand elle a eu dix-neuf ans, Mamie est tombée amoureuse d'un Indien qu'elle a rencontré à Hyde Park, pendant l'été. Et figure-toi qu'ils se sont écrit pendant deux ans !

— Incroyable, murmura maman, qui caressait mes cheveux. Elle ne me l'avait jamais dit...

— Et tu sais d'où vient la clochette de l'escalier ? C'est grand-père qui l'a ramenée d'Espagne, où il faisait son service militaire : il l'a achetée au marché aux puces.

— Vraiment ?

— Tu devrais lire ses lettres ! dis-je en baissant les yeux sur mon faire-part de naissance.

« Bienvenue parmi nous, petite Halley ! »

Maman me sourit avec nostalgie. Comme si cette conversation mère-fille lui rappelait qu'il y avait eu un temps où on était complices vingt-quatre heures sur vingt-quatre. On ne connaissait pas notre bonheur : maintenant, cette complicité-là, si parfaite, était devenue bien rare.

— Écoute, chérie, je suis vraiment désolée de ce qui s'est passé, lors de notre soirée à la pizzeria, me dit-elle, jouant toujours avec mes cheveux. Je sais, tu as du mal à comprendre pour quelles raisons je veux que tu cesses de voir Tristan, mais c'est pour ton bien. Un jour, tu comprendras.

— Non. Je ne comprendrai jamais !

Notre bonne entente avait subitement disparu. On était de nouveau séparées par un grand fossé. C'était criant.

Maman soupira et laissa retomber sa main. Elle aussi avait senti le changement d'atmosphère.

— Il est tard, Halley. Tu devrais aller te coucher.

Je sortis de la cuisine et, en bas de l'escalier, m'arrêtai devant un article du journal de la région qui avait été encadré et annonçait le retour de la comète de Halley : « Halley revient visiter notre galaxie ! »

— Je me rappelle le passage de la comète ! dis-je tout à coup.

Maman s'approcha et lut par-dessus mon épaule.

— J'étais sur les genoux de Mamie et on l'a regardée ensemble, ajoutai-je.

— Mais non, chérie, tu étais bien trop petite pour te rappeler ! répliqua-t-elle d'une voix ferme. De plus, le ciel était brumeux, on n'y voyait rien. J'ai gardé une image très nette de cette journée !

Voilà. Même mes souvenirs ne m'appartenaient pas. Il fallait toujours qu'elle ait le dernier mot...

Pourtant, je savais qu'elle se trompait. Je l'avais vue, cette fichue comète. J'en étais aussi sûre que je l'étais de connaître mon visage, mes mains, et aussi mon cœur.

Le lendemain, on a fermé la maison, donné à manger au chat et laissé de l'argent à sa baby-sitter, puis on a chargé la voiture et fait une dernière visite à Mamie. Aux Evergreen, c'était le calme plat : les visiteurs avaient déjà repris la route, sans doute pour éviter les bouchons. Et, d'ailleurs, mon père fit très vite ses adieux. Il alla nous attendre sur le parking et garda les yeux fixés sur la bretelle d'autoroute, la tête rentrée dans les épaules à cause du vent. Mais dans la chambre de Mamie, à l'abri derrière les doubles fenêtres verrouillées, on n'entendait rien.

Je suis restée longtemps au chevet de Mamie, sa main dans la mienne. Maman, de l'autre côté du lit, nous regardait. Mamie était lucide, sans plus. Elle était épuisée, ses médicaments la mettaient à plat, elle garda donc les yeux fermés. Lorsque je l'ai embrassée, j'ai senti ses joues sèches et fines comme du papier bible sous mes lèvres. Quand j'ai reculé, elle a posé sa main sur ma joue. Ses doigts étaient doux mais glacés. Mamie m'a ensuite souri. Je me suis souvenue d'elle sur la photo du bal, si jeune dans sa belle robe de soirée, avec des roses dans les cheveux, et je lui ai souri.

Après, j'ai attendu dans le couloir pendant que maman lui disait au revoir.

Je me suis adossée au mur, sous l'horloge. J'ai écouté son tic-tac hypnotique. J'entendais le murmure constant de maman, mais je ne saisissais pas ce qu'elle disait. Dans la chambre voisine, le vieux monsieur intubé et relié au respirateur était de nouveau tout seul. La machine faisait des petits « bipbip » dans l'obscurité. L'écran de sa télé était couvert de parasites.

Au bout de vingt bonnes minutes, je me suis approchée de la porte entrouverte. Maman, de dos, serrait la main de Mamie. Je regardai mieux et remarquai que Mamie s'était endormie et respirait paisiblement. Et maman, qui avait passé le week-end de Thanksgiving à se montrer maladivement rassurante, à presser sans cesse mon épaule, à sourire et à parler jusqu'à l'ivresse, craquait et pleurait en silence. Elle avait posé la tête sur le bord du lit et ses épaules tremblaient tandis que Mamie Halley dormait, toute calme. Ça m'a fait une peur bleue, pareille à celle que j'avais eue, le soir où j'étais rentrée du camp des Sisters et où j'avais vu Scarlett en larmes sur les marches de sa véranda.

Dans la vie, il y a des gens, des réalités et des évidences sur lesquels on s'appuie, parce qu'ils sont sûrs à deux cents pour cent. Mais, quand ils dégringolent de leur piédestal et vous laissent tomber, c'est le monde entier qui se casse la gueule, et notre confiance avec.

Chapitre 13

Scarlett entrait maintenant dans son cinquième mois de grossesse. Désormais, on voyait bien qu'elle était enceinte. Le modeste tablier vert de Milton ne parvenait plus à cacher son ventre. Et puis, elle transpirait davantage, elle avait des sensations de chaleur et sa peau était rouge comme si elle était irritée.

La première semaine de décembre, M. Averby, le gérant de Milton, la fit appeler dans son bureau. Je l'accompagnai pour la soutenir moralement.

Il nous sourit.

— Eh bien, Scarlett, il est difficile d'ignorer que vous êtes dans une situation intéressante.

M. Averby avait l'âge de mon père, mais il était chauve et se servait de ses trois derniers cheveux pour recouvrir son crâne d'œuf.

— Une situation intéressante ? répéta Scarlett.

Elle aimait bien jouer à ce petit jeu : obliger les gens à appeler un chat un chat.

— Eh bien, oui. Ce que je veux dire, c'est que j'ai remarqué... heu, que vous attendiez un heureux événement.

— Un heureux événement ? Je suis enceinte.

— Oui, oui, dit-il très vite.

Il semblait horriblement mal à l'aise.

— Peut-être faudrait-il en discuter ?

— Moi, je ne pense pas. Et vous ? demanda Scarlett en gigotant sur sa chaise, parce qu'elle n'était plus à l'aise nulle part.

— Eh bien, non... Mais, heu... je me dis néanmoins que de petits aménagements peuvent s'avérer nécessaires : dans votre état actuel, vous pourriez... heu, avoir des problèmes, en travaillant à la caisse.

Il y mettait les formes, mais le message était clair : il s'inquiétait des réactions lorsque les clients verraient une caissière de seize ans enceinte jusqu'aux yeux chez Milton, le supermarché de toute la famille. Il avait peur que Milton donne le mauvais exemple. Que ce soit mauvais pour les affaires. Mauvais tout court.

— Je ne crois pas, répondit Scarlett avec bonne humeur. Mon médecin m'a dit que c'était bon de rester debout, si j'ai des pauses pendant la journée. Mon travail n'en sera pas affecté, ça, je vous le garantis, monsieur Averby.

— Scarlett est une employée modèle ! renchéris-je. Et même l'employée du mois, en août.

— C'est exact ! me dit Scarlett en me souriant.

Elle m'avait répété qu'elle ne démissionnerait sous aucun prétexte, même pour satisfaire M. Averby. De plus, la loi lui interdisait de la virer. Des filles des Teen Mothers le lui avaient dit.

— Oui, oui, vous êtes une employée modèle, déclara M. Averby, qui lui aussi se trémoussait sur son siège. Je ne sais pas si vos horaires vous conviennent, mais, si vous désirez réduire votre temps de travail ou discuter d'un aménagement de vos fonctions chez Milton, nous...

— Oh, mais c'est tout à fait inutile ! C'est parfait ! coupa Scarlett. En tout cas, merci de votre sollicitude.

M. Averby semblait maintenant accablé, las et résigné.

— Dans ce cas, je pense que ce sera tout. Merci d'être venue dans mon bureau, Scarlett. Et n'hésitez pas à me consulter, en cas de problème.

— Merci.

On s'est levées d'un coup, et c'est seulement une fois franchi le rayon riz, pâtes et céréales que Scarlett a éclaté de rire. Elle a même dû s'arrêter, tellement elle riait.

— Le pauvre vieux ! dis-je. Il est super trauma !

— Trop drôle ! Il devait penser que je serais ravie de partir !

Elle s'adossa au rayon des cafés du Brésil et d'Afrique pour reprendre son souffle.

— J'assume parfaitement mon gros ventre, mon bébé et ma vie, Halley ! Je sais que je suis dans mon bon droit et personne, tu m'entends, personne ne me fera changer de ligne de conduite !

Pourquoi rencontre-t-on toujours de la résistance chez son entourage lorsqu'on est convaincu d'être dans son bon droit et dans le vrai ? Cela devrait au contraire aplanir les difficultés et arrondir les angles. Mais non, il fallait se battre contre vents et marées pour faire valoir qu'on était en accord avec soi-même. Avec sa conscience. Pur. Intègre.

Là-dessus, décembre est arrivé. Du jour au lendemain, presque tout est devenu rouge, vert et plein de guirlandes. Les chansons de Noël passaient en boucle chez Milton : *Jingle Bells* rabâché à l'infini, merci, je suffoquais déjà. Pour Tristan, je n'avais toujours rien décidé. Pourquoi ? Parce qu'on ne s'était pas beaucoup vus, ces derniers temps, sauf au lycée, un lieu neutre où c'était la trêve des caresses osées parce que je n'avais pas à redouter que nos petits câlins dérapent là.

Je faisais aussi des masses d'heures sup chez Milton : à l'approche de Noël, il y avait un monde fou. Enfin, je passais du temps avec Scarlett, qui n'avait jamais eu autant besoin de moi. Je la conduisais à ses visites prénatales, je poussais le Caddie au Baby Superstore tandis qu'elle comparait les prix des poussettes et des berceaux. En fin de soirée, on faisait souvent une descente chez le glacier, parce qu'elle avait de monumentales envies de glace chocolat-framboise. Je l'aidais également à rédiger une lettre pour Mme Sherwood, qui habitait maintenant en Floride. Ses brouillons commençaient tous de la même façon : « Vous ne me connaissez pas, mais... » C'était le plus facile ; pour le reste, on séchait.

Tristan aussi était occupé. Il venait seulement quelques heures au lycée ou carrément pas de la journée. Toujours pressé, il m'appelait désormais à peine deux minutes. Il ne passait plus chez moi et ne me déposait même pas en bas de la rue : trop risqué. Maman ne parlait pas de lui : elle pensait que je lui avais obéi au doigt et à l'œil. De toute façon, elle était débordée avec son boulot et la gestion du transfert de Mamie dans une autre maison de repos.

— Tristan a changé, me plaignis-je à Scarlett alors que, allongées sur son lit, on feuilletait des magazines, un après-midi.

Je lisais *Elle* et Scarlett, *Working Mother*, pour se préparer à devenir maman.

Dans la cuisine, Cameron lui préparait un Kool-Aid, un soda en poudre au goût de fruits, non gazeux, à mélanger avec de l'eau. Scarlett le réclamait en continu. Cameron le sucrait tant que ce truc était imbuvable, mais elle en raffolait.

— Tu vois, ça n'est plus comme avant, ajoutai-je misérablement.

— Écoute, Halley, tu lis les magazines, alors tu sais que la passion, ça ne dure pas toujours. Ce qui se passe entre vous est normal.

— Tu crois ?

— Mais oui. C'est évident, dit-elle en tournant une autre page.

À trois reprises au cours de l'avent, j'avais dû repousser la main de Tristan qui glissait vers ce territoire que je n'avais pas encore décidé de lui céder. Ça s'était passé deux fois chez lui, deux vendredis soir de suite où on était blottis l'un contre l'autre sur son lit. J'avais bien cru que cette fois on le ferait, parce que ça semblait inévitable. La troisième fois, on était dans sa voiture au bord du lac. Il faisait un froid de canard, la nuit était tombée et c'est lui qui avait tout à coup reculé et secoué la tête. C'était difficile pour lui, ça le devenait pour moi.

— Tu l'aimes ? me demanda Scarlett, le lendemain, une fois que je lui eus raconté cet épisode.

On était chez Milton, pendant notre pause, assises sur la rampe de chargement, entourées de milliers de packs de jus de tomate.

— Oui.

Mais je ne l'avais jamais dit à Tristan.

— Et lui, il t'aime ?

— Oui, prononçai-je très vite et très bas.

Il ne me l'avait pas dit, mais c'était probable. En tout cas, Scarlett ne s'est pas laissé convaincre. Elle a mordu dans son bagel et repris.

— Il te l'a dit ?

— Non. Enfin, pas vraiment.

Elle ne répondit pas mais elle a eu l'air de dire : « Bon, alors, tu vois ? »

— Bonjour le super cliché, tout de même ! m'exclamai-je. Déjà rien que la question : « Tu m'aimes ? », ça ne veut rien dire quand on y réfléchit bien ! En gros, s'il me dit qu'il m'aime, je couche avec lui et, s'il ne le dit pas, je refuse ? Complètement débile !

— Je n'ai jamais dit ça, répondit-elle avec calme. J'espère juste qu'il te le dira avant que vous n'alliez plus loin.

— Bah, c'est juste trois mots ! insistai-je en finissant mon soda. Il y a des tas de gens qui couchent ensemble sans se prendre la tête avec des déclarations d'amour !

Scarlett se redressa et essaya de rassembler ses genoux sous son menton.

— Peut-être, mais pas les filles comme nous, Halley...

Dans la vie de tous les jours, maman est un monument de sérieux, une vraie pro, mais elle a aussi un côté fanatique dangereux : elle adore fêter Pâques, Thanksgiving et Noël. Concrètement, ça se passe de cette façon : Noël commence dès qu'on a avalé la dernière part de tarte au potiron, c'est-à-dire le soir de Thanksgiving. Notre arbre de Noël, décoré et surchargé dès le début décembre, a déjà perdu la moitié de ses aiguilles avant le réveillon. Cet enthousiasme sans pareil rend mon père, qui se proclame athée, complètement cinglé. « Si ça ne tenait qu'à moi, répète-t-il à tout bout de champ en décembre, l'arbre de Noël serait déparé et refourgué sur le trottoir dès le dernier cadeau ouvert ! *Finito !* Dehors ! Bon débarras, on passe à autre chose, les gars ! » Entre nous, d'ailleurs, si papa avait vraiment eu voix au chapitre, on n'aurait jamais eu d'arbre de Noël. On se refilerait carrément nos cadeaux dans leur emballage de magasin (le papier cadeau préféré de papa), on se ferait une petite bouffe à la bonne franquette et on regarderait le foot à la télé. Mais, quand papa avait épousé maman, qui avait voulu un mariage en blanc un 31 décembre, il avait compris qu'il pouvait toujours rêver.

Cette année, comme Mamie Halley était malade, j'avais pensé que les fêtes de fin d'année seraient plus simples, ou qu'elles rendraient maman, toujours soucieuse, à peine plus joyeuse. Raté ! Il fallait que nous ayons le Noël le plus parfait de tous les temps. Ainsi, un jour ou deux après notre retour de Buffalo, maman a sorti les boîtes de décorations de Noël et les grandes chaussettes. La machine était enclenchée, on n'a plus eu de repos. Maman était branchée sur deux mille volts, ça donnait le vertige.

— Il faut trouver un arbre de Noël, maintenant ! annonça-t-elle le 4 décembre, pendant qu'on dînait bien tranquillement. Je me disais qu'on pourrait s'en occuper dès ce soir. Ce serait formidable si on allait l'acheter tous les trois ensemble !

Mon père a fait son grizzli. Lui aussi, il avait ses traditions de fin d'année : l'énorme soupir suivi par un ronchonnement incompréhensible, mais très audible, pour protester contre l'esprit de Noël surdéveloppé de maman. Ce soir-là, il a grogné en douce pour la première fois.

— On a encore le temps, le marchand de sapin ferme à 21 heures ! s'exclama maman en débarrassant la table.

— Moi, je ne peux pas : j'ai plein de devoirs, dis-je. C'était mon excuse standard.

Mais papa me donna un grand coup de pied sous la table : s'il était de corvée, alors moi aussi, un point c'est tout.

Il y avait un monde fou au marché du sapin de Noël. Maman a mis une bonne demi-heure à dégoter un sapin parfaitissime, dans un froid de canard épouvantable. Je suis restée près de notre break, à me geler. Je regardais maman quadriller les rangées avec mon père, à qui elle demandait de lui montrer celui-ci, celui-là, pour mieux l'étudier. J'entendais les haut-parleurs beugler les mêmes chansons de Noël que chez Milton. Je connaissais par cœur les paroles, le rythme et les reprises. Je les fredonnais même sans m'en rendre compte.

— Salut, Halley.

Je me détournai et vis Élisabeth Gunderson qui tenait par la main une petite fille emmitouflée dans un gros manteau et qui lui ressemblait comme deux gouttes d'eau. Je n'avais pas beaucoup vu Élisabeth

Gunderson, après le scandale de son mec qui l'avait larguée pour sa meilleure amie. Elle avait été absente longtemps, soi-disant pour une appendicite. Une autre rumeur prétendait qu'elle avait séjourné dans une espèce d'hôpital pour les zinzins, mais ça n'était pas certifié.

— Salut, Élisabeth, dis-je avec un sourire faux.

Pas question de rester muette comme l'autre fois, dans la réserve.

— Lisbeth ? Moi je voudrais bien aller regarder le sapin, coupa la petite fille, qui tira sur sa main pour se rapprocher de la vitrine.

— Attends un peu, Amy, répliqua Élisabeth froidement.

Amy bouda et tapa du pied. Elle portait des petits chaussons de danse roses.

— Alors, Halley ? Ça va, la vie ?

— Ça va tranquille. Je suis venue acheter l'arbre de Noël avec mes parents.

— Pareil pour moi.

Elle baissa les yeux sur Amy, qui avait lâché sa main et gigotait entre nous.

— Et avec Tristan ? Ça va ?

— Ça va bien aussi, répondis-je, le plus cool possible, en fixant les chaussons roses d'Amy.

— Je l'ai souvent vu chez Rhetta. Tu connais Rhetta ?

— Évidemment.

C'était la seule réponse possible.

— Ah ? Je ne t'ai jamais vue là-bas avec lui, mais j'ai dû te manquer.

Elle rejeta ses longs cheveux en arrière, façon pouliche, son fameux geste de jolie fille. Je la revis dans sa tenue de pom-pom girl, faisant des bonds, les cheveux tout fous.

— Depuis que Mack et moi, on a rompu, j'y suis souvent.

— C'est bête, enfin, je veux dire, pour toi et Mack.

— Oui.

Son « oui » forma un petit nuage dans l'air froid.

— Tristan a été génial avec moi. Il comprend tout, ce mec. Tu en as, de la chance…

Je l'observai avec attention, à tel point que j'en ai oublié de garder mon air cool et blasé. J'essayais de déchiffrer l'expression de son regard, de décrypter le sens caché de ses derniers mots et de comprendre ce qui se passait chez cette Rhetta. Chez qui, je le précise, je n'avais jamais mis les pieds. Chez qui je n'avais également jamais été invitée. À mon avis, Élisabeth Gunderson ne connaissait pas le sens des mots « punition » et « privation de sortie ». Son existence ne devait pas non plus être contrôlée par sa mère. J'étais certaine qu'Élisabeth Gunderson pouvait aller où elle voulait, quand elle voulait.

— Élisabeth !

Toutes les deux, on se détourna. Son père, devant sa BMW, où un sapin avait été ficelé sur la galerie, lui faisait signe.

— On rentre, chérie. Amy, tu viens ?

— Je dois y aller, me dit Élisabeth alors qu'Amy s'élançait vers la voiture. À demain au lycée ?

— Oui, c'est ça. Salut.

Elle m'a adressé un petit signe sympa, comme si on était copines. Puis son père a refermé la portière derrière elle. Au moment où la BMW a tourné, ses phares m'ont aveuglée. J'ai cligné des yeux. Dommage, je n'ai pas pu voir si Élisabeth me regardait.

— Ça y est, on a trouvé notre arbre de Noël ! cria ma mère. Il est parfait, et c'est une chance, parce que ton père est à bout de patience.

— Super.

— C'était une de tes camarades de classe ? me demanda-t-elle ensuite, tandis que la BMW s'éloignait.

— Non, marmonnai-je, imitant le grognement spécial Noël de papa.

— Je la connais ?

— Non ! prononçai-je d'une voix plus forte.

C'est incroyable : maman pensait connaître tout le monde.

— Et puis, de toute façon, je la *déteste*.

En bonne psy, ma mère recula pour mieux me dévisager. Exprimer des émotions négatives aussi extrêmes, c'était presque lui donner une autorisation de m'analyser.

— Ah. Tu la détestes, répéta-t-elle posément. Et pourquoi ?

— Parce que.

J'aurais mieux fait de m'écraser.

— Le voilà, ce maudit arbre ! intervint mon père avec sa célébrissime voix de radio qui fit se retourner quelques personnes.

Papa s'approcha et se plaça entre maman et moi. Je me suis donc retrouvée le nez dans les aiguilles du sapin… et des aiguilles plein le nez.

— C'est le plus beau de tous les sapins du marché, enfin, c'est ce que prétend ta mère, enchaîna papa.

— On rentre, il est tard, dit maman, qui m'observait toujours avec attention à travers les branches dudit sapin.

À croire qu'elle ne m'avait jamais entendue haïr à voix haute mon prochain.

— Ouf, tant mieux ! s'exclama papa. J'espère pouvoir caser cet arbre dans le coffre.

Mes parents sont allés derrière le break pendant que je m'installais sur la banquette arrière. J'ai claqué la portière de toutes mes forces. Je haïssais Élisabeth Gunderson. Je haïssais Dieu et le destin de m'avoir donné ma virginité seulement pour que je la perde un jour. Tiens, et, tant qu'à faire, je haïssais aussi Noël !

Au mois de septembre, j'avais dit à Scarlett qu'Élisabeth Gunderson serait tout à fait le genre de Tristan. Et si c'était vrai ? Je n'osais aller plus loin dans mon raisonnement et me formuler la suite : et si c'était plutôt Tristan qui n'était pas pour moi ? La différence était essentielle. Même chez une fille pour qui tout n'allait pas de soi. Quelqu'un comme moi...

Le lendemain après-midi, j'étais censée travailler chez Milton, mais je me trouvais avec Tristan, chez lui – plus précisément sur son lit. De nouveau, sa main s'aventurait sur un terrain qu'on ne cessait plus de se disputer. Je la lui pris et me redressai.

— Qui c'est, Rhetta ?

Il a eu l'air surpris.

— Hein. Qui ?

— Rhetta.

— Pourquoi ?

— Je veux juste savoir.

Il poussa un gros soupir qui me parut exagéré, puis se laissa retomber sur son lit.

241

— C'est juste une copine. Elle habite Coverdale Road.

— Tu vas souvent chez elle ?

Jalousie ? Mesquinerie ? Possible, mais je ne voyais pas d'autre moyen de soulever la question, et le problème. C'est que j'étais sur le point de lui faire un cadeau précieux : il fallait que je sois sûre de lui.

— Parfois.

Il caressa mon nombril de la pointe de l'index, l'air absent. Comme si Rhetta et Coverdale Road, c'était rien.

— Qui t'a parlé de Rhetta ?

— Élisabeth Gunderson.

Je l'observais avec attention, cherchant le moindre signe suspect sur son visage.

— C'est vrai, elle y est de temps en temps, répondit-il avec indifférence. C'est une bonne copine de Rhetta. Enfin, je crois.

— Ah ?

— Oui.

On s'est regardés. Puis, tout à coup, il a percuté.

— Qu'est-ce qui te prend, Halley ? C'est quoi, l'embrouille ?

— Il n'y en a pas. Seulement, c'est bizarre que tu ne m'aies jamais parlé de cette Rhetta. Élisabeth dit que tu es souvent fourré chez elle.

— Élisabeth ne sait pas tout de moi.

— Possible, mais elle fait comme si.

— Oui, et alors ? C'est ma faute ? Zut, Halley ! Pourquoi est-ce que tu me pourris la tête avec tes questions sur des trucs sans importance ?

Il s'énervait.

— Je sais bien que ça n'est pas important ! Mais les

trois quarts du temps je ne sais pas où tu es, ce que tu fais, et, tout à coup, Élisabeth Gunderson me dit qu'elle te voit tout le temps je ne sais où.

— D'abord, je ne vois pas Élisabeth tout le temps : on se croise parfois chez des potes. Écoute, je n'ai pas l'habitude de rendre des comptes à qui que ce soit. Je ne peux pas te dire à la minute ce que je fais de mes journées, parce que, en général, je n'en sais rien moi-même.

Il secoua la tête.

— Je suis comme ça, Halley.

En septembre, lorsqu'on ne sortait pas encore ensemble et que l'heure de gym était mon paradis sur terre, on était cent fois plus heureux. Même deux mois auparavant, lorsqu'on passait nos après-midi à rouler en écoutant la radio sous le beau ciel d'automne, on était vraiment bien. On ne se disputait jamais. On n'avait pas non plus ces petits silences gênés. Depuis quelque temps, on se parlait à peine, on ne riait plus et on ne s'éclatait plus. Tristan et moi, ça s'était réduit à des moments en trois étapes : aller chez lui, ou sur le parking du lac, puis mener la guerre des mains pour protéger le territoire qu'il revendiquait et que je refusais de céder, et enfin conclure par des blablas sur les relations de confiance, sur ce qu'on attendait l'un de l'autre. Quand je parlais avec Tristan, maintenant, j'avais l'impression de débattre avec maman. C'était fatigant.

— Écoute... Il faut que tu me fasses confiance, d'accord ?

Il passa son bras autour de ma taille et me serra contre lui.

— Oui, je sais, dis-je.

C'était facile de lui faire confiance lorsqu'on était sur son lit, dans la douce lumière hivernale de cet après-midi de décembre, pendant qu'il m'embrassait, pendant que nos pieds nus s'effleuraient et s'entremêlaient. J'étais si bien avec lui. Quel bonheur ! Pourquoi je lui résistais, à la fin ? Tout le monde le faisait sauf moi. J'allais lui dire que je l'aimais, mais je me mordis les lèvres. Zut, à lui de le dire en premier ! Je le souhaitais autant que le jour où j'avais voulu l'attirer à moi, pendant le cours de gym.

« Feuilleton, feuilleton », pensais-je avec concentration tandis qu'il m'embrassait. « Feuilleton, feuilleton. » Mmm, ses baisers étaient délicieux... Je fermai les yeux de plaisir en sentant sa peau tiède contre la mienne, son souffle sur mon visage. « Feuilleton, feuilleton. » Sa main glissait maintenant sur ma taille. « Je t'aime, je t'aime. »

Il ne me le dit pas. Il ne me l'avait jamais dit. Je repoussai sa main, tendant la bouche pour qu'il continue de m'embrasser. Mais il a reculé et hoché la tête.

— Que se passe-t-il ? interrogeai-je.

Pour rien : je connaissais déjà la réponse.

— C'est à cause de moi ? me demanda-t-il. Tu ne veux pas le faire avec moi, c'est ça ?

— Mais non. C'est juste que, pour moi, c'est vraiment important.

— Tu m'avais promis d'y réfléchir.

— J'y réfléchis.

Tout le temps.

— Je te le jure, Tristan...

Il se redressa, ses mains toujours autour de ma taille.

— Ce qui est arrivé à Scarlett ne nous arrivera pas. On fera gaffe.

— Ça n'est pas ça, répétai-je.

Il me regardait sans comprendre.

— Alors, c'est quoi, le souci ?

— C'est moi. Ce que je suis.

Lorsqu'il se détourna pour regarder par la fenêtre, je compris que j'aurais mieux fait de m'écraser.

Et voilà. Retour à la case départ.

On se regardait en chiens de faïence, chacun retranché dans son camp. On n'avait pas avancé d'un iota. Statu quo.

Noël approchait, les gens étaient surexcités. Les mères de famille venaient faire leurs courses chez Milton vêtues de gros pulls avec des motifs de renne ou de sapin qui leur donnaient l'air hilare. Même M. Averby, mon patron, un type pourtant coincé le reste de l'année, fit la folie de porter un bonnet de lutin du Père Noël. Tous les soirs, mes parents étaient invités à des fêtes. Je les entendais rentrer tard dans la nuit. Ils étaient un peu pompettes, toujours très gais, et essayaient d'étouffer leurs rires dans l'escalier. Mamie avait enfin été transférée à sa nouvelle maison de repos et maman prévoyait de lui rendre visite au début du mois de janvier. Quand j'imaginais ma grand-mère dans une chambre minuscule, et toute petite dans son lit, je repoussais au plus vite cette pensée.

Tous les cadeaux étaient sous notre sapin de Noël. Les cartes de vœux qu'on avait reçues s'alignaient sur la cheminée. On avait décoré la véranda avec un flot de merveilleuses guirlandes. Le moindre espace vide dans la maison était occupé et comblé par des bibelots de Noël. D'ailleurs, papa en avait déjà cassé quelques-uns. Pour commencer, d'un geste imprudent, il avait envoyé valser un Père Noël en porcelaine, tout souriant, avec des joues comme des pommes rouges, contre le mur. Ensuite, lorsque l'un des trois Rois mages de la crèche, sous le sapin, avait eu le malheur de rouler sur le parquet, papa l'avait écrabouillé et pulvérisé en traversant le salon à grands pas. Crac. On avait ce genre d'accidents tous les ans, donc la crèche et nos ensembles de Noël étaient sérieusement dépareillés : il nous manquait l'enfant Jésus, un renne ou le plus grand des anges. C'était nos victimes de Noël.

Un soir, Scarlett et moi, on fit notre shopping de Noël au centre commercial.

Elle acheta un CD d'Abba pour Cameron, parce que c'était son groupe préféré, et moi, une paire de Rayban pour Tristan, qui perdait toujours ses lunettes de soleil. Le centre commercial était bondé et en effervescence. On y crevait de chaud et même les automates du village du Père Noël semblaient complètement lessivés.

En attendant, j'avais l'impression que Tristan et moi, on se voyait de moins en moins. Il passait désormais le plus clair de son temps avec sa bande. Il me téléphonait toujours, mais il expédiait carrément ses coups de fil... Et, les fois où il passait me chercher, on n'était plus jamais seuls : il faisait le taxi, et parfois l'un de ses potes tenait carrément la chandelle.

Tristan était devenu distrait. Il ne cachait plus de friandises dans mes poches ou dans mon sac à dos. Et un jour, dans les toilettes, j'entendis une nana affirmer qu'il avait volé l'autoradio de son petit ami. Quand j'ai ensuite posé la question à Tristan, il a bien rigolé et a secoué la tête, en me disant texto de ne pas écouter des « conneries pareilles ». Quand il me téléphonait, d'endroits toujours trop bruyants, je me demandais où il était, ce qu'il fabriquait. Je pensais : « Il m'appelle seulement parce qu'il se sent obligé de le faire, pas parce que je lui manque. » Je le perdais, je le sentais. Il fallait que j'agisse vite.

Quant à maman, elle rayonnait : elle était évidemment certaine que tout allait de nouveau pour le mieux entre elle et moi. Je la surprenais parfois avec un sourire heureux aux lèvres, que je traduisais par : « Alors, ma fille, n'avais-je pas raison ? N'est-on pas plus heureuses comme ça ? »

La veille de Noël, après que mes parents furent partis à une énième fête, Tristan est venu me donner mon cadeau. Il avait téléphoné de la station-service en bas de la rue. Il n'avait qu'une minute, pas plus, à me consacrer. On se donna donc un rendez-vous express devant chez moi.

— Tiens, c'est pour toi ! me dit-il en me tendant une petite boîte enveloppée de papier rouge et ornée d'un beau nœud. Ouvre-le tout de suite !

C'était une bague en argent, pas du tout mon genre, mais, quand il me la passa au doigt, je me dis qu'elle m'allait bien.

— Waouh, elle est super ! fis-je, la main tendue devant mes yeux.

— Je savais que ça te plairait.

Je lui avais déjà offert ses lunettes de soleil, parce que je n'avais jamais su préparer une surprise. Sans compter que Tristan m'avait convaincue de lui donner son présent le jour où je l'avais acheté, en me suppliant comme un petit garçon. Ça n'était que la moitié de son cadeau de Noël, mais il ne le savait pas encore.

— Joyeux Noël, dis-je en l'embrassant. Merci.

— Je t'en prie. Je suis content, elle te va si bien !
Il leva ma main et l'admira.

— Qu'est-ce que tu fais ce soir ? lui demandai-je.

— Bof, rien de spécial.
Il laissa retomber ma main.

— Glander avec des potes, peut-être.

— Tu n'as rien de prévu avec ta mère ?
Il haussa les épaules.

— Non.

— Tu vas chez Rhetta ?
Il soupira. Leva les yeux au ciel.

— Je ne sais pas, Halley. Pourquoi ?
Je shootai dans une bouteille.

— Je me posais juste la question.

— Tu ne vas pas recommencer.
Il a regardé vers le bas de la rue. À peine une allusion, et il était énervé, prêt à filer...
Tant pis, j'insistai :

— Pourquoi tu ne m'emmènes jamais avec toi ?
Qu'est-ce que tu fais de si spécial avec tes potes ?

— Rien. Tu détesterais.

— Je suis sûre que non. Tu as honte de moi ou quoi ?

— Bien sûr que non ! Écoute, Halley, c'est pas toi, le souci, ce sont les coins où je vais. C'est pas ton genre.
Je fus certaine que c'était une insulte.

— Qu'est-ce que ça veut dire ?

— Rien ! dit-il avec un geste embarrassé.

— Tu penses que je suis trop naïve ? C'est ça ? Trop bête pour traîner avec tes amis ?

— Je n'ai jamais dit un truc pareil.
Encore un soupir.

— Arrête, Halley.

Bon, j'avais le choix : laisser tomber mais gamberger, ou insister pour en avoir le cœur net. Oh, et puis à quoi bon me faire du mal ? C'était le soir de Noël, les guirlandes sur les fenêtres de notre maison clignotaient comme des étoiles. Et puis j'avais une bague en argent à mon doigt. C'était tout de même le signe qu'il tenait à moi, non ?

— Tristan… Je suis désolée… Et encore merci pour ta bague, elle est super.

— Tant mieux.

Il m'embrassa, me caressa les cheveux.

— Je dois y aller. Je t'appelle.

— D'accord.

Il m'embrassa une fois encore, puis s'éloigna, la tête rentrée dans les épaules pour se protéger du vent.

— Tristan ?

Il arrivait près de sa voiture. Il s'immobilisa.

— Oui ?

— Qu'est-ce que tu as prévu pour le soir du réveillon ?

— Rien encore. Pourquoi ?

— Parce que je voudrais qu'on le fête ensemble.

J'espérais qu'il devinerait pourquoi. J'espérais aussi qu'il comprendrait l'importance du don que j'allais lui faire, le soir du 31 décembre. Il m'observa un bon moment avant d'acquiescer.

— Super. Bonne idée.

— Joyeux Noël, Tristan.

— Joyeux Noël.

Il démarra, recula. Arrivé en bas de la rue, il a allumé ses phares, donné un coup de klaxon, puis s'est éloigné à grand fracas. Ça n'a pas loupé : la lumière dans la véranda de M. Harper s'est allumée la seconde d'après.

Et voilà. J'avais fait mon choix et je devais m'y tenir. J'étais sûre d'avoir pris la bonne décision, et pourtant j'avais une impression de déséquilibre et de désaccord. Bon, tant pis. C'était trop tard pour reculer.

À cet instant, j'entendis Scarlett m'appeler.

— Halley ! Viens vite !

Je me détournai. Elle était devant chez elle, la main sur son ventre, et agitait les bras frénétiquement. Derrière elle, la silhouette noire de Cameron se découpait comme une ombre chinoise sur la lumière jaune du salon.

— Dépêche ! hurla-t-elle, tandis que je traversais la route en courant.

Mon Dieu, il y avait un problème avec le bébé ! Le bébé. Son bébé.

J'arrivais devant chez elle, hors d'haleine et proche de la crise cardiaque, quand je m'aperçus qu'elle souriait et était folle de joie.

— Qu'est-ce qui se passe ?

— Il se passe *ça* !

Elle prit ma main et la posa sur son ventre, vers le milieu, puis plus bas. Je sentis sa peau tiède sous ma paume. Je levai les yeux vers elle, prête à lui demander ce qui se passait, lorsque je sentis quelque chose sous ma main. Une résistance. Un coup de pied.

— Tu as senti ? demanda-t-elle en mettant sa main sur la mienne.

Elle souriait toujours.

— Dis, Halley, tu as senti ?

— Oh oui ! dis-je sans bouger la main.

Le bébé donna encore des coups.

— C'est dingue ! repris-je.

Elle riait.

— Je sais ! La doctoresse m'avait prévenue que ça arriverait bientôt. Mais, quand le bébé a bougé, j'ai eu la peur de ma vie. J'étais sur le sofa et boum ! Je serais d'ailleurs incapable de t'expliquer ce que j'ai ressenti.

— Tu aurais dû voir sa tête, enchaîna Cameron de sa voix de basse toujours très calme. Elle en a presque pleuré !

— Pas du tout ! répliqua Scarlett en lui donnant un coup de coude. C'est juste que... eh bien, tu entends les femmes décrire la première fois qu'elles ont senti leur bébé bouger dans leur ventre, et tu te dis qu'elles en font des tonnes. Mais c'est vraiment hallucinant !

— J'imagine, oui.

On s'est assises sur les marches de la véranda. J'ai dévisagé Scarlett, son visage rougi par la joie, tandis qu'elle caressait son ventre, et j'ai eu envie de lui dire que j'avais pris ma décision. Mais ça n'était pas le moment. J'ai donc posé ma main sur la sienne, pour continuer de sentir son bébé bouger, et je l'ai serrée.

Chapitre 14

Maman a passé son 31 décembre à faire le ménage de fond en comble à l'occasion de la fête annuelle qu'elle et mon père organisaient pour l'anniversaire de leur mariage et le réveillon. Du coup, elle a été absorbée pendant toute la journée. Et c'est seulement en fin d'après-midi, lorsque j'ai levé mes jambes pour qu'elle puisse passer l'aspirateur devant le canapé, qu'elle s'est souvenue de mon existence, et s'en est mêlée.

— Quels sont tes projets pour le réveillon ? me demanda-t-elle en pschittant de la cire d'abeille sur la table basse, puis en frottant avec un chiffon. Scarlett et toi, vous allez regarder le lâcher de ballons sur Times Square à la télévision ?

— Je ne sais pas. On n'a pas encore décidé.

— Justement, j'ai une idée ! Pourquoi ne resterais-tu pas à la maison ? Ça me dépannerait !

Sur ce, maman balaya autour de l'arbre de Noël, qui, en dépit des grognements désormais impressionnants de papa, était toujours présent mais décharné et entouré d'aiguilles.

— Tu rêves !

Je la regardai faire la bibliothèque. Honnêtement, je pensais qu'elle blaguait. C'était tout de même le réveillon !

— Les Vaughn seront là, tu pourrais donc t'occuper de Clara. De plus, toi et Scarlett, vous avez toujours aimé nous donner un coup de main, le soir du 31 décembre.

— Minute, j'ai des projets, moi ! coupai-je.

— On ne dirait pas, pourtant, répliqua maman, qui avait attaqué la cheminée et soulevait la photo du Grand Canyon. Il me semble plutôt que toi et Scarlett, vous n'avez rien de prévu. Je pensais donc…

— Non ! Je ne peux pas.

J'avais été catégorique tendance désespérée : j'avais peur que les mailles de son filet se resserrent autour de moi. Si je ne luttais pas avec une énergie farouche, je serais prisonnière et ma soirée serait fichue.

Je m'attendais presque à ce que maman fasse volte-face, pointe son chiffon sur moi et s'exclame : « Je sais tout ! Je sais que tu vas coucher avec lui ce soir ! », ce qui me prouverait qu'elle avait réussi à pénétrer dans mes pensées et savait mieux que moi ce que je voulais.

— Je me disais seulement que vous pourriez regarder la télévision à la maison et passer la soirée avec nous. Ce serait la même chose que d'être chez Scarlett. De plus, je serais plus tranquille si je savais où tu étais.

— Voyons, c'est le réveillon, maman, et j'ai seize

ans. Tu ne peux tout de même pas me *forcer* à *rester* à la maison !

— Oh, Halley ! soupira-t-elle. Ne sois pas si comédienne.

— Mais enfin pourquoi tu fais ça ? Nous sommes le 31 décembre, il est 5 heures de l'après-midi, et, tout à coup, tu veux organiser ma soirée du réveillon. Ça n'est pas juste !

Elle se détourna pour me regarder, le chiffon pendant tristement dans la main.

— Comme tu veux.

Elle m'observa bien, sans doute dans l'espoir de me voir faiblir.

— Passe ta soirée chez Scarlett si tu le désires. Mais rappelle-toi que je te fais confiance, Halley. Que je n'aie pas à le regretter.

J'ai eu un mal fou à soutenir son regard. Après ces mois de négociations, de troc, de coups de force et de défaites, maman jouait sa carte maîtresse : la confiance avec un grand C.

— Pas de souci, tu peux me faire confiance, prononçai-je, luttant contre la soudaine nostalgie qui m'envahissait au souvenir de nos vacances au Grand Canyon et du temps où maman était ma complice et ma grande amie.

— Alors tant mieux, dit-elle sans me lâcher des yeux.

Mais ce fut elle qui détourna le regard la première.

Pendant que je m'habillais pour ma soirée, je suis restée longtemps à m'observer dans le miroir. J'évitais de regarder ce qui l'encadrait : les décorations des concours de gym, les diplômes, les photos de moi et de Scarlett, enfin toutes ces petites choses qui marquaient les grands moments de mon enfance. De la pointe de l'index, je caressai la bague en argent que Tristan m'avait offerte pour Noël. Pour la première fois de ma vie, j'étais seule face à moi-même. Il ne resterait de cet instant que ce que j'en retiendrais. Je me suis donc concentrée sur mon reflet, pour en prendre une photo mentale, pour ne jamais oublier ce que j'avais été et ce que j'avais éprouvé à ce tournant de mon existence.

Je fis un saut chez Scarlett avant de me rendre sur Spruce Street, où j'avais rendez-vous avec Tristan. Ce réveillon-là, je ne le passerais pas avec Scarlett comme tous les ans… J'avais bel et bien pris ma décision, mais je n'arrêtais pas de me sentir coupable. Je ne comprenais pas pourquoi.

— Tiens, prends ça, me dit Scarlett dès que j'arrivai, en me fourrant des préservatifs dans la main.

J'en laissai tomber un au moment où Marion entrait, une cigarette à la main et des bigoudis plein les cheveux. Elle n'a rien remarqué et s'est arrêtée devant la poussette du bébé, à moitié montée seulement, parce que personne ne comprenait rien à la notice prétendument explicative. Le cœur battant et l'air de rien, je le ramassai vite.

— Heu, je ne crois pas que j'en aurai besoin d'autant, soufflai-je.

Scarlett m'avait donné dix préservatifs emballés dans du papier bleu électrique. Dans la cuisine, Cameron tranchait un boudin de pâte à cookies réfrigérée et en moulait des triangles et des rectangles. Ces derniers temps, Scarlett avait en effet des envies de cookies hallucinantes, à tel point qu'elle n'attendait même pas qu'ils soient cuits : elle les avalait tout crus !

— Prends-les quand même, insista Scarlett. Mieux vaut prévenir que guérir.

L'une des citations préférées de maman.

Puis je constatai que Scarlett hésitait, comme si elle avait voulu ajouter quelque chose mais n'y réussissait pas. Je m'assis.

— Crache le morceau, Scarlett. Dis-moi ce que tu meurs d'envie de me dire. C'est quoi, le problème ?

— Il n'y en a pas, dit-elle en détournant les yeux.

Cameron nous observait avec nervosité. Récemment, il avait accepté de porter autre chose que du noir (c'était une initiative de Scarlett), et ce soir, dans sa chemise bleue, il me faisait penser à un coin de ciel bleu dans la nuit.

— Je me fais du souci pour toi.

— Pourquoi ?

— Aucune idée. Enfin, si. Parce que je sais ce qui va se passer ce soir. Tu penses que c'est la bonne décision, mais...

— Par pitié, Scarlett, ne me fais pas la morale maintenant !

— Je veux juste que tu sois prudente, Halley.

Cameron se leva et se dirigea vers le four, les mains pleines de pâte. Il était rouge comme une tomate, le pauvre !

— Tu avais promis de me soutenir ! dis-je. Tu m'as juré que je le saurais, quand le moment serait venu.

D'abord ma mère, puis Scarlett : elles voulaient m'empêcher d'accomplir mon destin.

— Il t'aime ?

— Scarlett !

— Il t'aime ?

— Évidemment, dis-je en baissant les yeux sur ma bague.

À force de le dire, je commençais à y croire.

— Il te l'a dit ?

— Pas besoin. Je le sais. Ça suffit.

Bing. Cameron venait de lâcher sa plaque. Il la ramassa et l'enfourna en marmonnant.

Scarlett secoua la tête.

— Ne sois pas idiote, Halley. Ne perds pas quelque chose de précieux avec un garçon incapable de te dire qu'il t'aime.

— Mais c'est ma décision ! prononçai-je d'une voix forte. C'est dégueulasse de me casser, maintenant, alors qu'on en a parlé pendant des semaines. Moi qui te considérais comme mon amie !

Elle me regarda bien en face, les poings serrés.

— Je suis ta meilleure amie, Halley, répondit-elle d'une voix calme. Et c'est pour cette raison que je te dis le fond de ma pensée.

Menteuse !

Après toutes ces conversations sur mon instinct, la certitude que le moment était venu et bla-bla-bla, elle me lâchait !

— Tu m'énerves ! Je dois y aller.

Je me levai.

— Tu te trompes sur toute la ligne, Halley. Et le pire : tu le sais.

— Moi ? Je me trompe ?

Je sus que j'allais prononcer des paroles atroces.

— Et toi, tu ne t'es pas trompée ? Regarde-toi ! Regarde le résultat !

Scarlett recula, comme si je l'avais giflée. Cette fois, j'avais dépassé les bornes. Du coin de l'œil, je vis Cameron qui me regardait avec l'expression que je réservais d'ordinaire à cette garce de Maryann Lister, ou à Ginny Tabor, enfin, à tous ceux qui faisaient du mal à Scarlett.

Le silence dans la cuisine était devenu monstrueux. Soudain, on a sonné à la porte.

Personne ne bougea. Puis une voix s'éleva :

— Coucou, il y a quelqu'un ?

Par-dessus l'épaule de Scarlett, je vis Steve qui entrait. Ce soir, sa métamorphose de comptable du XXIe siècle en guerrier médiéval était complètement achevée. Il portait son cordon avec sa médaille, ses grandes bottes, sa tunique de lin et un genre de pantalon en grosse toile de jute, ainsi qu'une espèce de cape et, enfin, une épée à la taille. Cet égaré du Moyen Âge s'approcha du casier à épices.

— Marion est prête ?

Il n'a même pas remarqué qu'on le fixait, muettes de stupeur.

— Je ne sais pas, murmura Scarlett en s'approchant de l'escalier.

Elle évitait mon regard.

— Je vais monter voir.

— Merci.

Je restai dans la cuisine avec Vladimir, comme moi métamorphosé pour accueillir la nouvelle année. Peu après, j'entendis la voix de Scarlett à l'étage, puis celle de Marion. Sur la table de la cuisine, la bible de la grossesse était ouverte à la page du sixième mois. Scarlett avait surligné des passages en rose avec un Stabilo resté sur la table.

— Il faut que j'y aille, dis-je subitement.

Vladimir, qui ajustait son épée, leva les yeux sur moi.

— Cameron ? Dis au revoir à Scarlett de ma part.

— Oui…, répondit-il avec hésitation.

— Bonne soirée ! me lança Vladimir joyeusement, alors que je sortais par la porte de la cuisine. Et, surtout, bonne année !

J'étais dans le jardin lorsque je me retournai pour regarder la maison de Scarlett. Il y avait de la lumière à toutes les fenêtres. J'aurais aimé voir Scarlett à l'une d'entre elles, main pressée sur la vitre, notre vieux code secret. J'avais envie de revenir sur mes pas, mais il faisait froid, il était tard. J'ai donc continué vers Spruce Street, vers la voiture de Tristan, garée près de la boîte aux lettres.

Vers mon destin.

La soirée du réveillon se déroulait chez un certain Ronnie, qui habitait en pleine cambrousse. On a roulé longtemps dans le froid, sur des petites routes minables balayées par un vent épouvantable. On a dépassé des camions et longé de vieilles fermes décrépites, avant d'arriver devant une baraque en brique d'un étage éclairée par une lumière bleue au-dessus de la porte.

Des chiens couraient et aboyaient. De nombreux invités étaient massés dans la véranda et dans la cour. Tous des inconnus.

Dans l'entrée se trouvaient de méga-réserves de bière. À peine entrée, je me suis demandé ce que maman aurait pensé à ma place. Sûr que les mêmes détails lui auraient sauté aux yeux : le lambris en faux bois, la table basse couverte de cendriers débordant de mégots et de bouteilles de bière, le tapis indien jaune et marron qui me parut spongieux, quand je posai le pied dessus. Cette maison ne ressemblait pas à celle de Ginny Tabor, si douillette, où l'on sentait une vraie vie de famille, avec des dîners et des fêtes de Noël.

Des filles et des garçons buvaient leur bière, affalés sur le canapé, en regardant bêtement les parasites à la télé. La musique jouait si fort qu'on n'entendait que dalle. Je dus zigzaguer entre les gens assis par terre et adossés aux murs pour ne pas perdre Tristan de vue.

Lui, il semblait connaître tout le monde. Des filles et des garçons lui tapaient sur l'épaule, l'appelaient de partout. Une fois dans la cuisine, il se dirigea vers le tonnelet de bière, prit deux gobelets en plastique qu'il remplit à ras bord. Pendant ce temps, j'essayais de me faire toute petite dans l'espace minuscule derrière lui. J'avais trop peur que cette foule compacte nous sépare.

Tristan me tendit un gobelet. J'étais tellement nerveuse que je bus cul sec. Il sourit et me resservit, puis me fit signe de le suivre dans un couloir encombré par une poubelle qui débordait de canettes de bière.

— Toc-toc, c'est moi ! dit-il en ouvrant la porte d'une chambre.

Un type était assis sur le lit. Une nana que je ne voyais pas, à plat ventre à côté de lui, cherchait quelque chose par terre.

La chambre était petite et sombre, juste éclairée par une bougie posée sur une étagère à la tête du lit.

— Salut, mec ! fit le type. Quoi de neuf ?

— Rien, répondit Tristan en s'asseyant au pied du lit. Voilà Halley. Halley, c'est Ronnie.

— Salut.

— Salut, me dit Ronnie d'une voix basse et rauque.

Il avait le regard endormi, un tatouage sur le bras et des cheveux coupés en brosse. Il posa sa main sur la jambe de la fille, qui renonça soudain à regarder par terre et émergea à moitié de l'obscurité.

— J'ai perdu ma putain de boucle d'oreille ! s'exclama-t-elle.

Ses cheveux lui cachaient le visage. Je ne voyais que sa bouche.

— Elle a roulé sous le lit, je n'arrive pas à l'attraper.

Quand elle se redressa tout à fait, je la reconnus. On s'est regardées. C'était Élisabeth Gunderson.

— Salut, dit-elle à Tristan en rejetant ses longs cheveux en arrière, son geste sexy glam habituel, qui paraissait déplacé dans cette petite piaule. Salut, Halley.

Élisabeth portait un T-shirt trop grand pour elle et un boxer. Évidemment, ça n'était pas sa tenue de soirée : Élisabeth Gunderson se déshabillait plus vite que son ombre.

Ronnie se pencha à son tour pour prendre un narguilé violet qu'il tendit à Tristan. Je finis de boire ma bière pour ne pas avoir l'air bête à ne rien faire, tandis que Tristan fumait et le lui rendait.

— Tu en veux ? me demanda Ronnie.

Je sentis sur moi le regard d'Élisabeth, qui allumait une cigarette. Je me demandais ce que son père, un bobo looké Ralph Lauren qui roulait en BMW, aurait pensé en la voyant ? Je me demandais même ce que mon propre père aurait pensé de moi. Élisabeth m'observait. J'aurais juré qu'elle souriait.

— Oui, dis-je en évitant de penser à papa.

Je me sentais bien ici. Tristan s'était trompé. Je pouvais m'adapter à tout.

Au bout d'un moment, Ronnie et Tristan sont sortis pour faire je ne sais quoi. Je suis restée seule avec Élisabeth. Tristan m'avait laissé son gobelet. J'ai bu sa bière parce que je crevais de soif et que ma langue était littéralement collée à mon palais. Je n'avais jamais été saoule avant, je ne savais donc pas ce que je devais ressentir. Je ne savais même pas ce que je ressentais. Je n'avais pas l'intention de le demander à Élisabeth Gunderson, qui avait repris le narguilé à trois reprises, avant que je n'en perde le compte, et examinait maintenant ses orteils avec concentration. J'étais toujours assise au pied du lit. Je fixais le tapis jaune, qui me fascinait tout à coup. Je me demandai pourquoi je n'avais jamais fumé le narguilé auparavant.

Élisabeth se mit à plat ventre.

— C'est pour quand, l'accouchement de Scarlett ?

— Mai.

Je ne reconnus pas ma voix.

— La deuxième semaine de mai. Je ne sais plus.

— Je n'arrive pas à croire qu'elle va avoir le bébé de Michael. Je ne savais même pas qu'ils avaient baisé ensemble.

J'humectai mes lèvres, avalai une petite gorgée de bière, puis regardai autour de moi les serviettes qui servaient de rideau, le numéro de *Playboy* par terre et la litière près de la porte. Où était le chat, c'était la question.

Puis je me souvins que j'étais en train de parler avec Élisabeth, mais de quoi ? Je fis un gros effort pour retrouver le fil de la conversation.

— C'est pas seulement une histoire de fesses : ils sont sortis ensemble pendant tout l'été.

— Ah oui ? Je n'étais pas au courant.

Par comparaison avec la mienne, sa voix semblait normale.

Je bus une autre gorgée de ma précieuse bière, maintenant tiède.

— Ben si. Ils s'aimaient vraiment.

— Je n'étais pas au courant, répéta-t-elle lentement. Ils ont bien gardé le secret. J'ai beaucoup vu Michael, au cours de l'été. Il ne m'a jamais parlé de Scarlett.

Que lui répondre ? J'avais le sentiment de m'embarquer dans une conversation à hauts risques. Mieux valait changer de sujet. De toute façon, parler de Scarlett ici, c'était déplacé. Autant que de penser à maman, oh, mon Dieu !

— Alors comme ça, Ronnie, c'est ton mec ?

Élisabeth eut un rire supérieur, comme si elle savait quelque chose que j'ignorais.

— Mon mec ? Non, c'est juste Ronnie.

— Ah ?

— C'est drôle, tout de même, qu'elle ait gardé le bébé, reprit Élisabeth, remettant le sujet de Scarlett sur le tapis. Ça va bousiller sa vie.

Je regardai la litière. Mais où était ce foutu chat ?

— Je ne crois pas. C'est son choix.

Élisabeth se redressa avec son mouvement de tête glam sexy, puis sortit une cigarette du paquet posé sur le lit.

— Moi, je me tuerais plutôt que d'avoir un bébé. J'en sais assez sur moi pour savoir que je ne pourrais pas assurer.

À cet instant, je décidai que je détestais Élisabeth Gunderson de toute mon âme. C'était le mal incarné, incontestablement. Elle existait dans le seul but de me prendre en traître, de m'attaquer par surprise et de me balancer sa méchanceté perverse en pleine gueule, avant de filer pour ne pas être dégueulassée par ses propos.

— Tu n'es pas Scarlett.

— Ben oui.

Elle se leva et mit ses cigarettes dans sa poche.

— Encore heureux.

Elle ouvrit la porte et ajouta :

— Tu viens ?

— Non. Je pense que ...

Mais elle sortait déjà, me laissant seule. La lumière du couloir s'introduisait maintenant par la porte qu'elle avait laissée entrouverte.

Je restai longtemps seule et immobile. J'entendais la musique, des voix dans le couloir. J'entendais aussi des filles rigoler, la porte des toilettes qui s'ouvrait, se refermait et claquait.

Je perdis le fil du temps. J'étais presque certaine d'avoir manqué les douze coups de minuit lorsque Tristan revint. Il a fermé la porte à clé.

— Ça va ? demanda-t-il, s'approchant de moi.

Je ne vis que son sourire dans la nuit, puis sa bouche qui s'approchait de la mienne.

Je me penchai pour identifier son visage. Je fus soulagée de constater que c'était bien lui. Mon Tristan. Mon petit ami. Rien qu'à moi.

— Il est quelle heure ?

— Je ne sais pas.

Il consulta sa montre avec ses chiffres verts fluorescents.

— Bientôt 23 h 30. Pourquoi ?

— Je me posais juste la question. Tu étais où ?

— Je m'intégrais.

Il me tendit sa bière, qui était bonne et bien fraîche. J'avais perdu le compte de celles que j'avais déjà bues. Je me sentais toute liquide, toute chaude, limite brûlante. Je me blottis contre Tristan quand il vint me rejoindre sur le lit, et je l'embrassai tandis qu'il m'enlaçait. Mais, dès que j'ai fermé les yeux, j'ai eu le vertige de ma vie. J'avais l'impression de tourner à toute berzingue sur un manège infernal. Par chance, Tristan me serrait bien fort contre lui, et je sentis bientôt sa main remonter sur ma cuisse, direction la ceinture de mon pantalon. Bon, on y était.

Je continuai de l'embrasser en essayant de me perdre dans l'instant, de le vivre à fond et de ne plus penser à rien, mais cette chambre était décidément trop petite et étouffante. De plus, les draps puaient la transpiration. Et bientôt je me dis que ça ne se passait pas du tout comme je l'avais imaginé.

Je n'avais jamais pensé qu'on le ferait comme ça. Dans un lit qui sentait mauvais, où ma tête tournait à se dévisser, avec le bruit de la chasse d'eau qui retentissait toutes les quatre secondes, parce que les toilettes étaient juste à côté. Dans une piaule dégueu près d'une litière infâme et d'un numéro de *Playboy* ouvert sur un tapis jaune pisseux. Sur un lit où Élisabeth s'était allongée et déshabillée avant moi.

J'étais de plus en plus nerveuse. Je m'agitai. Et, tandis que Tristan déboutonnait mon jean, j'avais l'impression d'être carrément dans les toilettes, tellement j'en entendais le bruit. Dans le couloir, une nana toussait. Tout à coup, je sentis quelque chose me piquer dans le dos. Je me tortillai et saisis un petit truc froid que je tendis au-dessus de la tête de Tristan pour l'identifier dans la lumière tamisée. C'était une boucle d'oreille en or en forme de larme. La boucle d'oreille qu'Élisabeth avait perdue. Scarlett avait les mêmes.

Je repoussai Tristan.

— Attends.

On était déjà allés très loin. On y était même presque, alors ça ne lui a pas plu. Normal.

— Quoi ? Que se passe-t-il ?

— Je ne me sens pas bien.

En vérité, j'étais malade à crever. Je pensai aux bières que j'avais bues, à la fumée du narguilé, aux draps qui puaient la transpiration et à la litière qui puait tout court...

— J'ai besoin d'air ! J'étouffe.

Il passa sa main dans mon dos, mais j'étais tellement mal que je la trouvai glaciale et eus la chair de poule.

— Rallonge-toi. Viens...

— Non.

Je me dégageai et me levai.

Le problème, c'est que je ne tenais pas debout. Ça tanguait. Je m'adossai à la porte et essayai de la déverrouiller.

— Je pense... Je crois que je dois rentrer...

— Rentrer ? dit-il comme si j'avais prononcé un gros mot. Mais enfin, Halley, il est encore tôt. Tu ne peux pas rentrer *maintenant* !

Je ne réussissais pas à ouvrir cette maudite porte. Le bouton de la porte glissait entre mes doigts. Soudain, je sentis mon estomac se soulever comme une vague.

— Je dois sortir. J'ai la gerbe...

— Attends ! Calme-toi. Approche...

— Non !

Je me mis à pleurer. J'avais peur. Cet endroit était abominable. Je détestais ma mère et Scarlett parce que, depuis le début, elles avaient raison.

Soudain, j'entendis le début du compte à rebours.

« Dix, neuf, huit... »

Et moi, j'étais malade comme une bête, paumée devant une saleté de serrure qui ne voulait pas s'ouvrir, alors que je n'allais plus tarder à vomir mes tripes et mes boyaux. Enfin, alléluia, la porte s'est ouverte. J'ai couru dans le couloir. « Sept, six, cinq... » Puis j'ai foncé parmi les gens qui chantaient et continuaient de compter. Je suis sortie dans le froid, j'ai descendu les marches et l'allée. « Quatre, trois, deux... » Jusque dans un bosquet. Et, lorsque après le « Un... Bonne année ! » ils se sont tous mis à hurler de joie en s'embrassant, j'ai salué la nouvelle année en vomissant abominablement, à genoux sur le sol gelé.

Chapitre 15

Pendant les premières minutes sur le chemin du retour, il n'a pas décroché un mot. Il était dans une colère folle, comme si j'avais été malade exprès, rien que pour l'embêter. Quand il m'avait retrouvée, dans le bosquet, j'étais somnolente, à moitié morte ; de toute façon, je souhaitais mourir. J'avais un paquet de feuilles humides collées sur la tronche. Il m'avait presque jetée dans sa caisse avant de foncer sur la route, en faisant sans cesse des queues-de-poisson aux autres voitures jusqu'à la nationale.

Je m'étais ratatinée contre ma vitre, genre misérable escargot. J'avais fermé les yeux. Pourvu que je ne me remette pas à vomir ! Je me sentais affreusement mal.

— Désolée..., balbutiai-je au bout d'une petite dizaine de kilomètres, alors qu'on entrevoyait enfin les lumières de la ville.

Chaque fois que je pensais à la litière et aux draps, mon estomac faisait de nouvelles vagues.

— Vraiment désolée...

— Laisse tomber.

À un virage, il débraya. La boîte de vitesses craqua, le moteur gronda, et j'ai bien cru qu'on allait tourner sur deux roues.

— Je voulais qu'on le fasse. Je te jure que j'étais prête. Mais j'avais trop bu.

Il ne répondit pas. Dans un crissement de pneus, il prit la voie express qui conduisait chez moi sans cesser d'accélérer.

— Tristan, je t'en supplie. Arrête de faire la tête !

— Tu disais que tu voulais. Tu as fait tout ce foin pour passer le réveillon avec moi, parce que c'était important. Et, là-dessus, tu changes d'avis.

On arrivait au carrefour principal de mon quartier. Devant nous, le feu était vert.

— C'est faux.

— Tu n'as jamais vraiment voulu, Halley. Tu t'es foutue de ma gueule.

— Mais non. Je voulais, mais je ne le sentais pas, dans cette chambre là-bas.

— Moi si.

Le feu passa à l'orange, mais Tristan accélérait toujours. Le centre commercial défilait comme un trait de lumière.

— Pas si vite, Tristan !

Le feu passa au rouge. Mais je savais qu'il ne s'arrêterait pas.

— Tu ne comprends rien, tu es tellement..., lâcha-t-il en accélérant.

Je tournai les yeux vers lui, curieuse de savoir par quel terme je serais qualifiée, quand je vis la lueur de phares passer sur son visage, l'éclairant de plus en plus, de mieux en mieux. Alors j'ai crié. J'avais peur. Que se passait-il ?

Je me souviens juste de cette incroyable luminosité que mes épaules séparaient en deux flots et qui éblouissait le visage maintenant paniqué de Tristan : il fixait la voiture qui arrivait sur notre droite et fonça dans ma portière, pulvérisant ma vitre en mille milliers de petits diamants qui tombèrent, et moi avec, dans la première nuit de la nouvelle année.

Chapitre 16

C'est surtout du froid que je me souviens. Un vent glacial soufflait sur mon visage et me faisait trembler convulsivement. Je me rappelle aussi le feu rouge et les gémissements affolés. Et puis Tristan, qui serrait ma main et me disait (bordel ! il n'aurait pas pu choisir plus mal le lieu et le moment, les plus tragiques de ma vie) : « Je t'aime. Halley ! Pardon. Je t'aime, je suis là, tiens bon ! Je suis près de toi. »

Quand les secours sont arrivés, je n'ai pas arrêté de demander qu'on me reconduise chez moi. J'allais bien. Je voulais rentrer à la maison. D'ailleurs, je n'habitais pas très loin : c'était mon quartier. J'avais franchi ce croisement un million de fois depuis que j'étais née. C'était même la première grande rue que j'avais traversée seule.

J'essayai de me raccrocher à Tristan, à sa main, à son regard, mais, à un moment donné, je le perdis. Je me suis retrouvée seule dans l'ambulance qui me conduisait à l'hôpital. Où était-il ?

— Il faut qu'il reste sur les lieux de l'accident, me répéta une urgentiste pour la centième fois. Calme-toi. Comment t'appelles-tu ?

— Halley.

Je ne savais pas si j'étais gravement blessée. Ma jambe me faisait mal, l'un de mes yeux était enflé et fermé. Je ne pouvais pas bouger la main gauche, mais je ne souffrais pas ; ça produisait une drôle d'impression, c'est tout.

— C'est un joli prénom, dit-elle, tandis qu'on me faisait une piqûre dans le bras.

J'ai eu un peu mal. J'ai fait la grimace.

À l'hôpital, on m'a transportée sur une table d'examen entourée d'un rideau blanc. Des médecins et des infirmières se sont approchés, puis leurs mains se sont activées au-dessus de moi. Quelqu'un s'est penché sur mon oreille pour me demander mon numéro de téléphone. J'ai préféré donner celui de Scarlett : même dans les choux, j'étais consciente que j'allais me faire tuer par mes parents.

Au bout d'un certain temps, une doctoresse a résumé la situation : j'avais un poignet foulé, de nombreuses coupures dans le dos ainsi que deux côtes froissées. Quant à mon arcade sourcilière, fendue, elle avait été suturée. Mes douleurs à la jambe étaient dues à des hématomes et à des contusions sans gravité. Au final, comme j'avais eu un choc à la tête, elle préférait me garder en observation pour la nuit. Là-dessus, elle répéta que j'avais eu beaucoup de chance. Je lui demandai cent fois où était Tristan, comment il allait. Elle ne répondit pas et me conseilla de me calmer et de dormir : il me fallait du repos. Enfin, elle assura qu'elle reviendrait plus tard, pour vérifier que tout allait bien. Ah, et au fait, ajouta-t-elle... ma sœur attendait dans le couloir.

— Ma sœur ?

Elle tira le rideau et je vis Scarlett. Elle avait l'air de sortir de son lit. Elle avait noué ses cheveux en queue-de-cheval et portait la longue chemise en flanelle qu'elle portait pour dormir. Mais le plus extraordinaire, c'est que son ventre me parut plus gros encore qu'au début de la soirée.

Elle s'approcha, me dévisagea.

— Mon Dieu, Halley !

Elle était terrorisée, mais elle tentait de rester brave.

— Que s'est-il passé ?

— On a eu un accident.

— Où est Tristan ?

— Je sais pas.

J'ai soudain eu envie de pleurer. Ça a réveillé la douleur. J'avais mal partout.

— Il n'est pas dans le couloir ? repris-je.

— Non.

Et elle ajouta, les lèvres pincées, la voix dure :

— Je ne l'ai pas vu.

— C'est parce qu'il devait rester sur les lieux de l'accident. Il a promis qu'il viendrait après. Il se faisait vraiment du souci, tu sais.

— Tu parles, il pouvait ! À cause de lui, tu as failli mourir !

Je fermai les yeux et n'entendis plus que le bip d'une machine, pas loin, qui me rappelait le tintement de la clochette dans l'escalier de Mamie.

— On n'a pas couché ensemble, dis-je après un long silence. Au cas où tu te poserais la question...

— Je n'y pensais même pas, mais je suis contente.

— Mes parents sauront bientôt tout. Je suis morte.

J'éprouvais une telle envie de dormir que j'avais du mal à parler.

— Ils ne me laisseront plus jamais le voir...

— Il n'est même pas là, Halley, murmura Scarlett.

— C'est parce qu'il est resté sur les lieux de l'accident, répétai-je obstinément.

— L'accident a eu lieu il y a une heure et demie. J'ai parlé avec un flic, dans la salle d'attente. Tristan s'est tiré.

— Non, dis-je, luttant contre le sommeil. Il va arriver.

— Halley... , dit-elle avec tristesse, je suis vraiment désolée.

Son image devenait trouble, le bip devenait plus lointain. Je me suis endormie.

Quand j'ai ouvert les yeux, j'ai vu un *quarterback* sur l'écran de la télévision. Il saisit le ballon à la volée, se faufila à travers les joueurs et courut comme un malade tandis que la foule l'acclamait. Quand il a eu atteint la zone de but, son équipe s'est ruée sur lui et ils se sont tous tapé dans les mains. Enfin, la caméra a zoomé sur le visage souriant du *quarterback*, qui levait le poing en signe de victoire. *Touchdown.*

— Halley ?

La voix de maman. Je tournai la tête et la vis assise à mon chevet.

— Comment te sens-tu ?

— Bien.

Mon père était sur l'autre lit, toujours vêtu de la chemise mexicaine de beauf qu'il ne portait que le soir du réveillon.

— Quand êtes-vous arrivés ?

— Il n'y a pas longtemps.

Je levai les yeux sur l'horloge, pendant que maman se penchait sur moi et lissait le bandage sur mon arcade sourcilière. Il était 3 h 30. Du matin ? De l'après-midi ? Impossible à dire.

— Halley, chérie, tu nous as fait une belle frayeur.

— Maman… Pardon…

Je bredouillais. J'étais trop cassée.

— J'ai gâché votre fête.

— Je me fiche bien de notre fête ! répliqua maman.

Elle semblait lasse et triste, comme avec Mamie, à Thanksgiving.

— Où étiez-vous ? Que faisiez-vous ? reprit-elle.

— Julie, intervint mon père depuis le lit d'à côté, d'une voix voilée. Ça n'est pas le moment.

— La police nous a dit que tu étais avec Tristan Faulkner, continua maman.

Elle butait sur les mots. Elle semblait dans le doute, comme si elle hésitait et avait peur de formuler la vérité.

— C'est vrai, Halley ? C'est lui, le responsable de l'accident qui a failli te coûter la vie ?

— Non…

Tout me revenait maintenant. Le froid, la lueur éblouissante sur le visage de Tristan, les fragments de verre qui étincelaient et tombaient comme des petites étoiles. J'étais trop fatiguée. Je fermai les yeux.

— C'était juste que…

— Mon Dieu, je le savais, je le savais !

Maman serrait toujours ma main valide, mais plus fort maintenant.

— Tu n'en fais jamais qu'à ta tête ! Tu ne comprends donc pas qu'il m'arrive d'avoir raison ? Que j'agis dans ton intérêt, et pas pour t'empoisonner la vie ? Mais il faut toujours que tu désobéisses, et voilà le résultat ! Regarde-moi ça...

Sa voix faiblit, peut-être parce que je m'endormais de nouveau.

— Julie..., intervint de nouveau mon père, dont j'entendis les pas se rapprocher du lit. Julie, elle dort. Elle ne t'entend même pas, chérie.

— Tu avais promis que tu ne le reverrais plus, me chuchota maman d'une voix rauque à l'oreille. Tu avais *promis*.

— Calme-toi, Julie, lui dit mon père.

Et il répéta d'une voix si basse que j'entendis à peine :

— Calme-toi, je t'en prie...

Je dormais à moitié. Des pensées folles dansaient dans ma tête tandis que les bruits alentour s'éloignaient. Juste avant que je ne bascule dans le sommeil – mais, si ça trouve, je rêvais peut-être déjà –, j'entendis une voix très proche. Peut-être était-ce celle de maman, de Tristan ou simplement une voix dans ma tête. Elle disait : « Je suis là. Près de toi. »

Chapitre 17

Le mois de janvier fut sans intérêt, très long et tout en grisaille. Je passai le jour de l'an à l'hôpital. Le 2 janvier, je rentrai à la maison. J'avais mal partout. La semaine qui suivit, je restai au lit à regarder la maison de Scarlett et le ballet des avions par la fenêtre de ma chambre. Maman avait repris ma vie en main. Je laissai faire.

On n'a pas reparlé de Tristan. Mes parents avaient compris qu'il s'était passé un drame, les heures précédant l'accident, un truc très important, mais maman ne demanda rien – et je ne dis rien. Maman se contentait de changer mes pansements à l'arcade sourcilière et au poignet. Elle me donnait mes médicaments, me servait mes repas sur un plateau. Dans le silence de la maison, avec maman présente en permanence, Tristan devenait un rêve qui s'estompait. De toute façon, ça me faisait trop de peine de penser à lui.

Tristan essayait d'entrer en contact avec moi. Lors de ma première nuit à la maison, je l'entendis freiner au stop, comme avant, mais je restai dans mon lit à fixer le plafond. Il repartit au bout de dix bonnes minutes. Lorsqu'il prit le virage, ses phares balayèrent le mur de ma chambre, allumèrent un éclat sur le miroir, éclairèrent un fragment de papier peint et, pour finir, le sourire de ma poupée de porcelaine. Enfin, il klaxonna : c'était, je crois, le signal de la dernière chance... J'ai de nouveau tourné la tête vers la fenêtre et le ciel nocturne, puis j'ai refermé les yeux.

J'étais complètement paumée. Le soir du réveillon était devenu un embrouillamini de folie qui débutait par ma dispute avec Scarlett et finissait dans ce froid atroce, sur le bas-côté d'une route. J'étais blessée, en colère... J'avais honte, de moi, de mes impulsions. Surtout, j'avais honte d'avoir agressé Scarlett, ma meilleure amie, parce que je n'avais pas accepté qu'elle me dise la vérité.

Parfois, au cours de cette semaine-là, je caressais la bague que Tristan m'avait offerte, mais que je ne portais plus, car on avait dû la couper, aux urgences. Elle était maintenant sur mon bureau, dans un sac en plastique près du plat contenant les friandises qu'il glissait dans mes vêtements et que je n'avais jamais touchées. J'avais idéalisé Tristan : il n'était pas celui que j'imaginais. Ni à présent ni jamais peut-être. D'ailleurs, moi non plus, je n'étais pas celle que je croyais.

Bien entendu, Scarlett avait déjà son opinion sur la question.

— C'est un con ! me dit-elle au bout d'une semaine, alors qu'on jouait aux cartes à la cuisine en mangeant du raisin.

On n'avait pas reparlé de notre clash du 31 décembre : ce souvenir nous mettait toutes les deux trop mal à l'aise.

— Aujourd'hui, au lycée, il m'a demandé sans cesse de tes nouvelles. Gonflé ! Comme s'il ne pouvait pas te rendre visite !

— Il est de nouveau passé, l'autre nuit. Il est resté longtemps, comme s'il espérait que je sorte le rejoindre.

— S'il voulait vraiment te voir, il serait devant ta porte à genoux pour implorer ton pardon !

Là-dessus, elle fit une grimace et s'agita sur sa chaise. Maintenant, son ventre était si gros qu'elle devait tendre les bras pour atteindre la table. De plus, elle marchait comme un caneton.

— Je suis dans un tel chaos hormonal, en ce moment, que je pourrais lui tordre le cou !

Je ne dis rien. On ne peut tout de même pas fermer son cœur comme un robinet. Il faut remonter à la source et l'assécher goutte à goutte. Ça prend du temps.

Quelques jours plus tard, il était presque minuit lorsque j'entendis un caillou heurter le carreau de ma fenêtre. Je restai sans bouger dans mon lit : les cailloux se succédèrent, et je finis par me lever pour ouvrir ma fenêtre. Il faisait nuit, je voyais à peine Tristan, mais je savais qu'il était là.

— Halley, l'entendis-je murmurer. Descends, il faut que je te parle.

Je ne répondis pas. Je tournai les yeux vers la fenêtre de mes parents. Si jamais la lumière s'allumait, ce serait le signe qu'ils avaient tout entendu. Ça ne me faisait ni chaud ni froid. En vérité, j'aurais presque aimé me faire choper.

— Je t'en prie, Halley, juste une seconde...
D'accord ?

Je fermai la fenêtre sans répondre, puis je descendis
et fis claquer la porte moustiquaire un peu trop fort.
Prudente, imprudente, ça m'était bien égal maintenant.

Tristan était dans le jardin derrière la maison, près
des buissons de genévrier. Il est sorti de l'ombre pour
s'approcher.

— Salut...

Pause. Puis :

— Comment tu vas ? Et ton poignet ?

— Mieux.

Il se tut, comme s'il attendait la suite, mais je ne
pipai pas.

— Bien sûr, tu es en colère contre moi, parce que
je ne suis pas venu à l'hôpital, dit-il enfin. Mais j'avais
une bonne raison. Tes parents étaient déjà assez en
colère, je le savais. Et, en plus, j'ai été obligé de téléphoner pour demander qu'on passe me chercher, parce
que ma bagnole...

Je l'observais. Je me demandais ce que je lui avais
trouvé de si magique. Il m'avait fascinée, je m'étais
laissé bêtement emberlificoter par ses petits tours de
passe-passe, genre les pièces de monnaie que les pres-
tidigitateurs sortent de derrière leurs oreilles pour en
mettre plein la vue. Tout le monde peut le faire, il
suffit d'apprendre. Au fond, ça n'a rien d'exceptionnel.

Tristan continuait de parler.

— ... et je suis venu toute la semaine, parce que
j'avais envie de m'expliquer, mais tu ne voulais pas
sortir et je ne pouvais pas t'appeler...

Je levai la main.

— Tristan, arrête.

Il parut surpris.

— Je ne voulais pas te blesser...

Me blesser ? Quand ? Au moment de l'accident ? Au moment de sa colère ?

— J'ai pété un câble, mais je suis désolé, Halley. Je vais me racheter. J'ai besoin de toi. Tu me manques.

— Ah ?

Je n'en croyais pas un mot.

— Oui, je te jure, dit-il doucement.

Il s'approcha et m'enlaça, effleurant par la même occasion mes côtes blessées, et j'eus de nouveau mal.

— La vérité, j'en crève...

Je reculai pour éviter son contact et croisai les bras.

— On ne se verra plus. C'est fini.

Il cilla, comme s'il avait mal compris.

— Arrête, tes parents s'en remettront, dit-il ensuite, très cool.

Je fus certaine qu'il avait l'habitude de prononcer cette phrase-là.

Toutes les phrases hier si précieuses pour moi, et que j'avais enfermées au fond de mon cœur, il les avait déjà dites à ses petites copines, peut-être sous les fenêtres de leur chambre, dans leur jardin, au beau milieu de la nuit, dans les petites allées sombres et complices, sur la banquette arrière d'une voiture, dans une chambre obscure fermée à clé, les soirs de fête.

— Mes parents n'ont rien à voir là-dedans. C'est moi qui l'ai décidé.

— Halley, tu ne peux pas faire une chose pareille.

Il pencha la tête et prit son air de Droopy, qui me faisait complètement craquer, autrefois, pendant la gym.

— On s'en remettra.

— Je ne crois pas.

Au cours de toutes ces journées monotones de janvier, j'avais compris que je méritais mieux. Je méritais des « je t'aime », des kiwis et des fleurs, des guerriers médiévaux remplis d'amour courtois. Je méritais des photos de moi heureuse, malheureuse, amère, que sais-je encore. Je méritais de sentir la chaleur du coup de pied d'un bébé sous ma main. Je méritais aussi de grandir et de changer, de devenir toutes les filles que je méritais d'être, chacune meilleure que la précédente. Un peu comme les poupées russes qui se succèdent, toutes différentes, toutes pareilles.

— Halley ! Attends ! me rappela-t-il alors que je m'éloignais.

Mais j'étais déjà partie. Et puis, à mon tour d'être un peu magique : en un rien de temps, je suis entrée dans la nuit du jardin et je l'ai laissée m'absorber.

Je ne l'ai pas vue lorsque je suis rentrée par la cuisine en refermant avec soin la porte. Je l'ai remarquée seulement quand je me suis retournée, au moment où la lumière s'est allumée. Maman, en peignoir, avait laissé sa main sur l'interrupteur. Je restai immobile, éblouie.

— Rien n'a donc changé, commença maman.

— Hein ?

— C'était bien ton ami Tristan ? demanda-t-elle prise de colère. Il ne vient donc jamais en plein jour ? Se déplace-t-il juste quand il fait nuit ?

— Attends, maman, tu ne comprends pas...

J'allais lui dire qu'il était parti, et même qu'elle avait eu raison sur toute la ligne, mais elle ne m'en a pas laissé le temps.

— Je comprends surtout que tu n'as pas retenu la leçon, et pourtant ce garçon a failli te tuer ! Comment peux-tu tomber à nouveau dans ses bras, comme si rien ne s'était passé ? Après votre accident ! Un accident dont il est responsable !

— Je devais lui parler et...

— Nous n'avons jamais évoqué les circonstances de ce drame, parce que tu étais blessée, mais tu ne reverras plus ce garçon, tu m'entends, Halley ? Si tu n'es pas assez raisonnable pour rester à bonne distance de lui, c'est moi qui t'en empêcherai.

— Maman !

Je n'en revenais pas ! Maman pensait de nouveau à ma place ! Elle me volait la victoire que je venais de remporter par la seule force de ma volonté.

— Je ne reculerai pas devant les mesures que tu me forceras à prendre, enchaîna-t-elle d'une voix calme et égale. Tant pis si je suis obligée de te changer de lycée. Tant pis si je dois te suivre vingt-quatre heures sur vingt-quatre, mais tu ne le reverras pas ! Tu ne détruiras pas ta vie à cause de ce garçon !

— Pourquoi es-tu si sûre que je veuille le revoir ? lui demandai-je, profitant d'une pause pour placer un mot. Pourquoi ne me demandes-tu pas plutôt ce que je viens de lui dire ?

Maman, surprise, fut coupée dans son élan.

— Pardon ?

— Pourquoi tu ne me laisses pas parler ? Pourquoi tu n'écoutes pas ce que j'ai à dire ou ce que je pense, au lieu de me juger et de m'imposer ta façon de voir les choses ? C'est toujours pareil, tu ne me laisses jamais la parole !

— C'est faux ! s'exclama-t-elle, indignée.

— Non, c'est vrai ! Et, après, tu t'étonnes que je ne te raconte plus rien, que je cesse de me confier. Tu sais pourquoi ? Eh bien, dès que je te fais des confidences, tu interprètes et tu déformes tout.

— C'est faux, répéta-t-elle, mais elle n'était plus si catégorique. Écoute, Halley, tu ne connais pas la vie. Moi, si.

— Mais je n'apprendrai jamais la vie si tu m'interdis de vivre la mienne ! Alors laisse-moi faire mes expériences.

Là-dessus, on a affronté sans un mot tout ce qui s'était accumulé entre nous depuis le mois de juin, au moment où j'avais voulu devenir plus libre et faire mes choix. Maintenant, je voulais que tout redevienne comme avant, qu'elle me donne de nouveau sa confiance et croie en moi. Maman passa la main dans ses cheveux, comme si ça pouvait l'aider à décider.

— C'est d'accord, dit-elle enfin.

— Merci.

Maman éteignit la lumière. On est montées ensemble dans nos chambres. Le bruit de ses pas répondait au mien : ça ressemblait à un début de dialogue.

L'accord qu'on venait de passer était encore balbutiant, mais il allait évoluer. C'était comme d'apprendre autrement des trucs jusque-là instinctifs et évidents, par exemple marcher ou parler. C'était repartir de zéro pour changer son regard sur ce qu'on croyait savoir et maîtriser. C'était se faire une idée de la vie à partir de ses expériences, et, de là, se construire lentement par soi-même.

Arrivées à l'étage, on allait se séparer pour regagner nos chambres, quand maman a pris la parole.

— Qu'est-ce que tu lui as dit ? murmura-t-elle.

De l'autre côté de la rue, je remarquai de la lumière dans la cuisine de Scarlett. Carré jaune sur fond noir.

— Que je ne voulais plus le voir. Que c'était fini. Je me suis trompée sur lui. Il m'a laissée tomber.

Je me doutais que maman avait envie de me poser davantage de questions, mais elle a seulement acquiescé.

On était de grandes débutantes, sans aucune expérience, mais on établirait nos marques et nos règles au fur et à mesure de nos progrès. On partait finalement à la découverte d'une terre inconnue, d'un territoire aussi vaste que le Grand Canyon et aussi difficile à saisir que la comète de Halley.

— C'est bien, me dit-elle enfin.

Elle est rentrée dans sa chambre, avant de refermer doucement la porte.

On ne sait jamais quand les choses se remettent en place, ni à quel moment on s'est écarté de sa voie. Mais, seule dans le noir sur le palier, j'ai pensé à Mamie Halley, qui me serrait si fort contre elle pendant qu'on admirait la comète de Halley. J'avais toujours cru que je n'en avais aucun souvenir, mais, à cet instant, j'ai fermé les yeux et j'ai vu la comète, étincelante et à peine imaginable pour l'esprit humain. Elle traversait le ciel nocturne comme une flèche.

TROISIÈME PARTIE
GRACE

Chapitre 18

— Oh, chérie, tu es absolument magnifique ! Brian, viens vite avec l'appareil photo ! Il faut que tu prennes Halley en photo ! Surtout ne bouge pas, ma puce ! Non, viens plutôt par ici, pour qu'on ait la fenêtre en arrière-plan. Ou peut-être que... ?

— Maman ! Par pitié, pas maintenant.

Je me grattai de nouveau le dos, parce que l'étiquette de ma robe me démangeait, c'était infernal.

— Mais il faut que nous prenions des photos ! dit-elle en me faisant signe de m'approcher de la plante verte qui se trouvait dans le coin de notre cuisine. Toi toute seule, et ensuite avec Noah.

Argh, Noah...

Chaque fois que j'entendais son prénom, je n'arrivais pas à croire que je m'étais fourrée dans une galère pareille. Le bal de fin d'année et ma robe bouffante, genre meringue, dont l'étiquette me rendait folle ne suffisaient pas, non, il avait fallu que Noah Vaughn s'ajoute à ce cauchemar. On m'avait fait la totale.

— Oh, mon Dieu ! s'écria maman, qui regardait maintenant par-dessus mon épaule.

Elle posa la main sur sa bouche, prête à pleurer de bonheur.

— Scarlett, tu es... mer-veil-leuse !

Je me détournai et vis Scarlett, exactement telle que je l'avais vue un instant plus tôt dans ma chambre, où je l'avais laissée, sauf que, c'est fou, mais entre-temps son ventre semblait avoir encore grossi !

Scarlett était maintenant enceinte de neuf mois, au jour près. Son ventre était si gros qu'il la précédait partout où elle allait : on ne voyait que lui. La mère de Cameron, couturière de profession, lui avait fait une robe de soirée sur mesure. Trop contente que son fils aille au bal de fin d'année, Mme Newton avait passé des heures et des jours à tailler, assembler et coudre la plus belle des robes de bal de grossesse : noire et blanche, descendant jusqu'aux genoux, avec une taille Empire et un col châle qui mettait en valeur le fabuleux décolleté de Scarlett. Même avec un très gros ventre, Scarlett était absolument superbe. En vérité, c'est son beau sourire fier qui la rendait sublime.

— Ta-da ! s'exclama-t-elle avec un grand geste, se remettant à descendre les escaliers comme si elle avait gagné à un jeu télévisé. C'est fou, hein ?

Elle me souriait. Je lui souris. Depuis que nous avions décidé d'aller au bal de fin d'année pour réaliser le rêve de toutes les ados lectrices de *Seventeen*, notre vie n'était plus normale. Mais on voguait au-delà du normal depuis un certain temps déjà.

Entre maman et moi, les choses avaient bougé après la mise au point du mois de janvier. C'était très subtil et difficile à observer à l'œil nu, mais les faits parlaient d'eux-mêmes.

Désormais, par exemple, maman tenait sa langue, même si elle mourait d'envie de me donner son avis ou de dominer la conversation, en gros, d'être ma mère. Maman prenait une grande inspiration, et son élan, puis tout à coup elle soupirait et me regardait fixement, tandis qu'un petit quelque chose passait entre nous, que personne ne remarquait. Maman faisait aussitôt marche arrière et embrayait sur un autre sujet : la vente de la maison de Mamie et ses fréquentes visites à Buffalo, ou encore son nouveau livre, qui traiterait de sa toute dernière expérience : le « redevenir » fille de sa mère vieillissante. Peut-être parlerait-elle de moi ? Peut-être pas ?

Je n'avais plus reparlé à Tristan depuis le soir où il était venu dans notre jardin. Il séchait toujours davantage les cours, et, les jours où il était au lycée, je faisais le maximum pour l'éviter. N'empêche, ça me faisait mal, chaque fois que je le voyais. Cette douleur ressemblait à celle qui cognait dans mon poignet, certains matins, ou dans mes côtes, quand je dormais dans telle ou telle position. En mars, lorsque j'avais entendu dire que sa mère l'avait fichu dehors, je m'étais fait du souci. À la mi-avril, lorsqu'on me jura qu'il sortait avec Élisabeth Gunderson, j'avais deux jours pleins pleuré toutes les larmes de mon corps.

Je m'étais concentrée sur un événement plus important : le bébé de Scarlett. Je l'avais vu dans son ventre quand on avait fait la première échographie du sixième mois. C'était encore une petite forme pas très facile à identifier, mais on reconnaissait ses mains, ses pieds et son nez. La doctoresse aurait pu nous dire le sexe, mais Scarlett n'avait pas voulu savoir. Elle voulait avoir la surprise.

J'avais organisé une petite fête pour préparer la naissance du bébé à la maison. On avait invité Cameron et sa mère, les filles des Teen Mothers, et même Ginny Tabor ; elle avait apporté un énorme canard en peluche jaune qui couinait quand on le serrait. Mais son canard était bizarre, parce qu'il couinait aussi dès qu'on l'effleurait. Et il n'a bientôt plus cessé de couiner, jusqu'à ce qu'on lui arrache littéralement la tête, une solution qu'on ne pourrait malheureusement jamais tenter pour réduire Ginny au silence.

La mère de Cameron avait cousu un beau set de layette et mes parents avaient offert à Scarlett dix baby-sittings gratuits, pour les soirs où elle aurait besoin de souffler. Moi, je lui avais donné une photo agrandie et encadrée de nous deux : Scarlett sur les marches de sa véranda, avec son ventre déjà proéminent. Elle avait les mains croisées dessus et la tête posée sur mon épaule. Scarlett l'avait tout de suite accrochée au-dessus du berceau du bébé, pour que tous les deux la voient chaque jour. « Nous trois », avait-elle dit, et j'avais acquiescé.

Il ne nous restait plus qu'à attendre tranquillement la date de l'accouchement, qui se rapprochait.

Pour l'heure, on faisait des plans à la pelle. On avait acheté un livre sur les prénoms et dressé la liste de ceux qui nous plaisaient : des prénoms simples, qui n'évoquaient pas des personnages célèbres, comme celui de Scarlett, et qui ne nécessitaient pas d'explications sans fin, comme le mien. On savait toutes les deux qu'un prénom, ça vous marquait pour la vie.

On est allées aux cours de préparation à l'accouchement. J'étais la seule fille parmi tous les papas accompagnateurs. Sans compter qu'on était aussi les plus jeunes. On a respiré, on a poussé, et j'ai essayé de me convaincre que je serais au top le jour J. Scarlett mourait de peur et fatiguait beaucoup avec ces soufflez-bloquez, mais je positivais pour la réconforter.

Quant à Marion, eh bien, concernant le bébé, elle avait effectué un virage à cent quatre-vingts degrés. Elle avait toujours agi comme si l'adoption, c'était décidé... jusqu'au septième mois. Un beau jour de mars, je suis entrée dans la nurserie dont les murs jaune poussin et les étoiles au plafond (œuvre de Cameron) resplendissaient grâce au soleil qui passait par la fenêtre. Tout était fin prêt. La layette se trouvait pliée et rangée dans les tiroirs, le berceau et la table à langer étaient à leur place, et la poussette avait enfin été assemblée (grâce à un voisin ingénieur, le seul à comprendre les instructions de la notice). Marion, immobile, bras croisés, regardait autour d'elle en souriant. J'ai tout de suite compris : l'adoption ? Jamais de la vie ! Bien entendu, quand Marion m'a vue, elle a froncé les sourcils, marmonné des trucs sur les émanations toxiques de la peinture, avant de sortir comme on prend la fuite. C'était Marion tout craché. Moi, je souriais. Je savais bien ce que j'avais vu.

Pour finir, j'accompagnai Scarlett jusqu'à la boîte aux lettres pour envoyer le courrier sur lequel on avait travaillé comme des bêtes, au cours de ces derniers mois. Il commençait par : « Chère madame Sherwood, vous ne me connaissez pas, mais j'ai quelque chose à vous dire... » Scarlett l'avait posté, les dés étaient lancés. Si on avait des nouvelles, tant mieux ; sinon, le bébé aurait bien assez d'amour comme ça.

Et aujourd'hui, 12 mai, on allait au bal de fin d'année. J'avais accepté pour faire plaisir à Scarlett, parce que c'était important pour elle. Quand Cameron lui avait proposé d'être son cavalier, j'avais compris que je devais moi aussi être de la fête. Et voilà comment je m'étais retrouvée dans les pattes de Noah Vaughn.

En vérité, c'était la faute de maman. Un vendredi soir où les Vaughn étaient chez nous, maman avait évoqué ce fameux bal. Mme Vaughn s'était illuminée comme un arbre de Noël, et tout était parti de là. « J'aimerais tant que Halley y aille aussi ! Un bal de fin d'année, c'est tout de même un événement à ne pas manquer ! » avait déclaré maman. Là-dessus, Mme Vaughn s'était étonnée : « Noah ? Comment se fait-il que tu ne m'en aies pas parlé ? » Une fois lancée, maman avait continué : « La meilleure amie de Halley y va, hélas, Halley n'a pas de cavalier. » Je voyais venir la suite gros comme une maison, c'était horrible. Pendant ce temps, Noah, assis en face de moi, me regardait par en dessous, tandis que papa, le nez dans son assiette, était mort de rire. « Noah non plus n'a pas de cavalière ! s'était exclamée Mme Vaughn, très excitée, alors pourquoi est-ce qu'ils n'iraient... ? »

Alors maman, qui avait bien retenu sa leçon, se rendit compte de sa gaffe. Elle avait cherché mon regard, puis s'était reprise : « En fait, ça ne sera pas possible, je pense que Halley a déjà des projets pour ce weekend. » Évidemment, c'était fichu, car Mme Vaughn applaudissait déjà comme une folle et souriait de bonheur. Maman s'était tournée vers moi, mais je faisais la gueule. Tout ce que je voyais, c'était Noah qui mangeait sa part de pizza comme un goret et avait des morceaux de fromage fondu collés sur le menton.

Inutile de dire que, pour Scarlett, ce fut l'extase. Elle m'obligea à acheter une robe de bal et de belles chaussures, avant d'insister pour qu'on se pomponne ensemble, le grand soir. J'acceptai sans me plaindre parce que, bon, je savais que c'était la fin d'une époque pour elle : après la naissance du bébé, sa vie changerait.

— Souriez ! s'exclama maman en reculant avec son appareil photo dont le témoin rouge clignotait.

Adossé à la porte de la cuisine, papa faisait le clown.

— Vous êtes magnifiques, toutes les deux ! Si glamour !

Scarlett passa son bras derrière mes épaules et m'attira à elle afin qu'on soit plus proches, sur la photo. Je contemplai ses cheveux auburn, son sourire paisible et les taches de rousseur sur le bout de son nez.

— Fantastique ! s'exclama maman, à présent adossée au mur du fond.

Elle s'accroupit.

— Et maintenant, dites « Soir de bal » !

— Soir de bal ! s'exclama Scarlett avec ferveur.

— Soir de bal ! murmurai-je, sans cesser de contempler Scarlett, tandis que le flash jaillissait.

Je compris que Noah était super bourré lorsqu'il traversa le salon avec sa fleur de corsage, enfin, je veux dire le bouquet traditionnel.

— Salut, dit-il en s'approchant pour l'épingler sur ma robe, le souffle alcoolisé et brûlant. Bouge pas, surtout.

Je le lui pris des mains avant qu'il ne me perfore le cœur.

— Laisse-moi plutôt faire.

Pendant ce temps, Mme Vaughn, qui, à l'évidence, ne s'était pas approchée de son fiston au cours de ces dernières heures, et maman, qui rayonnait de fierté, nous observaient de loin.

Près de nous, Cameron épinglait avec soin un petit bouquet de roses sur le décolleté de Scarlett. Cameron paraissait tout gringalet à côté d'elle, et était très chic dans son smoking, sa ceinture de smoking et ses chaussettes couleur de canneberge. « Très européen ! » avait apprécié maman quand il était arrivé aux côtés de Noah, qui portait un smoking de location dont le pantalon était trop court, avec des chaussettes de tennis blanches qui se voyaient comme le nez au milieu de la figure.

J'épinglai mon bouquet de corsage, manquant me piquer dans ma hâte, puis me préparai à une énième série de photos.

— Vous êtes sublimes ! s'exclama Mme Vaughn en surgissant autour de nous avec son Caméscope, pendant que Noah passait son bras autour de ma taille.

C'était clair, l'alcool lui donnait de l'audace.

— Souris, Halley !

— Encore une ! renchérit maman, qui attaquait sa deuxième pellicule et nous mitraillait. Quelle soirée vous allez passer ! Ce sera extraordinaire !

Marion aussi était là. Elle prenait photo sur photo avec un petit appareil jetable. Ce soir-là, Marion se rendait à un tournoi médiéval avec Vladimir, et elle était fin prête pour l'événement : elle portait une longue robe de soie avec des manches bouffantes, ce qui lui donnait une vague ressemblance avec Guenièvre, ou peut-être avec la Belle au bois dormant, c'était difficile à dire. Elle partageait désormais avec Vladimir ses petits plaisirs médiévaux du week-end : elle assistait allégrement à des tournois et buvait de l'hydromel pendant les joutes auxquelles son guerrier participait. Scarlett était un peu gênée par la métamorphose de Marion en gente damoiselle, mais Marion affirmait que c'était super sympa d'être une autre, de temps en temps.

— Scarlett ! s'écria-t-elle, agitant la main. Regarde par ici, ma belle ! Voilà, comme ça ! Superbe !

Une fois qu'on nous eut photographiés en long, en large et en travers, on est montés dans la limousine, prêtée par l'hôtel où travaillait le père de Cameron. Cameron avait beau être bizarre, il savait comment organiser une soirée. Un vrai gentleman. Hélas, je ne pouvais pas en dire autant de mon cavalier.

— Où il est, le bar ? gargouilla Noah dès qu'on eut refermé la portière. Il y a toujours un bar dans les limousines, hein ?

Scarlett se contenta de lui lancer un regard rapide en disposant bien les plis de sa robe autour d'elle.

— Laisse-le, il est bourré, lui dis-je.

— Nan ! s'indigna Noah.

Il m'avait plus parlé durant la dernière demi-heure qu'au cours de l'année passée.

— Il y a toujours un bar dans les limousines ! insista-t-il.

— Je crois que le bar a été retiré, expliqua paisiblement Cameron. Désolé.

— Pas la peine d'être désolé, on s'en fiche, répliqua Scarlett en lui serrant la main.

— De toute façon, pas besoin de bar ! beugla Noah, qui sortait un flacon en plastique de sa poche intérieure. J'ai pensé à tout !

— Non, Noah, je t'en prie ! intervins-je.

— Waouh, voilà ce que j'appelle être classe, ironisa Scarlett alors qu'il ouvrait son flacon et buvait comme un cochon, en mouillant sa chemise.

— Ouais : la classe, c'est moi ! postillonna Noah avec insolence.

Il rempocha son flacon, s'essuya la bouche du revers de sa manche de smoking et passa son bras autour de mon épaule alors que je tentais de le repousser.

Quand on est arrivés au lycée, Noah était à fond. La limousine nous déposa dans le parking des bus, pas très loin de la cafétéria, et je le laissai chanceler derrière moi. Il avait vidé son flacon, l'avait balancé dans une poubelle et essayait de me rattraper. Par malheur, c'est ma robe qu'il a attrapée : cet abruti l'a déchirée à la taille. J'ai tout à coup senti de l'air froid dans mon dos et sur mes jambes.

Je stoppai net et me détournai.

— Oups ! s'exclama Noah.

Il tenait un morceau de soie blanche et lustrée, et il se gondolait.

— Désolé !

— Imbécile ! sifflai-je, en essayant de rabattre les pans de ma robe et de couvrir mes fesses maintenant à l'air.

Super. Non seulement Noah Vaughn était mon cavalier, mais j'étais cul nu. Bonjour la soirée, c'était la honte.

— Halley, que se passe-t-il ? s'écria Scarlett de l'entrée de la cafétéria. Tu viens ?

À côté d'elle, Melissa Ringley, du comité d'organisation, m'observait avec intérêt.

— Entre. Je vous rejoins tout de suite ! lançai-je.

— Tu es sûre ?

— Oui.

Scarlett tendit donc ses billets à Melissa et suivit Cameron à l'intérieur, où la musique jouait fort. Pendant ce temps, des filles et des garçons continuaient d'arriver. Je me planquai sous les fenêtres du labo de biologie pour essayer de rafistoler ma robe.

— Attends, je vais t'aider, déclara Noah en surgissant derrière moi.

— Je ne veux pas que tu m'aides, d'accord ?

— Non, mais quelle garce ! coupa-t-il en posant les mains sur ma taille. Tu as vachement changé, depuis qu'on est sortis ensemble.

— Oui, et alors ?

Il me fallait absolument une épingle de sûreté. Je ne pouvais tout de même pas entrer dans la salle de bal et montrer mes fesses à tout le monde, même pour faire plaisir à Scarlett.

— Tu étais plus sympa avant, continua Noah, boudeur. Mais, quand tu es sortie avec Tristan Faulkner, tu as joué les pétasses branchées. Comme si tu étais une super star.

— La ferme, Noah.

— Non, c'est toi qui vas la fermer, s'écria-t-il.

Deux filles en robe de bal blanche et talons hauts qui arrivaient tournèrent les yeux vers nous, et essayèrent de voir ce qui se passait.

J'ignorai Noah. Je me déhanchai de nouveau pour arranger ma robe quand il s'est jeté sur moi. Au moment où je tournai la tête, surprise, il m'a soufflé son haleine alcoolisée dans le nez. Je n'avais pas remarqué qu'il était si grand... Il a passé son bras autour de ma taille, sur la déchirure, et glissé ses mains sous ma robe, sur ma petite culotte.

Je le fixai, sidérée, voyant son visage se rapprocher, de plus en plus près, yeux fermés, bouche entrouverte et langue tendue...

— Dégage ! criai-je en le poussant.

Noah trébucha et heurta la souche d'un arbre, puis fit un vol plané sur le trottoir devant un couple qui arrivait. Je m'appuyai contre le mur, me fichant de ma robe déchirée comme de cette soirée, et j'essayai de me cacher.

— Ben, dis donc, dit le garçon à Noah, toujours par terre. Ça va, mon pote ?

— C'est juste qu'elle est..., balbutia Noah, qui se relevait.

Le pas chaloupé, il tourna le coin du bâtiment en marmonnant.

Le mec et sa copine le regardèrent s'éloigner, puis ils rirent nerveusement et continuèrent vers la cafétéria. Je me suis retrouvée seule.

Je décidai de rentrer à la maison. J'avais un peu d'argent sur moi, je pouvais donc appeler un taxi, ou mon père, et tout envoyer balader. D'un autre côté, Scarlett se ferait du souci si elle ne me voyait pas rappliquer. Alors je me suis couvert les fesses de mon mieux en rabattant les pans de soie des deux mains et je suis partie à sa recherche pour lui annoncer que je me tirais.

Scarlett était sur la piste de danse avec Cameron. Leur slow était mal assuré, à cause de son gros ventre, mais ils étaient mignons comme tout. Ils étaient entourés de filles parfaitissimes avec de belles coiffures, un maquillage impec, perchées sur leurs talons hauts et au bras de leurs mecs en smoking et chaussures vernies. Ginny Tabor et Brett Hershey, élus roi et reine du bal, se dirigeaient, couronne sur la tête, vers la table où trônaient les jattes de punch. Je repérai aussi Regina Little, qui portait une robe de bal à cerceaux qui lui donnait des allures de tipi indien : elle dansait avec un militaire qui devait avoir au moins trente ans. Enfin, dans un coin, Élisabeth Gunderson et Tristan, immobiles, regardaient les autres, l'air crispé et le visage fermé.

Tristan m'aperçut. Et, pour la première fois depuis longtemps, je ressentis ce sentiment de folie qui m'avait envahie de la tête aux pieds, le soir de mon anniversaire au barrage de Topper Lake. Il était si beau... Lorsqu'il me sourit, je me sentis si désespérée et si seule que j'aurais presque souhaité qu'il m'enlève pour qu'on parte au bout du monde.

Ça a été la goutte d'eau qui a fait déborder le vase : je me suis sentie tout à coup submergée par tout ce qui s'était passé depuis un an. Le bal, Michael, maman et le bébé. Tristan, l'horrible baraque de Ronnie et la nuit du réveillon, puis le retour en voiture et ma vitre de portière qui explosait. Élisabeth Gunderson et son sale petit sourire perfide, le froid du bosquet où j'avais vomi tripes et boyaux, la main de Mamie Halley, si fine et tiède dans la mienne. Noah se rapprochant de moi, bouche entrouverte, la langue prête à attaquer, et

maintenant Scarlett sur la piste de danse, qui se trémoussait sous mes yeux et n'arrêtait plus de sourire.

Je zigzaguai dans la foule, tenant toujours ma robe
par-derrière. Je ne pensais qu'à sortir, filer, mourir, je
n'en sais rien. Je passai devant des filles en robe de
princesse, nappées d'eau de Cologne et de parfum, puis
devant Mme Oakley, le principal adjoint, qui regardait
tout le monde d'un air soupçonneux, parce qu'elle
cherchait à débusquer la drogue et les boissons alcoo-
lisées. Je ne m'arrêtai que devant les toilettes, où je
suis entrée à toute vitesse, laissant la porte claquer
derrière moi.

Melissa Ringley se regardait dans la glace, son rouge
à lèvres à la main. Lorsqu'elle vit mon reflet, elle se
détourna. Sa bouche formait un O parfait.

— Mon Dieu, Halley, que se passe-t-il ?

Elle posa son rouge à lèvres et s'approcha, en soulevant sa robe pour qu'elle ne traîne pas sur le carrelage. C'était une robe noire avec un jupon ample et un
modeste décolleté. Melissa portait aussi une petite
croix en or, au bout d'une chaîne.

— Ça va ?

Je devais avoir l'air d'une folle, d'une vraie sauvage.
Mon chignon banane à la Audrey Hepburn, œuvre de
Scarlett, s'était défait et ressemblait à un iroquois de
travers. J'étais toute rouge, mon mascara avait coulé.
Quant à ma robe, j'en avais lâché les pans, et on voyait
tout par la déchirure. Deux filles qui arrangeaient leur
maquillage passèrent devant moi et lorgnèrent ma petite
culotte avant de sortir, me laissant seule avec Melissa.

— Oui, ça va.

Je m'approchai du lavabo, pris une serviette en
papier pour essuyer les traces de mascara sur mon

visage. Lorsque je défis mon chignon, les épingles à cheveux dégringolèrent par poignées.

— C'est une soirée de merde, voilà tout.

— Il paraît que Noah est ivre, déclara Melissa, en susurrant les derniers mots.

Elle regarda autour d'elle, de crainte que les murs aient des oreilles.

— Ma pauvre, qu'est-il arrivé à ta robe ? Tourne-toi, Halley. Oh, mon Dieu !

— Oui, je sais, dis-je entre les dents.

Je n'arrivais pas à croire que je montrais mes fesses à Melissa Ringley.

— Tout ce que je veux, c'est me tirer.

— Mais tu ne peux pas partir dans un état pareil ! dit-elle en se postant derrière moi. Donne-moi tes épingles à cheveux, je vais voir ce que je peux faire.

Je restai immobile, tandis que Melissa fixait des épingles à cheveux sur ma robe, marmonnant comme une duègne. Pendant ce temps, je me disais que ça ne pouvait plus être pire, que j'avais touché le fond du fond, ce soir.

Hélas, je me trompais.

Élisabeth Gunderson portait une robe noire moulante et des talons aiguilles que j'entendis bien avant qu'elle n'ouvre la porte des toilettes. Quand elle m'a vue, elle a plissé les yeux et m'a inspectée de la tête aux pieds avant de s'approcher de l'autre lavabo pour se regarder dans la glace.

— Voilà. Ça devrait tenir jusqu'à la fin de la soirée, m'annonça gentiment Melissa en jetant les épingles en trop dans la poubelle. Surtout, ne fais pas de mouvements brusques.

— D'accord, dis-je à mon reflet.

Élisabeth m'observait. Elle faisait bien la paire avec Tristan : je n'étais à l'aise ni avec l'un ni avec l'autre.

— Merci, Melissa.

— Pas de quoi, pépia-t-elle de sa voix de brave fille toujours prête à rendre service, en tapotant sa frange blonde. C'est aussi le rôle de l'organisatrice du bal de fin d'année, après tout.

Elle agita délicatement les doigts pour me dire au revoir. Au moment où elle ouvrait la porte, la musique emplit les toilettes.

Le nez collé à la glace, Élisabeth se remettait de l'eye-liner. Elle semblait fatiguée, carrément épuisée même, maintenant que je l'observais mieux. Ses yeux étaient rouges, son rouge à lèvres trop sombre : on aurait dit que sa bouche avait été entaillée par un méchant coup de couteau.

Je me regardai à mon tour, constatai que mon maquillage était foutu, et ma tronche lamentable. Et, comme je n'avais rien à dire à Élisabeth Gunderson, je décidai de sortir, quand elle me rappela.

— Halley ?

Je me retournai.

— Quoi ?

Elle recula et arrangea bien ses cheveux sur les épaules.

— Tu passes une bonne soirée ? demanda-t-elle sans me regarder.

Je ne pus m'empêcher de sourire.

— Non. Et toi ?

Elle prit une profonde inspiration, passa un doigt sur ses lèvres pour lisser son rouge à lèvres.

— Moi non plus.

Je hochai la tête, parce que je ne voyais rien à ajouter, puis j'ouvris la porte.

— Bon, ben, à plus tard peut-être...

La musique jouait si fort que j'entendis à peine Élisabeth quand elle reprit la parole.

— Il t'aime encore. Il affirme que non, mais je le sais : il t'aime encore.

Je me figeai et me détournai.

— Qui ? Tristan ?

— Mais il refuse de l'admettre, dit-elle avec calme.

Pourtant, sa voix tremblait.

Je l'avais enviée, le soir du réveillon chez Ronnie, lorsque, allongée sur le lit et dans les vapes, elle observait ses orteils, mais plus maintenant.

— Il affirme qu'il ne pense pas à toi, mais je sais qu'il ment. Surtout ce soir. Quand il t'a vue, j'ai réalisé...

— T'en fais pas, c'est sans importance, dis-je, consciente que c'était vrai.

C'était pas de l'amour, seulement un petit sentiment, un bourdonnement de rien du tout.

— Et toi, tu l'aimes toujours ? me demanda Élisabeth.

Dans les toilettes, sa voix résonnait étrangement : elle était plus forte et, en même temps, plus douce.

— Non, répondis-je avec calme.

Je me regardai dans la glace, et me vis échevelée dans ma robe déchirée. On voyait la cicatrice à mon œil, parce que mon maquillage avait coulé. Mais j'avais la forme. Pour de bon.

— Je ne l'aime plus, précisai-je.

Élisabeth Gunderson se détourna et, avec son mouvement de tête glam habituel, fit glisser sa chevelure sur ses épaules, comme autrefois, lorsqu'elle dominait le stade pendant les matchs de football, du sommet de la pyramide des pom-pom girls. Elle allait reprendre la parole, quand la porte s'ouvrit : Ginny Tabor surgit dans un flot de satin rose, sa voix tonitruante la précédant.

— Halley !

Elle s'arrêta net et posa la main sur sa poitrine comme si elle allait mourir.

— Il faut... que tu viennes tout de suite...

— Pourquoi ?

— Scarlett !

Elle avait du mal à parler, elle était essoufflée. Elle leva l'index, comme pour me dire : « Attends, j'y arrive, bouge pas », tandis qu'elle reprenait son souffle.

— Elle accouche...

— Quoi ?

Je me détournai.

— Tu plaisantes ?

— Je te jure que non. Elle et Cameron allaient se faire prendre en photo, et j'étais la suivante avec Brett dans la file. Au moment du flash, elle a eu un drôle d'air et puis a lancé que ça y était...

— Pousse-toi ! lui dis-je en passant devant elle pour courir dans la cafétéria.

Je contournai la piste de danse, me faufilant parmi les garçons et les filles qui buvaient du punch et m'approchai d'un attroupement près du petit pont-levis en bois qui servait de décor pour les photos souvenir.

Tout le monde chuchotait. Le photographe semblait désemparé devant son énorme appareil photo. Enfin, je vis Scarlett, toute rouge, avec trop de monde autour d'elle.

Quand elle m'aperçut, elle éclata en sanglots.

— Ça va aller, lui dis-je en m'approchant.

Je passai mon bras autour de sa taille, et fis signe à Cameron, qui était livide, de m'aider.

Puis quelqu'un cria : « Vite, une ambulance ! » La musique cessa de jouer et moi, j'ai été incapable de me souvenir de ce que j'avais appris pendant les cours de préparation à l'accouchement.

Scarlett saisit ma robe et m'attira à elle avec une force qui me surprit.

— Je ne veux pas d'ambulance ! Sors-moi d'ici ! Je ne veux pas avoir mon bébé dans cette salle de bal.

— D'accord.

Je cherchai du soutien auprès de Cameron, mais il était toujours appuyé contre le pont-levis et s'éventait d'une main. Il semblait plus mal que Scarlett.

— On y va !

J'aidai Scarlett à se relever. Elle passa un bras derrière mes épaules et on traversa la foule. Mme Oakley m'expliqua qu'elle avait déjà prévenu les pompiers et que nous devions rester là, pendant que, dans une explosion de satin rose, Ginny Tabor criait qu'il fallait tout de suite de l'eau chaude. Je ne pensais qu'à la main de Scarlett crispée fort sur mon épaule : elle me faisait si mal que ma vue s'était troublée. On a réussi à atteindre la sortie.

— Où est Cameron ? demanda-t-elle entre deux halètements tandis qu'on arrivait dans la cour. Qu'est-ce qu'il a ?

— Il est resté là-bas, dis-je en la soutenant toujours. Il n'avait pas l'air bien.

La pression de sa main ne se relâchait pas sur mon épaule.

— C'est pas le moment ! hurla-t-elle dans mon oreille.

— Ça va aller. Je te le jure.

Mais, en arrivant sur le parking, je me rendis compte que ça allait plutôt de mal en pis. Nous n'avions aucun moyen de transport, le retour de notre limousine n'était prévu que vers minuit. On avait semé la foule, qui s'était amassée devant la cafétéria : de là, Mme Oakley nous hurlait d'attendre l'ambulance, qui n'allait plus tarder.

— Je ne veux pas d'ambulance ! répéta Scarlett. Je te jure que si on me met dans une ambulance, je me battrai bec et ongles !

— Mais on n'a pas de voiture, Scarlett. On est venues en limousine, tu sais bien.

— Je m'en fiche ! dit-elle, pressant mon épaule plus fort. Trouve une solution !

— Je vais me débrouiller.

Je regardai autour de moi dans l'espoir que passe une voiture, dont je plaignais le conducteur par avance.

— Pas de panique, je contrôle la situation, ajoutai-je.

Mais je ne contrôlais rien du tout. *Seventeen* n'avait jamais évoqué un sujet pareil. On était seules comme au fond d'un bois... Au même instant, j'entendis un bruit de moteur. Je me penchai et agitai frénétiquement le bras sans cesser de soutenir Scarlett.

— Par ici !

— Oh non, je perds les eaux, murmura Scarlett. C'est une catastrophe... Ma jolie robe est fichue.

— Par ici, arrêtez-vous ! criai-je de nouveau alors que la voiture se rapprochait, ralentissant déjà.

Et, avant même qu'elle n'arrive, j'ai su qui conduisait.

— Salut, les filles, fit Tristan.

Souriant, il déverrouilla les portières arrière.

Ce soir, il roulait en Lexus. Élisabeth était assise à côté de lui.

— On vous dépose ?

— C'est évident ! hurla Scarlett. Tu es complètement débile ou quoi ?

— Ce serait bien, merci, dis-je avec calme tandis qu'Élisabeth ouvrait la portière arrière de l'intérieur.

On est montées, Scarlett toute poisseuse, et moi semant mes épingles à cheveux à tout-va.

On partait quand Cameron est arrivé en courant. Tristan s'est arrêté pour le laisser monter. Le pauvre, il était en nage, il haletait et était toujours très pâle.

— Que s'est-il passé ? lui demandai-je, alors que Scarlett serrait ma mauvaise main si fort que mes doigts semblaient collés.

— J'ai eu un malaise.

— Qu'est-ce qu'il dit ? hurla Scarlett.

— Il n'a rien dit, il va bien, expliquai-je. Bon, maintenant, il faut que tu bosses ta respiration. De profondes respirations, expirations...

Dans le rétroviseur, je vis Tristan qui nous souriait. Je me souvins de la dernière fois où nous roulions à toute vitesse en ville... Il ne fallait surtout pas que j'y pense.

— Respire, dis-je à Scarlett. Vas-y !

— J'ai peur. J'ai mal, si tu savais...

Je serrai sa main plus fort, ignorant la douleur qui s'était réveillée dans la mienne.

— Souviens-toi de ce qu'on a appris pendant le cours de préparation à l'accouchement. Pensées positives et zen. Océan, champs de fleurs et lacs de montagne.

— Boucle-la ! Tu t'entends parler, Halley ?

— Comme tu veux : ne pense pas à ça. Pense à de belles choses, comme ce voyage qu'on a fait au bord de la mer quand on était en sixième, tu te souviens ? Quand on a été piquées par des méduses ?

— Tu trouves que c'est une pensée positive ?

Son front était en sueur et sa main, toujours dans la mienne, brûlante. J'essayai de lui cacher que j'avais peur, mais c'était dur.

— Mais oui !

Tristan me regardait toujours dans le rétroviseur tandis qu'il accélérait.

— Souviens-toi quand on fait des cookies, l'été, quand on danse sur la musique de la radio. Et souviens-toi aussi de l'été dernier, quand nous sommes allées au lac avec Michael et...

— Des kiwis.

À côté de moi, Cameron semblait sur le point de s'évanouir de nouveau.

— Exact ! dis-je, prête à m'enthousiasmer pour n'importe quoi du moment que ça la calmait. Les kiwis ! Et tu te souviens du jour où tu as eu ton permis de conduire ? Et, la première chose que tu as faite, c'est de rentrer dans le mur de ma maison, juste à côté de la porte du garage ?

— Ton père a dit que les jeunes conducteurs rentraient plutôt dans les autres voitures, dit-elle d'une voix rauque, sa main s'accrochant à la mienne. Il a dit que j'étais un cas.

On voyait les lumières de l'hôpital maintenant. J'entendais la sirène d'une ambulance.

— Je m'en souviens, répondis-je en caressant son front et ses cheveux mouillés de sueur. Tiens bon, Scarlett, on y est presque. Tiens bon...

Elle pressa ma main et ferma les yeux.

— Ne me laisse pas. Promets.

— Je ne te laisserai pas, c'est promis, dis-je alors qu'on entrait dans le parking des urgences. Je te rejoins tout de suite.

On a installé Scarlett sur un fauteuil roulant, on l'a fait passer par des portes à double battant à toute vitesse, puis on m'a collé des formulaires entre les mains. Je me suis retrouvée aux admissions avec Cameron et un groupe de scouts qui avaient eu un accident de camping, un vieil homme avec le front en sang et une mère, avec un bébé sur sa hanche, qui hurlait en espagnol. Cameron s'est assis et s'est pris la tête dans les mains. Une fois que j'ai eu rempli les formulaires de mon mieux, je suis allée vers les cabines téléphoniques pour appeler Marion.

Bien entendu, elle n'était pas à la maison. Elle assistait à une joute, dansait la tarentelle, enfin, pratiquait ses trucs médiévaux du week-end avec Vladimir. Lorsque le téléphone sonna et que le répondeur se déclencha, je raccrochai, et d'instinct, j'appelai maman.

— Halley ? dit-elle sans me laisser le temps de parler. Où es-tu ? Mme Vaughn vient de téléphoner. On a retrouvé Noah ivre mort dans le parking du lycée. Norman a dû aller le chercher chez le principal et Ella est hystérique. De plus, personne ne sait où tu es...

— Maman...

— Je sais que tu n'as pas bu et je ne sais pas ce qui

311

est arrivé à Noah. Il n'a jamais eu de problèmes avec l'alcool, avant. John était furieux, c'est clair...

— Maman, dis-je, plus fort cette fois. Scarlett est en train d'accoucher.

— Elle accouche ?

Silence soudain.

— Maintenant ? Tout de suite ?

— Oui.

Près de moi, les louveteaux tapaient sur le distributeur de friandises, furieux que cette « saloperie de machine » ait bouffé tout leur fric. Avachi sur une chaise en plastique un peu plus loin, Cameron avait fermé les yeux.

— Je suis à l'hôpital, on vient d'y conduire Scarlett et je n'ai pas le temps de t'expliquer pour Noah, d'accord ? Je n'arrive pas à joindre Marion, alors, quand elle rentrera, dis-lui où on est. Dis-lui aussi de venir vite.

— Scarlett va bien ?

— Elle est morte de trouille, dis-je, songeant qu'elle était toute seule. Je dois y aller. Je te rappelle.

— Très bien, chérie. Tiens-nous au courant, d'accord ?

— Oui, promis.

Je raccrochai et me précipitai de nouveau vers les admissions, ma robe traînant par terre, car mal retenue par les dernières épingles à cheveux en place. Je passai devant l'entrée, lorsque je vis Tristan et Élisabeth, restés dans la Lexus. L'air furieux, Tristan parlait en pointant un index accusateur sur elle. Élisabeth regardait par sa vitre ouverte, le bras sorti et une cigarette à la main. Elle ne me vit pas.

J'expliquai aux admissions que j'étais la sœur de Scarlett et sa partenaire au cours de préparation à l'accouchement. On me conduisit vers la salle des urgences, où Scarlett était déjà sous monitoring.

— Mais tu étais où ? s'écria-t-elle à ma vue.

Elle tenait un bol en plastique rempli de glaçons et portait une chemise d'hôpital verte. Sa jolie robe de bal était sur une chaise.

— Je suis morte de peur et toi, tu disparais !

— Je n'ai pas disparu, expliquai-je avec douceur. J'ai téléphoné à Marion et j'ai dû remplir des masses de papiers, aux admissions.

— Bon, alors ça va, parce que j'ai vraiment besoin...

Elle cessa de parler et se redressa en se tenant le ventre.

Elle poussa un gémissement bas et guttural, qui devint perçant. Je la regardai, horrifiée. Je ne la reconnaissais plus. Je compris que j'allais perdre la boule.

La porte s'ouvrit. La doctoresse entra, très détendue. Elle prit tout son temps pour s'approcher, tandis que Scarlett respirait, expirait, me prenait de nouveau la main et la serrait si fort que j'ai eu l'impression que mes os allaient se briser.

— Bébé arrive, on dirait ! dit gaiement la doctoresse en prenant le dossier au bout du lit.

— On dirait bien, haleta Scarlett entre deux gémissements. Je peux avoir des calmants, s'il vous plaît ?

— Tout de suite, dit-elle tout en soulevant le drap. Je vais vérifier où tu en es.

Scarlett me pressait la main comme si elle avait voulu réduire mes os en poussière. Je ne la sentais plus.

— Parfait, dit la doctoresse. On y est presque. Cela

ne devrait plus tarder. Il faut que tu te détendes. Respire bien avec ton accompagnatrice. Le reste, on s'en occupe.

— Et les calmants ? demanda Scarlett d'un ton pressant. Je peux en avoir ?

— Je vais prévenir une infirmière, répondit la doctoresse. Ne te fais pas de souci, ce sera terminé avant que tu t'en rendes compte.

Elle referma le dossier, remit son stylo derrière son oreille et disparut.

— Je la hais ! prononça Scarlett avec force, la bouche pleine de glaçons. Je le dis comme je le pense.

— Essaie de te détendre.

Je m'assis à son chevet.

— Respire profondément.

— Mais je ne veux pas respirer ! Je veux qu'on m'assomme, et d'un coup sur la tête s'il le faut ! Je n'y arriverai pas, Halley... Je ne pourrai jamais...

— Si, tu y arriveras ! lui dis-je avec sévérité. On est prêtes.

— Facile à dire ! répliqua-t-elle en mettant de nouveau des glaçons dans sa bouche. Tout ce que tu as à faire, c'est m'ordonner de respirer. Tu as le boulot le plus facile, dans l'histoire.

— Scarlett, reprends-toi !

Elle se redressa sur le lit et postillonna des morceaux de glace.

— Ne me dis pas de me reprendre ! Ça n'est pas toi qui souffres le martyre. Rien n'est comparable...

Elle cessa de parler, devint pâle. Elle avait une autre contraction.

— Respire, lui dis-je en faisant la respiration du

314

petit chien. Pufff pufff pufff. Respire profondément. Pufff pufff pufff. Courage !

Mais Scarlett se remettait à gémir. Ce son bas et si étrange me terrorisa cette fois. J'avais tout faux, on n'était pas prêtes pour une chose pareille ! Ça nous dépassait ! Et je fus soudain comme Cameron : paniquée et assommée. J'aurais moi aussi aimé être dans la salle d'attente avec les scouts devant le distributeur de friandises, et faire les cent pas avant d'allumer le cigare rituel, comme les futurs papas.

— Je reviens, lui dis-je en m'éloignant du lit, sur la pointe des pieds. Je vais...

Elle cessa de gémir et me fixa, les yeux écarquillés.

— Non ! Ne me laisse pas ! hurla-t-elle. Halley, ne...

Mais je sortis. Seule dans le couloir, je m'appuyai contre le mur froid, en profitant pour cacher la déchirure de ma robe et mes fesses maintenant à l'air. J'essayai de maîtriser mon angoisse. J'entendais toujours Scarlett gémir. Oh, mon Dieu, je la laissais tomber au moment où elle avait le plus besoin de moi...

Puis j'entendis un bruit de pas, des « clac clac clac », rapides, affairés et efficaces, et de plus en plus audibles. Je regardai sur ma gauche : maman arrivait, sac à main calé sous le bras, tête haute et regard fixé droit devant elle.

— Où est-elle ? me demanda-t-elle.

— Là. Elle est morte de peur.

— Eh bien, allons la rejoindre !

Je reculai et me pressai de toutes mes forces contre le mur.

— Halley, tu viens ? Que se passe-t-il ?

— Je ne peux pas, expliquai-je d'une voix que je

trouvai étrange et stridente. Ce qui est en train de se passer, c'est énorme, maman. Je pense que...

— Chérie, tu dois être auprès de ton amie.

— Je te dis que je ne peux pas ! répétai-je.

Ma gorge me faisait mal quand je parlais.

— C'est trop dur...

— Certes, mais Scarlett compte sur toi, dit-elle simplement, me prenant par le coude pour m'entraîner. Tu ne peux pas la lâcher à un moment pareil.

— Je ne l'aide même pas ! Comment peut-elle avoir envie que je sois là ? Je suis lamentable !

Mais maman ouvrait déjà la porte de la chambre de sa main restée libre.

— Tu es la seule personne que Scarlett veut à ses côtés, ma fille.

Nous sommes entrées, maman me tenant par les épaules. Je la laissai me conduire vers le lit où, le visage inondé par les larmes, Scarlett se redressait et froissait les draps dans ses poings.

— C'est nous, ma puce, annonça maman en passant la main sur son front en sueur. Tu es géniale.

— Et Marion ? L'est là ? haleta Scarlett.

— Pas encore, mais Brian l'attend chez vous. Elle ne va plus tarder. Ne te fais pas de souci. Maintenant, dis-nous ce que nous pouvons faire pour toi ? Comment on peut t'aider ?

— Ne me laissez pas, c'est tout..., souffla Scarlett alors que maman s'asseyait à côté d'elle et posait son sac sur le fauteuil. Je ne veux pas être seule.

— On ne te laissera pas, promit maman, observant fixement le fauteuil de l'autre côté du lit, puis m'adressant un regard sans équivoque.

Alors je repris ma place de l'autre côté du lit, un peu honteuse.

J'observai maman penchée sur le visage épuisé de Scarlett et qui lui murmurait des mots que je n'entendais pas mais que je devinais. Ceux qu'elle prononçait, les nuits où je me réveillais après un cauchemar, après m'être cassé la figure à skate ou à rollers, et toutes les fois où les nainemies me pourchassaient sur leurs vélos roses jusqu'à ce que je me replie chez nous en pleurant.

Tandis que je regardais maman mettre des paroles sur des émotions et des sentiments, enfin, exercer son plus beau talent, je compris que je ne pourrais pas rompre à jamais le lien qui nous unissait. Que je sois forte ou faible, maman était une partie de moi, aussi vitale pour ma vie que les battements de mon cœur. Je savais que tout au long de ma vie j'aurais besoin d'elle et de sa force.

Chapitre 19

La doctoresse leva les yeux et hocha la tête.

— Scarlett, je vois la tête. Pousse encore deux fois et ce sera terminé, c'est d'accord ?

— Ça ne va plus être long maintenant, murmurai-je, lui serrant fort, très fort la main. Le bébé est presque là.

— Tu te débrouilles bien, enchaîna maman, tu es courageuse. Beaucoup plus que je ne l'ai été.

— C'est grâce aux médicaments, renchéris-je, depuis qu'on lui en a donné, ça roule tout seul.

— Silence, vous deux ! répondit Scarlett. Je vous jure que quand ce sera fini, je vous tuerai l'une après l'autre.

— Pousse ! ordonna la doctoresse. Vas-y !

— Respire ! lui intimai-je en prenant moi aussi une grande inspiration.

— Respire ! fit maman en écho. Vas-y, ma grande, c'est presque fini.

Scarlett s'arc-bouta contre moi, en serrant ma main. Je regardai son visage se plisser, ses yeux se serrer et sa bouche s'ouvrir tout grand, alors qu'elle poussait plus fort qu'elle ne l'avait fait pendant toute la nuit et épuisait ainsi ses dernières forces.

— Et voilà, il arrive, je le vois ! s'exclama la doctoresse joyeusement. Pousse encore une fois, juste une dernière petite fois, Scarlett.

Scarlett poussa de nouveau, en étouffant un cri, tandis que la doctoresse se penchait. Et, aussitôt après, elle se redressa avec un bébé dans ses mains, un petit être rouge et gluant dont les pieds gigotaient et dont la bouche minuscule s'ouvrit pour laisser échapper un geignement semblable à celui d'un petit chat.

— C'est une fille ! déclara la doctoresse.

Les infirmières l'essuyèrent, nettoyèrent sa bouche et son nez, puis la posèrent dans les bras de Scarlett, contre sa poitrine. Scarlett pleurait en contemplant sa fille, qui avait refermé les yeux. Son bébé avait été avec nous depuis la fin de l'été, il avait grandi bien au chaud dans son ventre, et maintenant il était réel.

— Une petite fille…, murmura Scarlett entre ses larmes, je le savais.

— Elle est belle, lui dis-je. Elle a mes yeux.

— Et mes cheveux, répliqua-t-elle sans cesser de pleurer. Regarde…

Elle caressa le duvet roux sur la tête de son bébé.

— Tu peux être fière de toi, dit maman en caressant sa menotte.

Maman me sourit.

— Je l'appellerai Grace, annonça Scarlett. Grace Halley.

— Halley ? dis-je, étonnée. Vraiment ?

319

— Vraiment.

Elle embrassa le bébé sur le front.

— Grace Halley Thomas.

Je baissai les yeux sur Grace, submergée par la joie. Elle symbolisait l'année que nous venions de passer – depuis l'été avec Michael jusqu'à l'hiver avec Tristan. Une année qu'on n'oublierait jamais.

Scarlett rayonnait de bonheur. Elle berçait Grace et embrassait ses petites mains et ses petits pieds, nous demandant si, honnêtement, on avait déjà vu un bébé aussi beau ? (Tout le monde affirma que non.) Une fois qu'on se fut bien extasiées, une fois que Scarlett se fut endormie, je suis allée dans la salle d'attente pour annoncer la bonne nouvelle.

Ce que je vis, en arrivant près des distributeurs et des fontaines à eau, me sidéra.

Il y avait foule sous les néons.

D'un côté, près des urgences, la moitié du lycée, les filles en robe de bal et les garçons en smoking, appuyés au mur ou assis sur les banquettes en plastique : je reconnus Ginny Tabor, Brett Hershey, des filles du cours de communication visuelle et de design graphique avec leurs cavaliers, Melissa Ringley et même Maryann Lister, plus des tonnes de gens que je ne connaissais pas ! Tous, très élégants, mangeaient des Snicker ou des Mars et attendaient en discutant. Je ne vis pas Élisabeth Gunderson, mais j'aperçus Tristan : adossé au distributeur, il parlait avec Cameron, qui, ouf, avait retrouvé des couleurs, enfin, une pâleur décente.

À l'autre bout de la salle, je vis, séparés des lycéens par des rangées de chaises (et quelques siècles), Vladimir, Marion, hors d'haleine, et au moins vingt autres guerriers et damoiselles en costume médiéval, certains avec des épées et des boucliers. J'en ai même vu un avec une cotte de mailles qui cliquetait pendant qu'il faisait les cent pas devant les admissions.

Et, tout à coup, ils m'ont tous repérée.

Marion a traversé la salle en courant dans un frou-frou dément, suivie par Vladimir et une poignée de guerriers. L'infirmière des admissions a fait les gros yeux tandis que Marion s'approchait d'un côté, Cameron et Ginny Tabor de l'autre, et enfin Ginny dans sa robe rose shocking suivie par des filles en robe pastel et des garçons en smoking. Il y eut très vite un attroupement. Les autres se sont arrêtés de parler, puis se sont levés et se sont approchés en me regardant.

— Alors ? me demanda Ginny, qui pila devant moi.

— Comment va-t-elle ? interrogea Marion. Je viens d'arriver, je suis rentrée tard et...

— Ça va ? fit Cameron. Elle va bien ?

— Elle va bien.

Je lui souris.

Je me tournai vers la foule rassemblée, les lycéens du bal, les cendrillons, les damoiselles, les guerriers et les chevaliers, sans compter quelques scouts un peu allumés et le vigile, qui gardaient prudemment leurs distances.

— C'est une fille !

Quelqu'un se mit à applaudir et à pousser des vivats, puis tout le monde se mit à parler en même temps, à se congratuler et à se taper dans le dos. Les mecs en smoking et les guerriers se mélangeaient, se serraient la main et s'étreignaient tandis que Marion courait voir sa petite-fille avec Cameron. Ginny Tabor offrit un vrai baiser de cinéma à Brett Hershey, histoire de se donner en spectacle. L'infirmière a demandé du calme : « On est dans un hôpital, tout de même, pas sur un champ de foire ! », mais personne ne lui a prêté attention. Moi, je les regardais se féliciter. Je voulais tout enregistrer pour tout raconter à Scarlett et, plus tard, à Grace.

Dans la nuit, j'ai dit à maman de rentrer. Je suis restée au chevet de Scarlett et l'ai regardée dormir. On avait prédit que cette soirée serait spéciale, elle l'avait été, mais pas comme prévu. J'étais folle de joie, tellement excitée par la naissance et par notre avenir que j'avais envie de réveiller Scarlett et de parler de tout, maintenant, mais elle semblait si paisible que je me retins. En partant, je passai devant la nurserie et admirai Grace, si petite dans son berceau. Je posai mes doigts sur la vitre, mon signal et celui de Scarlett, pour lui montrer que j'étais là.

Puis je quittai l'hôpital et, dans la nuit, rentrai à la maison. Je voulais être seule pour accomplir la première étape du voyage qui m'attendait.

Je retirai mes escarpins, nouai les brides à mes poignets et pris la route, direction la maison. Je ne pensais pas à Tristan, ni à maman qui m'attendait, ni même à Scarlett qui dormait dans l'une de ces chambres dont je voyais les fenêtres allumées. Je ne pensais qu'à Grace Halley, à chaque pas que je faisais, pieds nus, dans ma robe de bal (épinglée maintenant !).

Quelle petite fille, quelle adolescente et quelle femme serait Grace ? Verrait-elle passer la comète dont elle portait le nom, comme Mamie et moi ? Je savais qu'un jour je l'assiérais sur mes genoux pour lui montrer le ciel. Je lui expliquerais qu'une comète magnifique et lumineuse le traversait. Je dirais à Grace qu'elle était unique, comme la comète.

J'espérais que Grace hériterait de nos qualités : la belle âme de Scarlett, la force de caractère de maman, la détermination de Marion et la malice de Michael. Je ne savais pas ce que je lui apporterais, enfin, pas encore, mais j'aurais sans doute trouvé lorsque, dans plusieurs années, je lui parlerais de la comète. Alors je me pencherais sur son oreille et prononcerais des mots qu'elle seule entendrait. Ce serait des mots qui expliquent, consolent et donnent du courage, dans la langue des comètes et des femmes que nous ne sommes pas encore mais que nous devenons toutes.

Cet ouvrage a été imprimé
en janvier 2011 par

FIRMIN-DIDOT

27650 Mesnil-sur-l'Estrée
N° d'impression : 103063
Dépôt légal : février 2011

Imprimé en France

12, avenue d'Italie
75627 PARIS Cedex 13